Annette

Bywyd ar ddu a gwyn

Annette

Bywyd ar ddu a gwyn

ANNETTE BRYN PARRI

Hoffwn gyflwyno'r llyfr i Mam a Dad;
i Gwyn, fy ngŵr; ac i Heledd, Ynyr a Bedwyr, y plant.

Hefyd er cof annwyl am Tommy Arfon Parry,
fy nhad-yng-nghyfraith ffraeth a charedig;

ac er cof am ffrindiau arbennig iawn,
Helen Parry (Deiniolen) a
John Puw (Llanddoged, Llanrwst).

Argraffiad cyntaf: 2010

© Hawlfraint Annette Bryn Parri a'r Lolfa Cyf., 2010

Dymuna'r cyhoeddwyr gydnabod cymorth ariannol
Cyngor Llyfrau Cymru

Llun y clawr: NEW<ID, Manceinion
Cynllun y clawr: y Lolfa

Rhif Llyfr Rhyngwladol: 978 1 84771 277 6

Cyhoeddwyd, rhwymwyd ac argraffwyd yng Nghymru
gan Y Lolfa Cyf., Talybont, Ceredigion SY24 5HE
gwefan www.ylolfa.com
e-bost ylolfa@ylolfa.com
ffôn 01970 832 304
ffacs 832 782

Cyflwyniad

PAN GANODD Y FFÔN, ac Alun Jones, Bow Street, ar ben arall y lein yn holi a fyddai gen i ddiddordeb mewn ysgrifennu hunangofiant, fy ymateb cyntaf oedd nad oeddwn wedi cyrraedd yr hanner cant eto, ac felly, nad oeddwn i'n gymwys i ysgrifennu hunangofiant! Serch hynny, roeddwn yn falch iawn i dderbyn y cynnig ac unwaith es i'r afael â'r gwaith, roedd yn destun syndod 'mod i'n gallu cofio cymaint. Roeddwn wedi cyflawni cymaint mewn gyrfa broffesiynol sydd erbyn hyn wedi ymestyn dros chwarter canrif. A phwy a ŵyr, pe bai fy iechyd yn caniatáu i mi weithio am chwarter canrif arall, efallai y gwnaiff ail ran yr hunangofiant ymddangos!

Mae'r daith dros y misoedd diwethaf wedi bod yn un emosiynol iawn, wrth ddwyn i gof y llon a'r lleddf. Mae fy nyled yn fawr i nifer o unigolion a fu'n gefn i mi wrth greu'r hunangofiant hwn. Diolch i Dyfan Roberts am gydysgrifennu'r gyfrol. Rwy'n edmygu dawn ysgrifennu Dyfan yn fawr. Mae ganddo ymadroddion nad oeddwn i'n gyfarwydd â nhw ac mae wedi cyfrannu dogn helaeth o'r hiwmor hwnnw sy'n nodweddiadol ohono.

Diolch i Gwyn, fy ngŵr, am ei gefnogaeth, ac am sicrhau bod pob sill yn ei le cyn i'r penodau gael eu gyrru, fesul un, o gyfrifiadur Cynefin i gyfrifiadur Dyfan.

Rwy'n ddiolchgar i fy rhieni a gweddill fy nheulu am eu cariad, eu gofal a'u caredigrwydd ar hyd y daith. Hefyd, i Lefi, Alun a holl staff y Lolfa am eu hynawsedd a'u proffesiynoldeb. Diolch i'r holl artistiaid a'r cynulleidfaoedd sy'n cael eu henwi yn y llyfr – hebddynt hwy, ni fyddai'r cyfan yn bosibl. Un o'r pethau hynny sy'n rhoi gwefr yw cyfarfod â phobol ddiarth, sy'n gofyn am gael cyffwrdd yn fy nwylo, neu'n diolch i mi am roi cymaint o bleser iddynt dros y blynyddoedd. Diolch am bobol felly – mae eu gwerthfawrogiad o 'nghyfeilio a 'mherfformio'n amhrisiadwy.

Roedd cwblhau'r llyfr yn anodd heb Del, y ci ffyddlon, wrth fy nhraed.

1

Y PNANO!

DWI DDIM YN COFIO amser pan nad oeddwn i'n chwarae'r piano... Dygwyl Dewi, 1973. Yr Albert Hall, Llundain. A minnau, Annette, yn ddeg oed; pwten fach lygatlas o Ysgol Gynradd Deiniolen, yn fy mlows wen a thei'r Urdd, a gwallt melyn hir i lawr fy nghefn. Pryd golau, yn union yr un fath â fy nhad. Ond nid cyfeilio i'w lais tenor hyfryd o roeddwn i'r diwrnod hwnnw. Nid cyfeiliant yn Eisteddfod Capel Cefn y Waun, nid consart Band Deiniolen yn festri Eban oedd o 'mlaen i rŵan. Hwn oedd cyngerdd cenedlaethol blynyddol yr Urdd lle câi enillwyr yr Eisteddfod Genedlaethol y flwyddyn cynt gyfle i ailarddangos eu dawn o flaen miloedd o'u cyd-wladwyr, a hynny yn y neuadd fwyaf a chrandiaf y gallen nhw fod wedi dod ar ei thraws. Neuadd fawreddog Albert, ym mhrifddinas Lloegr. Ac roeddwn i yma i gyfeilio i'r gân actol fuddugol o Ysgol Gynradd Deiniolen. Unwaith y byddwn ar y llwyfan fyddai dim troi'n ôl – dim athrawes i'm helpu, dim band i 'nghefnogi, dim arweinydd i'm tywys. Byddai cyfrifoldeb cerddorol y perfformiad yn dibynnu ar un person ac un offeryn – ei rythm, egni a'i gywirdeb. Fi... a'r piano.

Camu ar lwyfan yr Albert Hall y prynhawn hwnnw. Roedd y plant, y rhieni a'r cefnogwyr wedi dod mewn bws yr holl ffordd o Ddeiniolen, a phawb yn aros mewn gwesty yn Lilly Road. Roedd fy mam wedi cael y job o edrych ar ôl y cesys a bocsys y gwisgoedd; dim ond y perfformwyr a gâi fynd ar y llwyfan ei hun yn y prynhawn, i edrych o'u cwmpas ac ymgyfarwyddo â'r lle cyn perfformiad y nos. Ac mi roedd hi'n dipyn o dasg ymgyfarwyddo gan fod y lle'n enfawr. Iawn, roedd pabell Eisteddfod Genedlaethol yr Urdd wedi bod yn dipyn o bwysau. Ond hyn? Cofio sylwi ar y siapiau madarch mawr yn hongian ar weiars uwchben yr awditoriwm – rhyw bethau i atal y sain rhag diflannu i entrychion y nenfwd mawreddog oedden nhw, mae'n debyg – oedd i'w gweld tua milltir uwch fy mhen. Fy llygaid yn crwydro ar hyd yr orielau – cannoedd o resi o seddi melfedaidd coch. Ac yna at y piano ei hun, a safai fel cawres ar y llwyfan. Mynydd Elidir o biano! Y tro cyntaf yn fy mywyd i mi fentro i chwarae *grand*. Ac wrth eistedd ar y stôl esmwyth a gweld corff yr offeryn yn ymestyn yn hir o fy mlaen, am y tro cyntaf yn fy mywyd, daeth rhyw gnoi diarth i'm stumog. Allwn i ei gwneud hi?

'Mam,' meddwn i wedi dod oddi ar y llwyfan ar ôl yr ymarfer. 'Mae gen i boen yn fy mol.'

'O, fyddi di'n iawn, 'sti,' meddai hithau. 'Rwyt ti wedi'i wneud o lawerodd o weithia o'r blaen.'

Minnau'n gwybod yn iawn fod Mam yn trio'i gorau i swnio'n galonnog a hithau, mewn gwirionedd, yn foddfa o nerfau ar fy rhan. Felly roedd Mam wedi teimlo ers y cychwyn, ac felly mae hi'n dal i fod bob tro dwi'n perfformio. Ei chalon hi'n curo fel gordd a'i bysedd hi'n chwys domen!

Ond a bod yn onest, wyddwn i ddim beth oedd nerfau tan y diwrnod hwnnw. Fu chwarae o flaen cynulleidfaoedd, bach a mawr, ddim yn boen yn y byd i mi. Toedd y piano a minnau wedi tyfu efo'n gilydd? Roedd chwarae'i nodau o mor naturiol ag anadlu awyr iach y mynydd. Pigo alaw, cordio, chwarae, chwarae, chwarae, o fore gwyn tan nos. Cofio'r dyn tynnu lluniau hwnnw ddaeth acw i dynnu llun ohona i a'm dwy chwaer fach yn ein siwtiau pinc, ac yn tynnu un ohonof fi ar fy mhen fy hun gyda gwên falch, a'm bysedd ifanc ar y piano – yr hen biano *upright* hwnnw a safai ger y wal ym mwthyn bach Blaen y Waen. Hwnnw oedd fy mhiano i, wedi bod ers cyn co. Ac wrth edrych ar *grand* sgleiniog yr Albert Hall, onid yr un faint yn union o nodau oedd ar allweddell hen biano ail-law Deiniolen erbyn meddwl – ond eu bod nhw ychydig yn fwy llwyd? Onid yr un oedd techneg eu chwarae yn y bôn? Ac oni fedrwn innau dynnu'r un alawon llon a lleddf o biano drud Neuadd Albert ag a wnawn o grombil piano ail-law Blaen y Waen, hwnnw roedd Dad wedi'i brynu i mi'n bresant Nadolig pan oeddwn i'n dair oed?

Ia, tair oed. Yr oedran bach pell, ifanc hwnnw pan nad yw'r cof prin wedi ffurfio...

Does gen i ddim cof am y piano'n cyrraedd fy hen gartref. I mi, roedd o wedi bod yno erioed, fel yr Elidir a moelydd Eryri a welwn drwy bob tywydd ar fy ffordd i'r pentre. Ond dwi'n cofio'r tŷ. Tyddyn bach del oedd Blaen y Waen, yn sefyll ar y fawnog fynyddig honno ar gyrion dwyreiniol pentre Deiniolen, wrth droed Elidir Fach, nid nepell o Gapel Cefn y Waun. Bwthyn chwarelwr ar un adeg, mae'n debyg, gyda hancas o dir ynghlwm ag o i fedru ychwanegu rhyw damaid at gyflog prin y chwarel. Gwerthwyd y tir i uno dwy fferm, daeth y tŷ'n wag, ac fe'i prynwyd ef gan fy nhad am £200 wedi iddo briodi. Swm bychan iawn heddiw wrth gwrs, ond yn y cyfnod hwnnw yn eitha drud, medda fo. Chwarelwr oedd Dad, wedi mynd yn syth o'r ysgol i'r chwarel, fwy na heb. Dyna'r traddodiad yn Neiniolen, wrth gwrs, efo chwarel fawr Dinorwig o fewn pellter cerdded hawdd i'n cartref uchel ni, a'i thomenni llwydlas yn rhythu i lawr ar y pentre. Un o ferched ucheldir Deiniolen oedd fy mam hefyd, hithau o deulu o dyddynwyr a chwarelwyr annibynnol. Pobol y mynydd ydi 'nheulu i, pobol y chwarel a'r tyddynnod, gwerin y waun a'r creigiau. Gwŷr a gwragedd cryfion, ystyfnig, ond yn ôl yr hen draddodiad yn gymdeithas glòs, gynnes, a phawb yn helpu'i gilydd. Pan fyddai aelod o'r teulu farw, byddai'r gymdeithas yn cau o'u cwmpas mewn caredigrwydd a chymwynasgarwch. Dyna'r rhinweddau y'm magwyd i ynddyn nhw, ac maen nhw'n rhan ohono i byth.

Tŷ bychan oedd Blaen y Waen – tŷ wedi'i adeiladu ar gorstir. Tŷ tamp. Erbyn i mi ddod i'r byd yn 1962 roedd Nhad wedi gadael y chwarel, ar ôl dioddef am flynyddoedd o ganlyniad i gael ei daro yn ei lygad gan ddarn o lechen, ac wedi mynd i weithio yn garej deiars Kenning ym Mangor. Roedd gan Mam ddigon i'w wneud yn rhedeg yr aelwyd, gan fod fy nwy chwaer, Olwen a Marina, wedi fy nilyn i'r byd o fewn cwta dair blynedd i minnau. Gofalai Mam fod tân glo da'n cynhesu'r stafelloedd a digon o fwyd poeth i bawb bob amser. Ond erys y ffaith mai tŷ tamp ydoedd, ac wedi i'm chwaer fach, Marina, ddatblygu caethdra ar ei brest, roedd yn rhaid i'm rhieni symud er mwyn ei hiechyd hi. Er hyn roeddwn i, yn wir y tair ohonon ni'r chwiorydd, yn caru'r hen dŷ i'r entrychion. Ddeallodd yr un ohonon ni beth oedd gwendidau adeiladwaith y lle, diolch i ymdrechion Mam i gadw hynny'n dawel. Yn wir, nid tamprwydd ydw i'n ei gofio am fy nghartref cyntaf ond cynhesrwydd – cynhesrwydd fy nheulu a 'magwraeth. A'm llaw ar fy nghalon, mi alla i ddweud 'mod i 'di cael plentyndod ffantastig ym Mlaen y Waen.

Mi gofia i'r lle yn glir fel roedd o pan gefais i fy magu yno. Roedd tri gris o lechen yn arwain i lawr o'r drws ffrynt i estyniad roedd fy nhad wedi'i adeiladu, lle'r eisteddai'r harmoniwm a drws yn arwain i'r llofftydd. Lawr wedyn i'r stafell fyw, a grisiau i lawr eto i gegin gefn fechan. Ac ar wal y stafell fyw gyferbyn â'r bwrdd, y teledu a'r radiogram pren, y safai'r piano... neu'r 'pnano' fel y galwn i o amser hynny. 'Dad, dwi isio pnano!' – dyna'r gri gyson cyn i'r offeryn hoff ddod yn rhan o 'modolaeth i. Ar lin fy nhad yn ddim o beth, rhythwn ar y teledu. Down yn fyw pan glywn unrhyw gerddoriaeth. Pan ddôi'r hysbysebion byddwn yn cropian â 'nhrwyn bron yn y sgrin er mwyn clywed y jingl fasnachol a ddôi efo'r hysbyseb am betrol Esso – Put a Tiger in Your Tank! A'r rhaglen orau un oedd Rolf Harris ar brynhawn Gwener pan fyddai'r dewin clên o Awstralia yn chwarae ei *wobble-board* i'r alaw 'Tie me Kangaroo Down' a 'Sun Arise'. Mi wnaeth fy nhad *wobble-board* i mi, a phrynu organ law fach drydan hefyd, a minnau'n ei chario'n ofalus i'r ysgol Sul i chwarae emynau. Ond doedd 'na'm byw na marw, fedrai nac organ na *wobble-board* nac unrhyw hyrdi-gyrdi fodloni'r gri o'r galon cyn y Nadolig 1965... 'Isio pnano!'

Gan Clarence o Bentre Helen, stad tai cyngor yn Neiniolen, y clywodd fy nhad amdano – piano ar werth i gartref da. Lawr â fo'n reit ddistaw, taro wyth bunt i lawr i Clarence, a chael help yr hogia i'w gludo i Flaen y Waen, ac i'r tŷ gwair. Ac yno, yng nghanol y gwellt a'r llygod bach, y bu'r hen biano'n llechu tan y diwrnod mawr. O'r diwedd, cyrhaeddodd Noswyl Nadolig, a rŵan, mi oedd angen cael y piano o'r tŷ gwair i mewn i'r tŷ, yn doedd – ar hyd llwybyr yr ardd, drwy'r drws cul a'r holl ffordd i lawr y grisiau llechi – a hynny heb ddeffro meiledi fach oedd yn disgwyl Siôn Corn yn y llofft agosaf. Un o fêts Dad, Tom o

Fangor, wirfoddolodd i gyflawni'r dasg efo Dad. Ond, yr unig beth oedd, roedd hi'n dipyn o draddodiad yn y pentre i iro'r llwnc yn y tafarnau ar Noswyl Nadolig, a Nhad a Tom wedi llawn anrhydeddu'r traddodiad hwnnw, yn naturiol. Roedd Mam wedi fy rhoi yn fy ngwely ac roedd ar bigau'r drain yn disgwyl y ddau fwrddrwg adre. Rhwng un ar ddeg a hanner awr wedi, dyma'r ddau yn landio, ac mewn hwyliau reit dda! Wedi lot o chwerthin a mân siarad, dyma fynd ati i drio cludo'r offeryn i'r tŷ.

'Cym di'r pen yma a mi ddo i ar dy ôl di efo'r pen pella,' meddai Nhad wrth Tom.

Ond, yn anffodus, doedd penliniau'r ddau ddim cweit mor gadarn yr adeg honno o'r nos.

'Shht!' meddai Mam o'r gegin. 'Triwch gadw'n ddistaw, wnewch chi, neu mi dach chi'n bownd o ddeffro Ann!'

'Reit 'ta, Tom, ti'n barod am y ffeinal pwsh?' meddai Nhad o dop y grisiau. 'Un dau tri!' a chodi ei ben ef i fyny.

Ond, yn anffodus, chafwyd mo'r un gymwynas gan Tom yn y pen arall.

'Ty'd 'laen, Tom,' sibrydodd fy nhad gan duchan. 'Argol, brysia! Mae'n mynd o 'ngafal i!'

Ond y cwbwl a welai fy nhad y pen arall oedd Tom yn gwneud rhyw ymdrech lipa i godi'r piano, ildio, a disgyn ar ei fol i'r llawr yn un swp tila o chwerthin afreolus.

Ond wir i chi, erbyn y bore, roedd y piano yn ei ogoniant yn y stafell fyw, a minnau yn fy nefoedd ar ei hallweddellau. Pa ots os oedd ei nodau wedi llwydo ac wedi gwisgo braidd, gan fy mod i, yn ôl fy rhieni, yn gallu cael tiwn ohoni hyd yn oed yn yr oed cynnar hwnnw. Nid stompio a bangio'r nodau fel bydd plant, ond pigo alaw syml, arbrofi efo cyfuniadau, ymglywed efo swyn cordiau. Ac mi oedd Blaen y Waen yn llawn dop o fiwsig: Dad efo'i unawdau, ac yn canu hefo fy chwiorydd. A Mam. Roedd Mam wedi mopio efo David Lloyd. Roedd ganddi lythyr ganddo yn ei lawysgrifen yn ateb llythyr gwerthfawrogol iawn roedd Mam wedi'i sgrifennu ato ar ôl rhyw gyngerdd yn Eglwys Gadeiriol Bangor. Byddai ei lais melys ar ein radiogram ni drwy'r amser. Hyd heddiw, alla i ddim gwrando ar ei 'Cwsg,

Goronwy Wyn' heb i'm llygaid fod yn llaith. Ac 'Arafa Don', wrth gwrs. Mae'n rhaid 'mod i wedi gwrando arni filoedd o weithiau, ac erbyn fy mod i tua phump oed, cyn i mi hyd yn oed symud o ddosbarth babanod yr ysgol, roeddwn i'n gallu chwarae'r cyfeiliant yn berffaith. Mae'n debyg fod hyn wedi synnu a rhyfeddu Mam gymaint fel y gwnaeth hi ofyn a fuasai athrawes un o ddosbarthiadau uwch yr ysgol yn gwrando arna i.

'A be mae Annette bach am ei chwarae i ni, 'ta?' gofynnodd yr athrawes.

'"Arafa Don",' meddai Mam yn dalog.

'"Arafa Don"? Yn bump oed? Peidiwch â rwdlan!'

'Ddo i â hi draw fory i chi gael cl'wad, ' meddai Mam.

A chwarae 'Arafa Don' ddaru mi, pob nodyn yn ei le. O hynny ymlaen, fi oedd cyfeilydd gwasanaeth boreol yr ysgol tra bûm i yno.

Aeth y gair ar led, yn ara bach, fod 'na ryw dalent newydd yn y pentre. Nid mod i'n ymwybodol o'r siarad hwnnw, dim ond canlyn fy mywyd fel petai dim byd anghyffredin yn digwydd. Doedd 'na ddim anghyffredin cyn belled ag roeddwn i yn y cwestiwn.

Yn bump oed, yn Eisteddfod Capel Cefn y Waun, roeddwn i wedi bod yn cystadlu efo'r plant eraill yn eisteddfod y pnawn, yn adrodd, canu ac yn y blaen. Ac yn y cyfarfod nos, dyma weinidog y capel, y Parch. John Price Wynne, tad y diweddar Eirug Wyn, yn galw Nhad i lwyfan y Sêt Fawr i gystadlu ar yr unawd agored. Draw â Nhad drwy'r gynulleidfa a dringo i'r llwyfan, a phwy oedd yn trotian dau gam y tu ôl iddo ond y fi.

'Annette fach,' meddai Mr Wynne yn garedig, 'mae'r cyfarfod plant drosodd, 'sti. Tro Dad i gystadlu ydi hi rŵan.'

'Dwi'n chwara i Dad,' meddwn innau.

'Yli, well i ti fynd i ista i lawr, achos... ym...'

'Na,' meddwn innau, yn fwy penderfynol byth. 'Dwi'n chwara i Dad!'

'Wel, yr argol!' meddai Mr Wynne, wrth i mi frasgamu heibio iddo at y piano a tharo'r cyflwyniad i 'Bwthyn Bach Melyn fy Nhad'. Mi chwaraeais i'n dda, mi ganodd Dad yn fendigedig... ac, wrth gwrs, mi enillon ni. A thynnu'r lle i lawr, mae'n siŵr!

Mi oedd cystadleuaeth cân actol yr Urdd yn beth mawr yn ysgol Deiniolen. Erbyn i mi fod yn naw neu ddeg oed y fi oedd cyfeilydd y gystadleuaeth honno, a'r côr, a'r dawnsio gwerin, a'r cerdd dant a phob dim arall, neu felly yr ymddangosai i mi ar y pryd. Os oedd angen rhywun i gyfeilio, yr un peth oedd hi bob tro, 'O, mi wneith Annette. Mae hi'n un dda'. Er 'mod i bob amser yn falch o helpu, ddywedais i ddim, ond mae'n rhaid i mi gyfadde mod i'n dechrau teimlo dipyn bach yn flin am y peth, yn ddistaw bach. Gweld y plant eraill yn cael gwisgo dillad lliwgar, yn cael canu a dawnsio a pherfformio ar y llwyfan, a minnau wedi fy nghymryd yn ganiataol braidd yn cyfeilio iddynt yn y cefn, neu o'r golwg yn llwyr. Ond fel digwyddodd petha, mi godais fy nghalon yn rhyfeddol pan ddaeth Mrs Maude Williams, athrawes dosbarth dau'r ysgol, ata i tua dechrau'r flwyddyn 1971 efo cais arbennig. Roedd Mrs Williams wedi bod yn cyfansoddi deuddeg set o eiriau ar gyfer y gân actol y flwyddyn honno. Dyna lle roeddan nhw wedi'u hysgrifennu'n daclus mewn copi-bŵc pinc. A dyma hi'n rhoi'r copi-bŵc i mi, ac yn gofyn a fedrwn i drefnu cyfeiliant ar eu cyfer.

'Ar ganeuon Abba roeddwn i'n feddwl,' meddai Mrs Williams. 'Ti'n licio Abba?'

Licio Abba? Licio Abba? Ro'n i'n eu caru nhw! Y siwper-grŵp o Sweden. Yr alawon cryf, rhythmig, hudolus, yr harmonïau. Y ddau hogyn deniadol – a'r merched glam, yn enwedig yr un â gwallt melyn. Yr eneth ddelia ar wyneb y ddaear. Waw, hi oeddwn i isio bod fwyaf yn y byd! Mi es adre a 'ngwynt yn fy nwrn, rhedeg at y piano, a dechrau arni'n syth bìn. Mi o'n i wrthi drwy'r nos, yn ôl Mam. Wnes i ddim sylwi, mae'n rhaid i mi ddweud.

'Ti 'di 'i neud o?' gofynnodd Maude Williams mewn syndod y bore wedyn.

'Do,' meddwn inna. Ac nid yn unig ro'n i wedi addasu'r geiriau i'r gerddoriaeth, ond ro'n i hefyd wedi cyfansoddi pytiau cerddorol i gysylltu'r caneuon â'i gilydd, gan greu o dop fy mhen ryw ffordd grefftus o drawsgyweirio i'r gân nesaf. A do, mi fu cân actol Deiniolen yn llwyddiant ysgubol yn yr Urdd: ennill yn yr Eisteddfod Gylch, ennill yn y Sir, ac ennill yn y Genedlaethol...

A heno, yr Albert Hall... a'r perfformiad mawr yn agosáu. 'Wyt ti'n siŵr dy fod ti'n mynd i fedru'i wneud o?' meddai Mam gan edrych arna i'n bryderus, yn fy ngweld i'n dal i ddiodde efo'r poen bol. Ac yn y fan a'r lle dyma fi'n sylweddoli go iawn be oedd nerfusrwydd, be oedd pwysau, be oedd perfformio, be oedd bod o flaen cynulleidfa. A hynny wnaeth i mi ddweud wrtha i fy hun – ydw, dwi'n cofio dweud wrtha i fy hun, er mai dim ond deg o'n i – os dwi'n medru mynd drwy hyn, os dwi'n medru gwneud *hyn*, mi fedra i wneud unrhyw beth...

Cyn pen dim, roedd hi'n amser y perfformiad nos. Parti Deiniolen oedd yr eitem gynta ar y rhaglen. A fi oedd i gerdded ymlaen gynta, y lle'n llawn dop jòc, miloedd o bobol, a phob sedd wedi'i chymryd. Ymlaen â fi a 'nghalon yn 'y ngwddw, ac wrth i mi gerdded ar y llwyfan, wrth fy ngweld i mor fach mewn lle mor fawr, dyma'r gynulleidfa'n dechrau clapio. Roedd y gân actol i fod i ddechrau efo fi'n chwarae'r *glissando* enwog ar ddechrau 'Dancing Queen'. Hwn oedd yr arwydd i'r plant ddod i mewn ar y llwyfan o'r chwith a'r dde a dechrau canu. Dyma eistedd ar y stôl, wrth i'r clapio ddistewi, rhoi fy mysedd ar y piano, a sylweddoli 'mod i'n crynu drwof... Rhaid i mi stopio crynu, meddwn wrtha i fy hun, rhaid i mi stopio, rhaid i mi... Ac yn sydyn mi ddaeth 'na rywbeth drosta i. Dyma fi'n sbio ar fy nwylo, ac yn dweud wrtha i fy hun – dwi'n mynd i ddangos i bawb 'mod i'n gallu chwarae. A'r eiliad nesaf mi es am y *glissando*, ac yn rhythm y gân mi ddechreuodd y gynulleidfa glapio, ac i mewn y daeth criw'r gân actol, ac o hynny ymlaen mi aeth popeth yn ardderchog. Wrth i'r criw fowio ar y diwedd roedd y gymeradwyaeth yn fyddarol. Yna, wedi i mi gael yr arwydd, mi godais innau ar fy nhraed ger y piano a chymryd fy mow innau. Ac wrth i mi wneud, dyma'r gynulleidfa hithau ar ei thraed, gan gymeradwyo nes bod y lle'n crynu. Ac yn yr eiliadau gorfoleddus hynny, dwi'n cofio i mi ddweud wrtha i fy hun – Ia, dyma dwi isio'i wneud fel gyrfa.

Erbyn i ni gyrraedd yn ôl ar y bws i Ddeiniolen, roedd y pentre cyfan fel petai wedi dod allan i'n cymeradwyo. Fflagiau, y band... dwi'm yn cofio'n iawn, roedd yr holl beth fel breuddwyd. Ond mae gen i go' clir o un peth – Mr Cemlyn Williams, gŵr Maude Williams oedd wedi creu geiriau'r gân actol, yn fy nghodi yn ei freichiau. Ac meddai Cemlyn Williams wrth y dorf: 'Hon,' medda fo, 'ydi Mozart Deiniolen!' Ac un peth arall dwi'n ei gofio. Crio dagrau o lawenydd...

2

MAM

CYNEFIN. DYNA ENW'R TŶ y gwnaeth Gwyn, y gŵr, a minnau benderfynu ei adeiladu yn gynnar iawn yn ein bywyd priodasol, rhyw ychydig ar ôl i ni ddyweddïo, cyn i mi gyrraedd fy ugain oed a deud y gwir. Bum mlynedd ar hugain yn ddiweddarach, 'dan ni'n dal i'w adeiladu o! Wel, ychwanegu rhyw bytia ato fo, 'lly. Llafur cariad go iawn. Ia, Cynefin. Fy nefoedd fach i. Adra. Dwi'n sefyll ynddo fo rŵan ac yn edrych allan drwy'r ffenast ar y llefydd ddaru fy nghreu i fel person – y cartrefi, y tai a'r ffermydd lle roedd, ac y mae fy nheulu a 'nhylwyth i'n byw o hyd. Fy milltir sgwâr i, yn llythrennol. Uwch fy mhen fan'cw mae Bwlch Cae Mawr Uchaf, lle magwyd fy mam. Clamp o enw ar le mor fach! Y tŷ drws nesaf i'r dde ydi Llwydfryn, lle mae fy nghefnder, Stephen, yn byw. Enwyd y tŷ yn Llwydfryn ar ôl fy nhaid ar ochor Nhad, hwnnw roddodd y 'Bryn' yn fy enw innau. Wedyn i'r chwith i mi mae cartref Bethan, Geraint a'r hogia. Mae Beth yn gyfnither i mi, a'i gŵr yn gefnder i Gwyn. Tros y ffordd ac ychydig i lawr y llechwedd mae Cefn Coch, ffarm Dafydd Morris, brawd Mam, un o fugeiliaid enwocaf Eryri. Mi briododd Yncl Dafydd chwaer Dad, sef Heulwen. Hynny ydi, mi fu yna briodas ddwbwl yn ein teulu ni – Mam a'i brawd, Dafydd, yn priodi Dad a'i chwaer, Heulwen. Pwy ddeudodd ein bod ni'n deulu clòs?

Yn y ffarm nesaf, Llechwedd, mae Arnold, yntau'n un arall o fugeiliaid yr ucheldir, sy'n frawd i Mam yn byw. Codi fy llygaid wedyn ac edrych draw i gyfeiriad y lôn sy'n arwain dros y grib tua Dinorwig. Yno, mae dau le arall allweddol yn fy hanes i – ar y chwith, Tal-y-braich, hen gartref y Morisiaid, teulu tad Mam, a reit ar y top, bron o'r golwg, tyddyn Glan Gors lle trigai Taid a Nain ar ochor fy nhad, a lle magwyd fy nhad yntau yn hogyn gyda'i annwyl Anti Katie.

Ac yn ola, yr ochor draw i'r grib at Ddinorwig ei hun, taith bum munud yn y car o fan'ma, y lle pwysicaf i gyd, mae tŷ ni, Tŷ'r Ysgol, a chartref diddos a chroesawgar Mam a Dad.

Sefyll yn fy nghartre uchel, Cynefin, a theimlo 'nheulu yn agos o 'nghwmpas ym mhob man, yn rhan o'm stori i – a minna'n rhan o'u stori nhw.

Fel anrheg priodas rhoddodd f'ewyrth Dafydd Morris y tir i Gwyn a minnau i godi Cynefin arno. Y tu ôl i anrheg hael Dafydd, dwi'n hollol siŵr, roedd gwerthfawrogiad am y cymorth a gawsai ef gan Mam yn y dyddiau anodd hynny wedi marwolaeth Taid, a phenderfyniad Nain i roi'r gorau i ffermio rhyw ddwy flynedd yn ddiweddarach.

Hannah Mary Morris oedd enw morwynol fy mam. Fe'i ganed ac fe'i maged ym Mwlch Cae Mawr Uchaf, tyddyn bach mynyddig uwchben Deiniolen, yn deulu o saith o blant – Elfrys, Brenda, Dafydd, Mam, sef Hannah, Arnold, Stella, a Gwynedd. William Henry Morris oedd enw ei thad, neu Wil Harri fel y câi ei adnabod yn lleol. Dyn bychan o gorff, a llygaid glas fel y môr, a'r rheiny'n gallu bod yn wyllt ar brydiau, yn ôl y sôn. Yn fferm Tal-y-braich, Deiniolen, y magwyd Taid ei hun, yn fab i Dafydd a Hannah Morris... yr enwau teuluol yma eto! Roedd hi'n aelwyd reit ddiwylliedig, mae'n rhaid. Mab i fodryb Wil Harri oedd yr enwog J R Morris, y llyfrbryf a'r llyfrwerthwr difyr â'i siop lyfrau ail-law anhygoel yn 7 Stryd y Bont, Caernarfon. Ac yn ôl fy mam roedd miwsig yn rhan gref o aelwyd Tal-y-braich hefyd. Roedd fy nhaid a'i frawd, Dafydd Charles, yn denorion o fri, a'm hen daid, Dafydd Morris, yn arweinydd côr. Enillodd y côr hwnnw gadair hardd Eisteddfod Cefn y Waun un flwyddyn ac yng nghynnwrf y fuddugoliaeth cariwyd Dafydd, yr arweinydd, yn ei gadair allan o'r capel yr holl ffordd i fyny allt serth Bwlch Uchaf i Dal-y-braich! Dwi ddim yn meddwl y gofynna i i hogia Côr y Traeth wneud hynny os enillan nhw o dan fy arweiniad i! Mae hi'n dipyn o ffordd o Fenllech i Gynefin, chwarae teg!

I Bentir, ger Bangor, yr aeth Taid Bwlch Cae Mawr i ffeindio gwraig, a merch Tyddyn Badin oedd hi. Ond ychydig fisoedd ar ôl genedigaeth merch fach o'r enw Joyce, bu farw ei mam yn chwech ar hugain oed o effeithiau septisemia. Yn fuan wedi i'r ferch fach golli ei mam bu farw ei nain a'i thaid hefyd. O ganlyniad i hyn, aeth Nain i weithio fel morwyn i Dyddyn Badin, ar ôl gweld hysbyseb yn Swyddfa'r Post, Rhiwlas. Roedd Nain yn byw yn 3 Chapel Street, Rhiwlas ar y pryd. Yn ochrau Dwyran ar Ynys Môn roedd gwreiddiau Nain. Ar ôl bod yn Tyddyn Badin am rai misoedd, tyfodd perthynas glòs rhwng y mistar a'r forwyn fach ac ym mhen amser mi briododd y ddau a symud maes o law i Bwlch Cae Mawr Uchaf, Deiniolen. Mi gafodd Anti Joyce, y ferch fach a gollodd ei mam, ei magu yn Nhal-y-braich, hefo'i nain a'i thaid, a'i hannwyl Anti Ceri – 'Cer', chwadal hithau. Roedd gan Nain ac Anti Joyce dipyn o feddwl o'i gilydd. Bu'r ddwy farw yn ystod yr un flwyddyn – Nain ar y 3ydd o Fawrth, 2004 ac Anti Joyce ar y 3ydd o Awst, 2004.

Yn nhyddyn bach mynyddig Bwlch Cae Mawr Uchaf y magwyd Mam a'r pump arall. Mi gafodd Anti Elfrys ei magu gan ei nain yn Rhiwlas, yn ôl yr arferiad yr adeg honno. Mi fyddai Nain yn edrych ymlaen at weld Anti Elfrys yn dod adre i Bwlch Cae Mawr, gan y gwyddai y byddai ganddi anrhegion i'r plant ieuengaf bob amser. Ffermwr a chwarelwr oedd fy nhaid, fel bron pob dyn arall yn yr ardal yr adeg honno. Codi am chwech, cerdded tua dwy filltir a hanner i dop y chwarel, gweithio drwy'r dydd, cerdded yn ôl adre, a chael y rhyddhad o dderbyn awyr iach y caeau wrth ymwneud ag anifeiliaid y tyddyn wedi dioddef awyr afiach sied y chwarel drwy'r dydd. Cadwai ddefaid ar Barc Trysgol a Moel Rhiwen, gan gerdded milltiroedd hyd dopia'r bryniau. A thrwy flynyddoedd caled y gwynt a'r glaw byddai'r sgwrsio, y canu a'r cymdeithasu'n ei gadw yn brysur. Nes darganfod un dydd fod melltith fawr yr oes arno. TB Scan yn dod rownd. Mynd wysg ei drwyn. Y canlyniadau'n dod yn ôl. Gweld y doctor. Torri'i galon. Yn 54 oed, gorfod mynd i sanatoriwm Llangefni. Mae Mam yn cofio'i hun ym meudy Bwlch Cae Mawr yn sbecian allan ac yn gweld ei thad yn cael ei gario allan o'r tŷ ar stretsiar. Doedd yr ambiwlans ddim yn gallu dod yn nes gan fod y tyddyn mor uchel ar y mynydd. Deg oed oedd Mam ar y pryd. Dim ond unwaith y gwelodd hi ei thad wedyn...

Drwy gydol y ddwy flynedd nesaf, byddai Nain yn mynd i

Langefni ar y bws dair gwaith yr wythnos. Doedd y plant ieuengaf ddim yn cael mynd, oherwydd rheolau iechyd y sanatoriwm TB. Roedd yn rhaid dal ati efo'r gwaith fferm, wrth gwrs, a Dafydd, fel yr hynaf o'r bechgyn, oedd yn arwain y plant eraill i wneud eu rhan. Doedd dim llawer o obaith i'r tad, yn ôl y meddygon, ond chafodd Mam na'r plant ieuengaf ddim gwybod hynny. Roedden nhw i gyd yn tyfu'n gyflym, a daeth hi'n amlwg, ym mhen amser, nad oedd hanner digon o le iddyn nhw i gyd yn y Bwlch. Ychydig yn ddiweddarach, clywyd bod fferm ar rent yn dod yn wag yn is i lawr y mynydd, sef Cefn Coch. Tŷ eitha mawr, llawer iawn mwy hwylus. Bu trafodaeth wrth y gwely yn Llangefni. Roedd Taid yn awyddus i setlo petha, cyn iddo farw. Penderfynwyd symud i Gefn Coch er nad oedd Taid wedi'i weld yn iawn, a mawr oedd cyffro'r plant adeg y mudo a'r setlo yn y tŷ newydd.

Un diwrnod, dyma Nain yn cyhoeddi wrth y plant fod eu tad yn dod adre. Dydd Sadwrn oedd hi pan ddaethon nhw â fo ar stretsiar i Gefn Coch. Ei gario drwy'r drws... agor y drysau eraill i ddangos stafelloedd y tŷ newydd iddo: 'Hon 'di'r gegin, yli... a dacw'r parlwr,' meddai Nain, cyn ei gario'n syth i'r llofft a'i roi yn ei wely. Am hanner awr wedi tri'r prynhawn hwnnw cafodd y plant ganiatâd i fynd i'r llofft i weld eu tad.

'Felly, pwy ydi hon, 'ta?' meddai'r Taid wrth weld fy mam, yn ddeuddeg oed, yn sefyll o'i flaen.

'Wel, Hannah Mary, 'de!' meddai Nain.

'Wel, ia siŵr,' meddai yntau. ''Di tyfu gymint! Mae isio bricsen ar dy ben di, hogan.'

Dim ond pum munud o amser a gâi'r plant i ymweld â'u tad yn ei lofft. Bu Taid farw ym mhen wythnos a diwrnod, ar ddydd Sul, yn 56 oed. A bod yn onest, roedden nhw wedi'i golli o ers dwy flynedd, yn ôl Mam...

Pan fu farw fy nhaid yn 1956, roedd Nain yn dal yn wraig weddol ifanc, yn ddim ond deugain ac un. Roedd yn galed iawn arni ond brwydrodd ymlaen ar y fferm. Rhoddwyd parlwr godro newydd i mewn, ond cyn pen y flwyddyn, rhaid oedd lladd a llosgi'r gwartheg i gyd oherwydd clwy'r traed a'r genau. Roedd Dafydd yn un ar hugain oed ar y pryd, ffarmio wedi cydio yn ei waed, ac am ddilyn ôl troed ei dad er gwaetha'r clwy. Yn wahanol i Dafydd, doedd yr awydd na'r brwdfrydedd ddim gan Nain, o dan yr amgylchiadau. A chyn hir mi ymgartrefodd yn Nhre-garth, lle y bu am weddill ei hoes. Aros yng Nghefn Coch fu hanes fy mam, Dafydd ac Arnold. Roedd Mam yn ddisgybl yn Ysgol Brynrefail ar y pryd, ond cyn iddi gyrraedd pymtheg oed, gadael oedd rhaid, gan mai gwaith ac arian oedd yn dod gynta. Ei swydd gynta oedd gweithio yn siop E B Jones yn Neiniolen. Un o'r hen siopau pentre gwerthu pob dim oedd E B Jones. Clywais droeon, pan oeddwn yn blentyn, am yr helyntion a'r troeon trwstan a arferai ddigwydd. Yn ddiweddarach, symud wnaeth Mam i Dregarth at Nain, pan briododd Dafydd a Heulwen. Ond daliodd ei gafael yn ei swydd yn y siop, er ei bod hi'n anodd teithio oddi yno i Ddeiniolen. Cerddai i'r Felin Hen, ac yna teithiai ar y bws yn ddyddiol ym mhob tywydd. Ond, yn ffodus, nid oedd rhaid poeni am y daith adre, diolch i chwarelwr ifanc penfelyn a roddai bàs adre iddi bob cam i Dregarth yn ei hen fan GPO: y bachgen a arferai fynd allan efo'i chwaer fawr, Brenda; y bachgen ffeind a afaelodd yn ei llaw wrth iddi gario neges o'r pentre lawer blwyddyn ynghynt; yr ymwelydd cyson â'r siop a Chefn Coch; brawd Heulwen, a briododd ei brawd; un o fêts pennaf Dafydd – Ifan Bryn Roberts, Glan Gors...

3

DAD

BYDD FY NHAD, IFAN Bryn, yn 77 oed ar Fedi'r 2il, 2011, ac mae'n dal i fod mor gymdeithasol, mor siaradus ac mor ddireidus ag erioed. Ar deithiau Côr y Traeth, fo ydi'r un yn sedd gefn y bws efo'r hogia drwg, efo'i straeon, ei jôcs a'i dynnu ar bobol Môn! Mae 'na ymadrodd yn Saesneg, *blue-eyed boy*, a fo ydi hwnnw. Un felly ydi Dad wedi bod erioed, yn llythrennol ac yn ffigurol. Cofio fo'n dod adre o'r chwarel erstalwm efo da-da i ni'r genod, y tair ohonon ni, a Mam yn edrych ar ei ôl o, a gwneud pob dim drosto. Byddai Mam wedi paratoi bwyd blasus erbyn iddo ddod adre. Yntau'n eistedd o flaen y tân yn hapus braf: 'Ann, gwna banad, wnei di?' Tynnu'i sgidia fo wedyn: 'Marin, dos i gadw'r rhain... Olwen, gwna rywbeth arall.' Ddim yn gwybod sut i blygu crys. Disgwyl ein bod ni'n gwneud hynny drosto. Ninna *yn* gwneud! Wrth ein bodd yn cael gwneud, yn dal i wneud. Am mai Dad ydi o.

Fe'i ganwyd yn 1934 yng Nghwm Glas Bach, hen fwthyn cipar yn Nant Peris, o dan Cwm Hetia ar lethrau'r Wyddfa. Roedd yn un o chwech o blant – Alwyn, fy nhad Ifan, Meira, Rowena, Glenys a Heulwen. Mi welwch, felly, fod pedair o genod, a'i fam i edrych ar ei ôl o a'i frawd cyn iddo briodi! Fe'i henwyd yn Ifan Bryn ar ôl ei dad, Llwydfryn Roberts – ac yn wir, mi roedd y Bryn hwn yn ail enw i'r plant i gyd – Alwyn Bryn, Meira Bryn, Rowena Bryn ac yn y blaen. Mae Llwydfryn yn enw reit anarferol yn yr ardal hon, ond does gan Dad ddim esboniad ar ei darddiad, hyd yn hyn. Beth bynnag, tra oedd Taid ar ochor fy mam, Wil Harri, yn ddyn bychan o gorff, un hollol groes oedd Taid Llwydfryn. Dyn tal, bron yn ddwylath, taldra reit anarferol yn y cyfnod. Chwarelwr wrth ei grefft, fel y rhan fwya o ddynion Nant Peris ar y pryd. Ond cyflog digon gwael i fagu plant oedd i'w gael yn y chwarel.

Gweithio gosodiad fyddai Taid a'i bartnars. Wyth llath o graig oedd gosodiad, a hwnnw wedi'i osod allan gan y Stiward Gosod i griw o bedwar partnar, fel arfer tad efo meibion neu berthnasau. Ar ddydd Gwener ola'r mis, sef y Diwrnod Cyfri Mawr, byddai'r llechi a naddwyd o'r wyth llath o graig yn cael eu cyfri, a'r trefniant oedd y telid £8 i'r dynion am werth £1 o gerrig a gynhyrchwyd, hyn a hyn am bob llechen. Ond roedd yn rhaid i'r dynion eu hunain dalu am eu hoffer a'r powdwr chwythu ac yn y blaen, ac erbyn clirio'r is-rif hwnnw, a rhannu'r elw rhwng pedwar – roedd o'n bell o fod yn ffortiwn ar ôl yr holl waith caled. Yn wir, ambell fis roedd ansawdd y graig mor wael fel mai prin roedden nhw'n gallu naddu digon o lechi i glirio'r is-rif, heb sôn am wneud elw. Gelwid misoedd llwm fel y rhain yn Fis Jac-do, a phrin fyddai'r gynhaliaeth i deulu niferus Cwm Glas Bach ar adegau.

I wneud iawn am hynny, ac i hel tipyn o gelc wrth gefn, byddai Taid Llwydfryn yn manteisio ar dalent arall oedd ganddo – dringo creigiau. Gyda'i freichiau cryfion a'i gorff hir, mae'n debyg ei fod fel pry copyn ar y clogwyni. Pan âi dafad yn sownd ar silff o graig uchel, ar Llwydfryn y byddai'r ffermwyr lleol yn galw. Cerddodd ei enwogrwydd, a thynnwyd ei lun gan bapur *Y Cymro* yn 1932 yn camu o Graig Adda i Graig Efa reit ar gopa uchel a pheryglus mynydd Tryfan. Cyn hir daeth ei enw i glustiau ymwelwyr o Loegr â'r ardal, a chyflogid ef fel tywysydd mynydd ac arbenigwr lleol. Mae Dad yn cofio rhyw ddoctoriaid o Lundain yn cyrraedd Cwm Glas Bach gyda siocled i'r holl blant, cyn mynd allan efo Llwydfryn i ddringo mynyddoedd. Un tymor mi wnaeth £200 yn sgil ei waith yn tywys – arian mawr iawn yn y cyfnod.

Er gwaetha hyn, byw o'r llaw i'r genau yn amal y byddai teulu Nant Peris. Heb ddim wrth gefn, dibynnai cynhaliaeth y teulu'n llwyr ar iechyd y tad a'r fam. Ond roedd help wrth law. Roedd rhieni Nain Glan Gors, Ifan Wil Ioan a Jane, yn dal i fyw yng nghartre'r teulu yn Glan Gors, fferm chwe acer a dwy fuwch, ar gyrion Dinorwig, ynghyd ag un ferch ddibriod, Katie. Yn hogyn bach âi fy nhad i ffarm ei daid a'i nain yn Ninorwig yn amal iawn, gan ei fod wrth ei fodd yn chwarae ar y buarth a'r caeau. Roedden nhwythau wrth eu boddau efo yntau – hogyn bach del, llygatlas, bywiog. Pwy wêl fai arnyn nhw? Toedd o'r un enw â'i daid, Ifan, neu Ifan Wil Iôn fel y'i gelwid yn lleol, ei nain y ddynes ffeindia'n fyw, ac am ei Anti Katie, roedd hi wedi'i gymryd o dan ei hadain fel mab, bron. Canlyniad hyn i gyd oedd i Dad symud i fyw atynt i Glan Gors pan oedd yn saith oed ac er iddo gadw cysylltiad clòs â theulu Nant Peris, efo'i daid a'i nain a'i fodryb y magwyd Dad. Fo oedd cannwyll eu llygaid. A dweud y gwir, dwi'n amau iddyn nhw ei sbwylio fo'n rhacs!

I Ysgol Gynradd Dinorwig yr aeth Dad. Mae'n cofio'i hun yn crwydro ar ei ben ei hun i lawr i'r pentre, a sbio drwy'r relings ar y plant yn chwarae ar iard yr ysgol. Mae'n rhaid mai ychydig cyn symud i Ddinorwig roedd hyn. A dyma Mr Hanks, yr athro, yn sylwi arno'n syllu, ac yn gofyn a fasa fo'n licio dod i mewn at y plant? Mi fasa fo. Ac mi gafodd gydeistedd yn y dosbarth y tu ôl i ddesg wrth ochor hogyn o'r enw Ralph. Mae o'n dal yn fêts penna efo Ralph hyd y dydd heddiw.

Wnaeth Dad ddim pasio'r Scholarship. Pa ddisgwyl i'r hogyn basio'r ffasiwn erchyll beth, mewn gwirionedd? Felly, lawr â fo i Gaernarfon i ysgol yr Higher Grade, fel y câi ei galw yn yr oes Seisnigaidd honno, ar safle hen ysgol Segontium sydd wrth gwrs bellach yn Llys Cyfiawnder Ei Mawrhydi y Cwîn! Yr unig lecyn golau yng nghwrs addysg yr Higher Grade 'ma oedd cyngerdd yr ysgol yn hen Neuadd y Guild Hall, Caernarfon, o dan arweiniad rhyw athro a lysenwyd yn Polly, a Dad yn cael hwyl anarferol wrth ganu yn y côr.

Mae'n rhaid bod ei reddf at ganu wedi'i deffro trwy'r profiad hwn i raddau, ond yn anffodus ni chafodd gyfle i'w hymarfer tan oedd yn llawer hŷn. Roedd gwaith a chyflog yn galw, ac yn bymtheg oed gadawodd yr Higher Grade i'w ddrwg ei hun, a chychwyn yn chwarel fawr Dinorwig fel prentis o rybelwr efo'i dad a'i frawd yn sied fawr Bonc Isa Braich uwchben Nant Peris. Y cyflog yn 1949 oedd punt a chweugain yr wythnos. Tasg rybelwr oedd hel clytiau bach o lechi fyddai'n gorwedd ar hyd y lle, ac wedyn eu hollti a'u naddu cyn eu hychwanegu at gyfanswm llechi'r gosodiad hwnnw. Yna, ar ôl rhyw dri mis, mynd i fyny i dwll y chwarel ei hun a chychwyn gweithio fel chwarelwr go iawn ar wyneb y graig. I Nhad, sydd mor hoff o sgwrsio, chwerthin a chymdeithasu, roedd bod yng nghwmni cannoedd o ddynion garw, llawn ffraethineb, yn brofiad bythgofiadwy. Mae'n dal i sôn am y tri chant a eisteddai i ginio yng nghaban Bonc Isa Braich, a'r cymeriadau a'r tynnu coes anhygoel oedd yno. Fel y gwaith a'r amgylchiadau, caled oedd yr hiwmor hefyd. Mae Dad yn cofio teulu'r Griffiths – tri brawd o gefndir tlawd a garw iawn – yn colli eu tad yn y chwarel. A dyna lle roeddan nhw, y tri brawd, yn trafod carreg fedd eu tad efo Wil y Torrwr Cerrig. Ac Owen, y canol o'r tri brawd, eisiau gwybod faint fasa hi'n costio i naddu englyn coffa.

'Englyn? Wel...' meddai Wil, 'mae'n dibynnu be dach chi isio. Bydda i'n codi hyn a hyn am bob llythyren ar y garreg.'

'Duw, duw,' meddai Owen yn ddiamynedd. 'Doro'i *dali* ar y garrag, i'r diawl.'

Tri rhif oedd ar *talley number* pob gweithiwr, wrth gwrs. Mi aeth Joni, un arall o'r brodyr, i weithio i Rio Tinto yn sir Fôn yn ddiweddarach, ac un diwrnod roedd y demtasiwn yn ormod iddo, ac mi fachodd ryw ddarn o offer a'i guddio o dan ei gôt. Ond roedd seciwriti yn go dynn mewn lle felly, ac fel roedd Joni'n camu drwy'r fynedfa dyma'r dyn cap pig yn gweiddi arno fo:

'Hei, be sy gen ti dan dy gesail?'

'Blew,' meddai Joni. 'Be sy gen ti? Plu?'

A dyna Joni a Rio Tinto yn gwahanu yn y fan a'r lle!

Yn y chwarel, cafodd fy nhad ddamwain go ddrwg. Mae Dad yn cofio'r peth yn fanwl, yn wir mae o wedi'i serio ar ei gof. Chwarter i bedwar yn y prynhawn ar 18 Mehefin, 1954 – dyna pryd digwyddodd y ddamwain. Efo'i dad oedd o yn y twll, a'i dad yn malu'r graig efo gordd, a dyma sglodyn o lechen yn hedfan ac yn taro Dad yn ei lygad. Mi fuo'n rhaid galw hen ambiwlans y chwarel, a honno'n dod draw i'w nôl. Ond gorfod i Dad gerdded o'r man lle roedd yn gweithio, rywle yn nhop y chwarel, yr holl ffordd i lawr y Llwybyr Llwynog i'w gyfarfod. I hen Ysbyty Môn ac Arfon, y C&A ym Mangor, â fo, ac yn y llawr gwaelod, y *basement*, lle roedd yr Adran Lygaid, y buo fo am dair wythnos. Ond mi wnaeth y doctoriaid job reit dda ar ei lygad o. Wedi iddo ddod drwy'r drin, dychwelodd i'r chwarel am gyfnod, nid i hollti a naddu, ond i drin teils yng ngwaelod y chwarel – joban nad oedd hanner mor beryglus. Mi aeth i chwilio am job arall, a chael un ym Mangor, yn garej deiars Kenning ar Ffordd Caernarfon. Mi fu'n dreifio bysys am blwc hefyd, ac yn gwneud amryw o swyddi eraill. Ond aeth o byth yn ôl i'r chwarel.

Roedd hi bellach yn ddiwedd y pumdegau, a Dad yn llencyn aflonydd o gwmpas y pentre, a Mam hithau'n ymlafnio i drio cyflawni dwy swydd – cadw tŷ i'w brodyr Dafydd ac Arnold, a chadw swydd fel cynorthwywraig yn siop E B Jones. Roedd y sêr wedi penderfynu bod Dad a hithau i ddod at ei gilydd wrth gwrs, ond nid cyd-drawiad dramatig dwy blaned oedd eu cyfarfyddiad, chwaith, er bod 'na ddigon o sbarcs mae'n siŵr! Fel dwi'n dallt, proses lawer mwy graddol oedd eu carwriaeth, fel sy'n gweddu i ardal fach led-wledig fel Deiniolen a Dinorwig – neu fel 'dan ni'n dweud ffor hyn, y cyfnod pan oeddan nhw'n canlyn. Mae Dad dipyn hŷn na Mam, a daeth i gysylltiad â hi a'r teulu i ddechrau am ei fod o'n canlyn chwaer fawr Mam am ychydig, sef Anti Brenda. Mae gan Mam gof amdani ei hun yn hogan wyth oed yn helpu Brenda i gario neges o'r pentre i fyny i'r ffarm, ac Ifan Bryn yn gafael yn ei llaw. Mae'n rhaid bod rhywbeth wedi tanio yn Mam yn y cyffyrddiad cynnar hwnnw! Dôi Ifan yn amal i Fwlch Cae Mawr gan ei fod yn ffrindiau mawr â Dafydd, brawd Mam; roedd y ddau'n hoff o fynd drosodd i Fethesda am beint efo'i gilydd yn yr hen fan GPO. Mae gan Dad gof clir o eistedd wrth y bwrdd bwyd yn y Bwlch wrth ochor Dafydd, a Wil Harri'r tad yn dweud stori am foi efo mul. Ond nid mul ddeudodd Wil Harri ond 'bastad mul', oedd yn ymadrodd mor annisgwyl o dan yr amgylchiadau nes peri i Dafydd ac Ifan fod bron marw isio byrstio allan i chwerthin. Ond o dan lygaid llym Taid, cuddio'u chwerthin wnaeth y ddau, rhag ofn i'r hen ddyn gael y gwyllt o feddwl mai amdano fo roedden nhw'n cael sbort.

Dro arall, a Mam a Dafydd yng Nghefn Coch erbyn hyn, roedd Dad wedi dod yno i helpu Dafydd i agor ffosydd. Roedd grantiau i'w cael am y gwaith hwnnw'r adeg honno. A beth roedd

Dad wedi dod yn ginio iddo fo'i hun, os gwelwch chi'n dda, ond nionyn – *un* nionyn! Roedd Mam yn gweld hyn yn beth digon od, yn enwedig pan ofynnodd Dad iddi daro'r nionyn amrwd yn y tân i'w goginio.

'Be, ei roi o fel mae o yng nghanol y tân?' holodd Mam yn anghrediniol. 'Ond mi fydd o'n llosgi, 'yn bydd. Argol fawr, wna i ddim.'

'Yli, Hannah Mêr, doro fo'n ganol y tân. Mi fydd o'n iawn erbyn i mi ddod 'nôl, siŵr.'

'Doro fo dy hun,' medda Mam, ac i mewn â'r nionyn i ganol y glo eirias.

'Tynna fo allan mewn rhyw dri chwartar awr efo fforcan dostio. Mi fydd yn lyfli, gei di weld,' oedd gorchymyn hyderus Ifan 'Jamie Oliver' Roberts wrth fynd allan drwy'r drws.

Ond Mam oedd yn iawn. Erbyn i Dad ddod yn ôl o'r ffosydd, be oedd yn ei ddisgwyl oedd nionyn bach du llosgedig, ac erbyn tynnu'r darn llosg ohono roedd o mor fach â nionyn picl! A dyna be gafodd o i ginio'r diwrnod hwnnw... Mam fu'n coginio yn ein tŷ ni byth ers hynny.

Ond er gwaetha diffygion talentau Dad fel cogydd, roedd yn amlwg fod ganddo bersonoliaeth, harddwch, hiwmor a charedigrwydd oedd yn gwneud mwy nag iawn amdanynt. Roedd Mam yn ei ganlyn pan oedd hi'n bedair ar ddeg oed, a phan oedd hi'n un ar bymtheg, mi ddyweddïodd y ddau. Ond nid ar Foel Rhiwen o dan y sêr nac yn syllu ar yr Wyddfa ar noson loergan, ond yn Billericay, Essex, o dan lamp letrig y stryd. Yn Billericay roedd Meira Bryn, chwaer Dad, yn byw gyda'i gŵr, Dennis, a weithiai yn y GPO Tower yn Llundain, a hi oedd wedi rhoi gwahoddiad i Mam a Dad fynd yno am dipyn bach o wyliau. Coffa da am Anti Meira, a fu farw'n ddynes ifanc iawn yn 39 oed. Amal i waith y cawsom ni fel teulu wyliau hyfryd yn ei thŷ. Mawr oedd ei chroeso i ni i gyd, a hithau mor bell o'i chynefin. Roedd ganddi gi o'r enw Cymro ac yn Southend gyfagos y cefais fy hufen iâ tutti-frutti cyntaf!

Yma hefyd, yn ôl yn 1960, yn nhre glan môr enwog Southend, y prynwyd modrwy dyweddïo Mam a Dad, a'r flwyddyn wedyn, ar y 5ed o Awst, 1961, mi unwyd y ddau mewn priodas yng Nghapel Cefn y Waun, Deiniolen. Nid nepell o'r capel hwn y saif Blaen y Waen, eu tŷ cyntaf. Roedd stad y Faenol yn y broses o gyfuno ffermydd a symudodd Robin Blaen y Waen i Lanrug, ac felly daeth y tŷ bychan yn wag. Gyda chymorth benthyciad, llwyddodd Dad i godi'r £200 roedd ei angen i'w brynu, a'i ddodrefnu. A hynny jest mewn pryd. Ymhen ychydig fisoedd roedd Mam yn disgwyl plentyn.

Defnyddiodd Mam y naw mis yma i ddysgu chwarae piano. Roedd hi newydd weld ffilm o'r enw *Elephant Walk* gyda Liz Taylor yn actio ynddi, lle roedd y darn enwog 'Serenade' gan Schubert yn cael ei chwarae ar *grand piano* mewn plasty cyn i haid o eliffantod ruthro drosto. Glynodd y darn ym meddwl Mam, a thrwy gyfnod ei beichiogrwydd bu'n ei ganu dro ar ôl tro. Mi aeth y peth yn gymaint o obsesiwn ganddi nes iddi orfod mynd i Gaernarfon i Siop Gray-Thomas i brynu copi o'r miwsig, ac wedyn dysgu ei chwarae ar biano, un nodyn ar y tro. A wyddoch chi be ydi fy hoff ddarn i yn y byd – be arall ond 'Serenade' gan Schubert? Mi o'n i'n gwybod y darn pan o'n i yn y groth! Wedi sawl cytgan o Schubert, o'r diwedd, ar 29 Gorffennaf, 1962, a Mam yn ddeunaw oed, mi ges i fy ngeni, yn Ysbyty Mamolaeth Dewi Sant, Bangor. Ac mi ddeuthum i'r byd yn weddol rwydd, meddai Mam. Chwarae teg i mi, yndê! Ar hast isio chwilio am biano i chwarae'r 'Serenade', debyg.

Ond mi oedd yna dipyn bach o drafferth cyn i mi gael mynd adre hefyd. Roedd Taid Llwydfryn adre yn sâl. Y diciâu oedd arno yntau, fel fy nhaid, Wil Harri. Wrth gwrs, châi Taid ddim dod yn agos ata i efo'r clefyd yna, heblaw 'mod i'n cael pigiad yn erbyn y salwch cyn i mi ei weld. Un ai hynny, neu châi Taid ddim magu ei wyres, byth bythoedd, efallai. Dyma benderfynu y dylwn i gael pigiad a hynny yn Ysbyty Minffordd, ychydig bellter o Ysbyty Dewi Sant. Roedd yn benderfyniad reit anodd i Mam. Dyna lle roedd hi, meddai hi, wedi fy lapio mewn siôl cyn fy rhoi i'r nyrsys, ac yna'n sefyll wrth y ffenest yn gweld yr ambiwlans yn mynd â'i babi hi ar ei ben ei hun bach i fyny rhiw Ffordd Hendre-wen i gael pigiad go frwnt ym Minffordd. Ac mi oedd o'n hegar hefyd – mae ei ôl o'n ddwfn ar dop fy mraich hyd y dydd heddiw.

Ond o leia mi ges fynd adre yn fan Dad i Blaen y Waen yn fy nghap pinc o siop Teiliwr Bach, Bangor, a Taid Llwydfryn druan yn cael magu ei wyres fach. Rhyw chwe mis fuo Llwydfryn fyw wedi hynny. Ychydig cyn Nadolig 1962 roedd o yn Ysbyty Abergele yn bur wael. Roedd Dad wedi bod yn ei weld o ddiwrnod cyn y Nadolig, ac yn eitha pryderus amdano. Ddiwrnod 'Dolig, doedd Dad ddim yn medru mwynhau'r achlysur, a dyma Mam a fynta'n gwneud penderfyniad. Gohirio'r cinio Nadolig, fy rhoi i yn fy nghrud yng nghefn y fan, a dreifio i Abergele. Ond wir, erbyn iddyn nhw gyrraedd, roedd Llwydfryn ychydig yn well ac mi gawson nhw awr neu ddwy fach ddifyr yn ei gwmni, er na chafwyd caniatâd i'm cludo i i'r ward. Dyma ddreifio adre'n fwy calonnog o lawer, ond y noson honno dyma gnoc ar ddrws Blaen y Waen. H O Jones, stiward y chwarel, oedd yno – un o'r ychydig bobol yn yr ardal oedd yn berchen ar ffôn yn ei dŷ. Roedd Llwydfryn wedi mynd, rhyw ychydig ar ôl ein hymweliad. Dydi'r Nadolig ddim wedi bod cweit yr un fath i Dad byth ers hynny.

Ond i fynd yn ôl chwe mis i sôn am un peth go bwysig... sut y penderfynon nhw ar fy enw. Roedd 'na ddealltwriaeth rhwng Mam a Dad cyn i mi ddod i'r byd – os mai bachgen a gaent, Dad fyddai'n cael ei enwi, os merch, Mam gâi'r fraint. Rŵan roedd Mam wedi cael stori gan Nain, stori am Gymro o Fethesda oedd wedi mynd i gwffio yn y rhyfel yn yr Eidal, a thra oedd yno cyfarfu ag Eidales, dod â hi yn ôl i Gymru a'i phriodi. Mi gawson nhw fabi bach, ac roedd yr Eidales yn yr ysbyty'r un pryd â mam fy mam, Ellen. Yn naturiol, doedd yr Eidales ddim yn gallu siarad llawer o Gymraeg, ond roedd yn amlwg wedi dysgu digon i gysuro'r babi. Pan fyddai'r babi'n crio, be glywai Nain o'r gwely agosa ati oedd yr Eidales mewn acen drom ddoniol yn dweud drosodd a throsodd, 'Paid â c'io, Ann bach... Paid â c'io, Ann bach.' Wrth glywed y stori 'ma, mi feddyliodd Mam, a hithau'n ifanc, petai hi'n cael merch yr hoffai roi'r enw Ann arni, er mwyn ei galw'n 'Ann bach', fel yr Eidales.

Mi gefais i fy ngeni ar ddydd Sul. Yn syth fore dydd Llun,

fel roedd y drefn yr adeg honno, cyrhaeddodd y cofrestrydd a gorfod i Mam wneud penderfyniad go sydyn am fy enw. Wrth fynd i lawr coridor Ysbyty Dewi Sant, rywsut, o rywle mi ddaeth yr enw Annette i'w meddwl. Ia, Annette amdani, a Bryn yn ôl arferiad teuluol, ail enw fy nhad. Ond Ann, neu Ann bach, y byddai Mam a Dad yn fy ngalw, a dyna maen nhw'n dal i 'ngalw i hyd heddiw. Ond, flynyddoedd yn ddiweddarach, dyma Gwyn, y gŵr, yn esbonio i'm rhieni beth oedd ystyr gwreiddiol 'Annette' yn Ffrangeg. Mae'r terfyniad *ette* yna'n golygu rhywbeth bach, annwyl. Felly, dyna ydi ystyr Annette, beth bynnag – Ann Bach!

4

ANTI KATIE

Yn 1942, roedd 'na dro ar fyd yng Nglan Gors. Mi fu farw taid fy nhad, ac ym mhen rhai blynyddoedd wedyn, ei nain, gan adael fy nhad a'i Anti Katie ddibriod ar ôl yng Nglan Gors. Daeth y teulu yn ôl wedyn o Nant Peris i'r hen dŷ yn Ninorwig. Ers iddo symud i Glan Gors yn saith oed, hoff gwmni Dad oedd ei fodryb. Roedd Anti Katie yn ddynes fawr yn ein tŷ ni. Magodd fy nhad fel petai'n ail fam iddo, a bu'n gefn iddo ar hyd y blynyddoedd. Hi fu'n prynu ei ddillad ysgol yn Siop Dickie's, Llanberis, ac yn gofalu amdano ym mhob dull a modd. Châi neb ddweud gair drwg am Ifan Bryn wrth Anti Katie. Magodd y ddau berthynas glòs ac annwyl. Cymerai Katie ddiddordeb mamol yng ngyrfa a bywyd Dad, a thrwyddo fyntau, ynddon ni, ei blant. Ni oedd ei byd. Daeth yn ffrindiau penna â Mam. A dweud y gwir, fel mae petha'n digwydd mewn teuluoedd weithiau, mi ddaeth hi'n fwy o nain i ni, ferched Ifan, nag o fodryb.

Chafodd Katie, neu Katherine Myfanwy i roi iddi'i henw llawn, ddim plant ei hun. Yn gymharol hen, mi gyfarfu ag Yncl Bob o Gwm Deiliog, Fach-wen, tra oedd hithau'n gweithio yn y Post yn Fach-wen. Cafodd Katie job wedyn yn ffatri cwmni o'r enw NECACO ar dir y chwarel yn gwneud offer milwrol i'r llywodraeth. Gŵr gweddw oedd Bob, gyda'i blant ei hun pan ddaru fo ac Anti Katie briodi. Mi oedd Bob wedi bod yn feinar, yn gwneud twnelau ac ogofâu yn y chwarel. 'Bob Meinar' oedd ei lysenw, a bu'n gweithio am flynyddoedd yng nghanol y llwch a'r baw. Bu'r ddau'n ffarmio'n hapus ar fferm Nant Efa ym mhlwy Llanrug am blwc wedi priodi. Ond fu Bob druan ddim yn hir cyn gwanhau o ganlyniad i effeithiau'r llwch. Symudodd y ddau i dŷ bach o'r enw Arwelfa ym mhen draw pentre Dinorwig, lle bu Bob farw yn 1969. Yno yr ydw i'n cofio Anti Katie pan o'n i'n fach.

Deuai i'n gweld yn gyson pan oeddan ni'n byw ym Mlaen y Waen, bob wythnos, bob Nadolig a phob gwyliau eraill hefyd. Byddai'n ffyddlon ym mhob perfformiad, sioe a chyngerdd y cymeren ran ynddo yn yr ysgol ac yn y capel, byth yn methu'r un. Wedi inni symud i Dŷ'r Ysgol, Dinorwig, roedden ni'n agosach fyth at Anti Katie yn Arwelfa, a byddai'n dod lawr i'n gwarchod ni'r genod o naw tan dri yn yr haf pan fyddai Mam yn gweithio. Dynes capel fawr, yn ffyddlon deirgwaith y Sul ac yn ymfalchïo bod y tair ohonon ni'r chwiorydd yn mynd i'r ysgol Sul. Dwi'n ei chofio yn chwifio cadach arnon ni o'i thŷ uwchben y capel Methodist yn Ninorwig, yn falch o'n gweld ni'n tair yn mynd yno bob bore Sul. Byddai'n eistedd efo ni yn sedd y teulu yn y capel bach. Licio emynau, te bach, teisen frith, sgons a brechdanau – un felly oedd hi. Toedd crefydd ddim yn faich arni, rhywbeth i'w fwynhau ydoedd ac ro'n ni'n cael lot o hwyl efo hi. Doedd hi ddim yn sych-dduwiol. Hen sbort iawn. Weithiau mi fyddai hi'n cael y geiriau Saesneg newydd a glywsai yn anghywir.

'Dowch at y bwrdd, genod,' medda hi unwaith, a rhyw arfer doniol ganddi o godi'i llais i gywair uchel ar y sillaf olaf bob tro. 'Dowch! Mae'ch biffbyrjars chi'n barod!'

Pan o'n i yn yr ysgol mi o'n i'n màd am y cylchgrawn *Jackie*, a phwy oedd yn gofalu 'mod i'n ei dderbyn o bob wythnos yn ddi-ffael? Anti Katie. Mi fyddai hi'n ei gasglu i mi ar fore Iau oddi ar fws Johnny Huws, a fyddai nid yn unig yn cario teithwyr ond hefyd yn delifro papurau a chylchgronau drwy roi lluch iddynt i erddi pobol wrth basio! Wedyn, mi fyddai Anti Katie yn dod â *Jackie* i lawr i'n tŷ ni yn y prynhawn, ac yn cael sgwrs a chlonc efo Mam yr un pryd. Ar nos Sadwrn wedyn mi fyddai Nhad yn mynd i fyny ati am banad a rhoi'r byd yn ei le, ac wedi i Anti Katie gael gweld ei hoff raglen ar y teledu, *Reslo*, byddai Nhad yn rhoi lifft iddi i'r pentre i dŷ ei ffrind ym Maes Eilian, lle câi lasiad bach o sieri i iro'r sgwrs. O ia, un tro dwi'n cofio bod yn ei thŷ a hithau'n agor drôr yn y seidbord lle cadwai ei Beibl, llyfr emynau, ei menig, sgarffiau a chribau. A beth oedd yno yng nghornel drôr y seidbord barchus, yng nghanol y sgarffiau, ond paced o sigaréts! Ges i sioc.

'Roedd Bob yn arfer smocio, a bydda inna'n cymryd un bob yn hyn a hyn,' medda hi gan hanner gwenu.

Roedd ei thŷ hi, Arwelfa, yn dwt ac yn daclus wrth reswm, ond yn sobor o henffasiwn. Ro'n i'n cael mynd ati i aros ar 'y mhen fy hun pan o'n i'n fach, a synnu gweld y tŷ bach allan, y comôd a'r pot bach o dan y gwely. Doedd 'na'm sôn am stafell molchi yn y lle! Ond doedd dim ots am bethau fel 'na, roedd rhyw hud yn perthyn i'r lle. Un nos Galan, a minnau'n aros yno efo Anti Katie – wn i ddim faint oedd fy oed i, ddim yn hen iawn, mae'n siŵr – dyma fi i lawr i'r gegin a gofyn iddi hi gawn i fynd allan i glywed sŵn cloch eglwys Dinorwig yn taro'r flwyddyn newydd i mewn. Roedd Anti Katie wedi cael cloch fach o'r Swistir yn bresant gan gymydog, a dyma fi'n cydio yn honno, ac allan â ni'n dwy drwy'r drws ffrynt. Cyn hir dyma'r gloch fawr yn dechrau canu'n glir ac yn swynol ar awyr fain y nos, a minnau wedyn yn ei dilyn drwy dincial ein cloch fach ni. Wedi croesawu'r flwyddyn fel yna, 'nôl wedyn i mewn i'r tŷ, ac i'r gwely. Fi'n cysgu efo hi wrth gwrs, yn y gwely mawr. Ond cyn hynny rhaid oedd dweud pader, y ddwy ohonon ni ar ein penglinia.

'Does dim pwynt dweud padar heb fynd ar dy benglinia,' medda Anti Katie.

Ac ar ein penglinia yn fan'no ddaru ni'n dwy gydadrodd y weddi enwog:

Rhof fy mhen i lawr i gysgu,
Rhof fy enaid i Grist Iesu;
Os bydda i farw cyn y bore
Duw a gymer f'enaid innau. Amen.

A chysgu'n braf tan fore'r Calan yng ngwely cynnes Anti Katie.

Dynes driw oedd Anti Katie, yn fy nghefnogi i'r carn ac mor falch o'm llwyddiant. Mae pob plentyn yn ansicr ohono'i hun ac angen cefnogaeth gadarn i roi hyder iddo. Fe'i cefais fil o weithiau a mwy gan Anti Katie. Cafodd dynnu ei llun efo mi pan enillais y Rhuban Glas yn Eisteddfod Genedlaethol y Rhyl ac mi drysora i'r llun hwnnw tra bydda i byw. Pan ddechreuais gyfeilio mewn steddfodau, mi ddeuai'n gwmni i mi. 'Hi sydd isio i mi ddod efo hi' oedd ei hesboniad wrth bawb am ei phresenoldeb mor bell o'i chynefin. Ond gwyddwn na fedrai hi gadw draw. Hi oedd fy 'nain' falch, fabwysiedig. Yn Eisteddfod Pwll-glas, dyma hi'n dod ata i ar y diwedd:

'Dwi isio gofyn ffafr gen ti, Ann.'

'Be, Anti Katie?'

'Wnei di chwara yn fy nghynebrwn i?'

Be fedrwn i ddweud? Roedd yr hen greadures ffeind yn paratoi at yr anorfod.

Mi ddioddefai Anti Katie o glefyd y galon. Fel mae'n digwydd, mi gafodd Mam gancr y fron yn union yr un adeg. Ond chafodd y ddwy, oedd yn gymaint o gyfeillion, ddim rhannu ward efo'i gilydd. Aethpwyd â Mam i Clatterbridge, ond yn Ysbyty Gwynedd roedd Katie. Daeth Mam dros ei salwch, diolch byth. Ond bu farw Anti Katie. Ddiwrnod ei hangladd roeddwn mewn penbleth ofnadwy. Roedd hi'n digwydd bod yn drip ysgol Sul ar yr un diwrnod, a'r hen blant acw wedi bod yn edrych ymlaen ers wythnosau. Mi roedd yn rhaid i mi chwarae yn yr angladd fel y trefnwyd, wrth gwrs... ond beth am y te ar ôl yr angladd? Oedd rhaid i mi fynd i hwnnw? Tybed fedrwn i golli'r te a mynd i Butlins efo'r plant yn syth o'r capel? Ac eto, fasa pobol yn fy ngweld i'n ddifeind ac yn amharchus o Anti Katie wrth fy ngweld i'n gadael ei hangladd a 'ngwynt yn fy nwrn i joio ar lan y môr? A beth am yr holl deulu a pherthnasau oedd yn edrych ymlaen am de a sgwrs a hel atgofion? Ond roedd yn rhaid meddwl am yr hen blant a'u bywydau nhw, yn doedd? Ac yn y cyflwr meddwl hwnnw yn y capel, yng ngwasanaeth ei hangladd, a modrwy briodas Anti Katie am fy mys, dyma fi'n dechrau chwarae'r emyn-dôn hyfryd 'Arwelfa', enw'r tŷ a fu'n llawn hapusrwydd a charedigrwydd, y tŷ lle bûm i'n mwynhau bywyd yn fy ffordd fach fy hun fel plentyn efo fy annwyl Anti Katie. A wir i chi, dyma rywbeth od yn digwydd. Mi ddaeth yr haul allan ar y foment honno, a sgleiniodd pelydryn bach ar slant drwy ffenest y capel a disgyn ar fodrwy Anti Katie ar fy mys nes bod honno'n disgleirio'n aur cynnes i gyd. A'r eiliad honno mi glywn lais ffeind, cefnogol Anti Katie yn fy nghlust: 'Gwna be wyt ti isio'i wneud, Ann bach!' Ar ddiwedd y gwasanaeth, mi es i Butlins efo'r plant. Mae genna i hiraeth mawr amdani o hyd.

5

YSGOL A CHARTRE

Dwi ddim yn cofio bod ar fy mhen fy hun pan oeddwn yn blentyn. Dyna pam 'mod i'n berson mor gymdeithasol, wrth fy modd yng nghwmni pobol, yn licio'u cael nhw o 'nghwmpas i. Mi allwch ddychmygu faint o sŵn oedd ym mwthyn bach Blaen y Waen efo tair o genod, a'r tair chwaer wedi'u geni o fewn tair blynedd i'w gilydd. Ers pan dwi'n cofio, mae fy chwiorydd Olwen a Marina wastad wedi bod yna. Yn y tŷ, yr ysgol, y capel a'r caeau, roedden nhw'n rhan naturiol a digwestiwn o giang plant y pentre y byddwn i'n chwarae efo nhw. Tricia, gêms, canu wrth gwrs.

Ffraeo weithiau, meddai Mam, ond dyna beth od, dwi ddim yn cofio hynny. Ar wahân i un tro, a dwi'n dal i deimlo'n euog am y peth. Y fi, y chwaer hyna, isio cael y ddwy i ganu efo fi. Y fi ar y piano wrth gwrs. Ond o edrych yn ôl, roeddwn i'n ormod o berffeithydd, yn dipyn o fadam neu, fel oeddan ni'n ei ddweud ar y pryd, *bossy-boots*! Olwen a Marina yn methu taro rhyw nodyn yn gywir, a minnau'n stopio chwarae yn y fan a'r lle, a gwneud iddyn nhw ei ganu dro ar ôl tro, os gwelwch yn dda! Ac os oeddan nhw'n anghofio'u geiriau, wel... Dwi'n cofio fi'n codi ar fy nhraed ar achlysur felly, cau'r piano a dweud wrthyn nhw, fel rhyw ysgolfeistres fach flin, 'Dwi'm yn poetshio efo chi, wir!' Mi allwn i resymu fy ymddygiad sarhaus, mae'n debyg, drwy ddweud 'mod i isio petha cerddorol yn iawn ac yn gywir, a bod fy nwy chwaer yn cymryd mwy o amser na fi i gyflawni hynny. Ond tydi hynna ddim esgus! Sorri, genod, os gwnes i ladd ar eich mwynhad chi o fiwsig yn ystod yr adeg honno. Nid dyna'r ffordd i ddysgu cerddoriaeth i bobol eraill, yn sicr, a phetai gen i'r hawl i newid unrhyw beth am fy mhlentyndod, hwnnw fyddai o, yn bendant. Faswn i'n newid 'run dim arall. Achos er mor benderfynol ydw i mewn rhai petha, dwi'n reit emosiynol ac ofnus o dan yr wyneb, a faswn i byth wedi gallu wynebu 'mhlentyndod heb fy nwy chwaer.

Dwi'n cofio ni'n tair yn cysgu yn yr un llofft yn Blaen y Waen tan o'n i'n wyth. Fi nesa at y pared, Olwen yn y canol, wedyn y cwpwrdd bach pinc, a Marina nesa at y ffenest. Ond ar ôl fy mhenblwydd yn wyth oed, dyma fy rhieni yn fy rhoi yn fy llofft fy hun efo gwely a chwpwrdd main, nesa at lofft y ddwy arall. Roeddwn i'n reit gyffrous wrth feddwl am y peth – gwely newydd, cwpwrdd i mi fy hun ac yn y blaen. Ond roedd y syniad yn well na'r sefyllfa go iawn. Chysgais i fawr ddim yno. Do'n i ddim yn licio bod ar 'y mhen fy hun. Edrych ar y sêr, ofni'r tywyllwch. Do'n i ddim cweit cymaint o fadam y noson honno, mae arna i ofn. A chyn i Draciwla neu'r Ci Dŵr gael gafael yno' i, ro'n i allan o'r gwely newydd fel siot ac yn ôl yn yr hen lofft, yn cysgu efo Olwen.

Ond mi ydw i'n un benderfynol, ac wedi bod erioed. Isio mynd, gwneud petha, a dim llawer o syniad am berygl. Yn fabi bach yn y goetsh ro'n i'n hynod aflonydd, yn ôl y sôn. 'Babi sydyn', chwedl Mam a Dad. Codi 'mhen-ôl oddi ar waelod y goetsh a chicio fel ceffyl. Mi oedd Dad yn cael hwyl yn gosod haenen o bapur newydd dros fy nghoesau er mwyn gweld y traed bach yn gwneud y sŵn mwya ofnadwy wrth gicio hwnnw i ffwrdd. A dringo! Mae'n rhaid bod DNA fy nhaid, Llwydfryn, y mynyddwr, yn fy nghrombil yn rhywle. A minnau'n saff yn y cot pren – neu felly yr ymddangosai – mi aeth Mam allan i'r cefn un tro i daenu dillad ar y lein, gan gadw llygad arna i drwy'r ffenest. Mae'n rhaid ei bod wedi troi ei chefn am eiliad, achos y peth nesa welodd hi oedd Ann bach yn cropian ar ei phedwar trwy ddrws y cefn, wedi dringo allan dros farrau'r cawell i ryddid!

Dau ddigwyddiad cynnar, cynnar, dwi'n eu lled gofio a'r ddau'n ymwneud â'm hoff offeryn, y piano. Y cynta ydi mynd i Glan Gors i dŷ Nain pan oeddwn tua'r tair oed a'i hanelu hi'n syth bìn at y piano i'w chwarae – fel gwenynen at bot jam! Yr ail ydi mynd am dro efo Mam ac Olwen, ac wrth basio heibio tŷ fy Anti Mair ger Capel Cefn y Waen, dyma fi'n stopio'n stond. Roedd Mam ac Olwen wedi mynd ymlaen gryn bellter cyn sylwi 'mod i wedi aros. Roeddwn wedi clywed sŵn piano yn dod o'r tŷ. Daeth fy Anti Mair allan toc a gofyn i mi oeddwn i isio dod i mewn i'r tŷ, ond na, dim ond sefyll yn fan'no'n stond yn gwrando ar sŵn y piano wnes i.

Anti Mair oedd yn briod efo Yncl Dei, sef David Charles Morris, brawd fy nhaid, Wil Harri. Roedd Yncl Dei yn dipyn o ganwr ei hun, ac yn nes ymlaen mi fu'n fy nysgu i a'm chwiorydd i ganu ar gyfer eisteddfod y capel. Mae'n bosib mai fo oedd wrth yr offeryn y diwrnod hwnnw pan stopiais i ar y lôn y tu allan i'r tŷ. Mi helpodd Dei ei nith, sef fy mam, mewn ffordd arall hefyd yn ystod y cyfnod hwnnw. Byddai Mam yn fy ngherdded i a'm chwaer Olwen ryw filltir yn ddyddiol drwy'r gwynt a'r glaw i Ysgol Gynradd Gwaun Gynfi yr ochor arall i bentre Deiniolen, yn bustachu i bowlio Marina'n fabi yn y goetsh ac ar yr un pryd yn ceisio cadw trefn arnon ni'r ddwy fach. Ond gan fod Tŷ'r Capel ryw ganllath neu ddau hwylus o Flaen y Waen, mi fyddai Yncl Dei yn gwarchod Marina'n ddiogel tan y byddai Mam yn ôl a'i gwynt yn ei dwrn, wedi danfon Olwen a minnau i'r ysgol.

Does gen i ddim cof am fy niwrnod cyntaf yn nosbarth babanod Ysgol Gynradd Gwaun Gynfi, Deiniolen. Mae'n rhaid nad oedd llawer o ffwdan, a 'mod i wedi toddi i mewn yn ddigon rhwydd. Efallai fod gan hynny rywbeth i'w wneud â'r ffaith 'mod i mor gyfforddus a hyderus o flaen pobol ar y piano, hyd yn oed yn bump oed. Chwaraewn gyda'r plant eraill ar y buarth yn ddigon del, ond mi faswn i wedi chwarae'r piano drwy'r dydd petawn i wedi cael y rhyddid i wneud hynny. Roedd 'na biano yn nosbarth y babanod. Dwi'n cofio syllu arno – un cefnsyth efo caead yn codi'n daclus dros y nodau, olwynion mawr oddi tano a phedalau reit uchel. Nancy Edwina Jones oedd enw fy athrawes gynta, ac mae'n rhaid ei bod wedi siarad efo fy mam am fy ngallu cerddorol. Dwi'n cofio gofyn iddi'n strêt a gawn i chwarae 'Heno, heno' yn gyfeiliant wrth i'r plant eraill ganu. Cytunodd hithau. Pwten fach, goesa byr, bump oed oeddwn i, efo *ponytail* hir i lawr fy nghefn. Roeddwn i'n rhy fyr i fynd ar ben y stôl, a dyma Nancy Edwina yn fy nghodi i eistedd arni. Ond wedyn doeddwn i ddim yn gallu cyffwrdd â'r pedalau, heb sôn am y llawr! Disgwyliai'r athrawes mai rhyw ddilyn yr alaw efo un bys fyddwn i. Ond na, roedd gen i gordiau a phob dim. Mi wnes gryn argraff arni, dwi'n meddwl. Roedd hi'n dal i gofio'r perfformiad tan ei marwolaeth yn gynharach eleni.

Er nad oedd fy mlwyddyn nesa yn yr ysgol efo Miss Nellie Wynne Jones gystal â'r flwyddyn gynta efo Nancy Edwina, roedd digon o hwyl i'w gael ar yr iard. Cofio chwarae marblis ar gwter y buarth efo'r hogia a'r genod. Y gamp oedd ennill togo, sef marblan fawr oedd yn cyfrif fel pedair marblan fach. Er 'mod i'n fyr o gorff, rhaid 'mod i'n reit tyff. A dweud y gwir, dwi'n amau 'mod i'n dipyn bach o domboi o'r bryniau, achos un o'n hoff gêms i oedd chwarae Chase. Yn syml, beth oedd hon ond rhes o genod ar un ochor i'r iard a rhes o hogia ar y pen arall. Ar y waedd 'un–dau–tri–go!', y syniad oedd i bawb redeg yn erbyn ei gilydd fel rhyw sgrym gyntefig. Gorau oll os oedd rhyw ddau gariad yn cydio dwylo yn y canol. Caem bleser mawr wrth hyrddio yn eu herbyn i drio'u gwahanu. Wn i ddim pwy ddyfeisiodd y fath gêm. Rhyw anarchydd, mae'n siŵr! Mi oedd gen inna gariad hefyd. Roedd Gwyn, a ddaeth yn ŵr i mi yn ddiweddarach, wedi gadael yr ysgol fach flwyddyn cyn i mi ymuno â hi, felly ches i ddim cyfle i gael gafael arno fo ar y pryd. Roedd ei dro fo i ddod! Ond mi ddaeth Gwyndaf i'r adwy ac ro'n i'n ffansïo Emyr Llywelyn hefyd, yn ddistaw bach. Ond fel dwi'n ei chofio hi ar fuarth Ysgol Gwaun Gynfi yn fy amser i, roedd genod a hogia'n cymysgu yn un criw amrywiol, iach.

Er gwaetha miri'r iard, un peth oedd yn suro 'niwrnod i – yn llythrennol felly. Y blwmin llefrith am ddim ro'n i'n gorfod ei yfed, a hynny efo rhyw hen welltyn. Ych-a-fi! Mae'n siŵr mai bwriad rhoi'r llefrith i ni oedd am ei fod yn llesol, ond wir, roedd o'n fy ngwneud i'n sâl bob bore. Roedd hyd yn oed sbio ar y crât yn troi fy stumog. Hyd y dydd heddiw dwi'n hidio dim am yfed llefrith ar ei ben ei hun, dim ond y mymryn lleia mewn te neu goffi.

Yn saith oed, es i ddosbarth Miss Thomas. Erbyn hyn, roeddwn yn chwarae'n rheolaidd yn y gwasanaeth boreol o flaen yr holl ysgol. Fi oedd y gyfeilyddes swyddogol, fel petai. Emynau plant fel 'Cariad Iesu Grist', 'Iesu annwyl, gwna fi'n brydferth, megis rhosyn yn yr ardd' a 'Ti, friallen fach ar lawr' fydden ni'n eu canu.

Mr Eames, y prifathro, fyddai'n arwain y gwasanaeth, wrth

gwrs. Dyn clên oedd Mr Eames, ac artist talentog hefyd. Roedd llyfr ganddo o ddeg emyn addas ar gyfer y gwasanaethau ac mi wyddwn bob un ohonyn nhw ar fy nghof. Roedd Mr Eames wedi tynnu llun gyferbyn â phob emyn i gyd-fynd â'r geiriau. Dwi'n cofio'r llun rhosyn hyfryd roedd o wedi'i greu ar y dudalen gyferbyn â'r ail emyn, 'Iesu annwyl, gwna fi'n brydferth...' Byddai'n defnyddio talentau pob plentyn yn ei dro, i ddarllen neu ledio emyn neu arwain gweddi. Ond ches i erioed ddarllen yn y gwasanaeth. Mi faswn wedi licio cael gwneud hynny, fel y plant eraill, ond styc y tu ôl i'r piano ro'n i.

P'run bynnag, roedd f'athrawes hwyliog, Miss Thomas, yn wych am ddatblygu talentau creadigol plant. Un diwrnod, dyma hi'n gofyn i'r dosbarth ddod â hen ddillad i'r ysgol i'w gwisgo ar gyfer gwersi actio – unrhyw hen ddilledyn gan ein mamau neu'n tadau. Câi'r dillad eu cadw wedyn mewn basged fawr yng nghornel y dosbarth, a'u rhannu allan ar brynhawn Gwener gogyfer â'r wers actio. Roedd 'na dipyn o gyffro, fel y gallech ddychmygu, a beth roddodd Mam i mi ond hen ffrog hafaidd, hyfryd, ffrog wen a phatrymau brown a rhosod mawr coch arni. Wel, roeddwn i'n gweld fy hun yn ddel ynddi, a phan ddôi prynhawn Gwener, ffrog fy mam fyddwn i'n ei bachu o'r fasged fawr bob tro. Byddai pawb wedyn yn creu rhyw ddrama fach fyrfyfyr a minnau'n cyfeilio – yn y ffrog flodau, wrth gwrs.

Ond un prynhawn Gwener – och a gwae – roedd 'na hogan arall wedi bachu hen ffrog fy mam o 'mlaen i. Argol, ro'n i wedi ypsetio'n lân! Wrth weld fy ngheg yn troi am i lawr, mi ddeallodd Miss Thomas beth oedd yn bod, a dyma hi'n cael gair efo mi'n ddistaw bach gan egluro, er mai hen ffrog fy mam oedd hi, y dylwn i gofio bod yn rhaid i mi rannu. Gwers bywyd gan ddynes gall iawn. Mi welodd Miss Thomas ar unwaith beth oedd fy mreuddwydion bach i'n saith oed. Wrth chwarae'r gêm 'Beth fasach chi'n licio bod?', mi atebais i: 'Gwisgo i fyny... mynd ar y llwyfan... chwarae piano mewn ffrog neis... a bowio.' Wrth sgwrsio amdana i efo Mam wrth giât yr ysgol y prynhawn hwnnw, meddai Miss Thomas, 'Dynas llwyfan fydd hon'. Mi leisiodd yn agored rywbeth a fu yn fy mhen ers tipyn, mae'n siŵr. Ro'n i wedi gwirioni.

Ac mi wirionais i fwy fyth ar fy athrawes nesa – Miss Larsen o Gaernarfon. Wir i chi, roedd hi fel ffilm star. Gwallt du, du wedi'i dynnu yn ôl mewn *perm* tonnog 'run fath ag Ava Gardner. Lipstic coch. Blowsys silc neis, sanau du efo *seams*, a stiletos. Ew, ro'n i'n ei gweld hi'n ddel. Ac yn goron ar y cyfan, mi roedd hi'n chwarae'r piano, ac roedd ganddi ddiddordeb byw mewn cerddoriaeth! Ro'n i yn fy nefoedd pan fyddai Miss Larsen yn rhoi gwers ar gyfansoddwyr a cherddorion mawr y byd – Chopin, Bach, Mozart a'r pianydd enwog Paderewski. Cymerai ddiddordeb gwirioneddol ynof finnau fel pianydd, yn holi pa ddarnau roeddwn yn eu hastudio ar y pryd ac yn rhoi tipyn o gefndir y darn neu'r cyfansoddwr i mi. Roeddwn wedi bod yn cael gwersi piano ffurfiol ers peth amser efo John Griffith, Cae'r Bythod. Cyn-chwarelwr oedd Mr Griffith, wedi'i ddysgu ei hun, ac ato fo yr âi pawb o blant y pentre i ddysgu darllen miwsig. Ond daeth Miss Larsen â dimensiwn arall – rhoi cip i mi ar gyfoeth traddodiad cerddoriaeth gwahanol wledydd. Agor fy llygaid i'r byd cerddorol mawr y tu hwnt i fynyddoedd Deiniolen. Deffro fy niddordeb mewn posibiliadau cyffrous. A dweud y gwir, roeddwn i'n dipyn o ffefryn ganddi.

Ychydig cyn y Nadolig oedd hi, a dyma Miss Larsen yn dod ata i, isio i mi fynd i'w gweld hi yn ystod amser chwarae'r bore. Beth allai fod? Oeddwn i wedi gwneud rhywbeth o'i le? Chymerwn i mo'r byd am ei hypsetio hi. Roeddwn i'n poeni fy enaid. Ond pan es i i'w gweld dyma hi'n dangos bag i mi.

'Dowch i nôl hwn cyn mynd adre heno,' meddai hi wrtha i. 'Ond peidiwch â deud wrth neb yn y dosbarth, wnewch chi? Rhywbeth yn arbennig i chi ydi o, am fod yn gymwynasgar ac yn gyfeillgar wrth y plant drwy chwarae'r piano iddyn nhw bob dydd. Cofiwch ei gadw fo'n ofalus. Mi welwch ei werth o fwyfwy wrth i chi dyfu'n hŷn.'

Mi allwch ddychmygu fy ymateb. Roeddwn yn cerdded o gwmpas yr ysgol drwy'r dydd a sêr yn fy llygaid, ond yn teimlo'n reit od hefyd 'mod i'n gorfod cadw fy nghyfrinach fawr rhag y plant eraill. Ar ddiwedd y prynhawn mi gefais y bag ac mi welwn Miss Larsen yn cael gair efo Mam wrth giât yr ysgol. Roedd y bag yn boeth yn fy nwylo wrth i mi gerdded i fyny trwy'r pentre a minnau ar bigau'r drain isio'i agor o'n syth, ond doedd wiw i mi wneud hynny yng nghanol y pentre a phawb yn llygadu a busnesa. O'r diwedd, dyma gyrraedd yr eglwys ar gyrion y pentre lle mae dwy wal gerrig yn ffurfio mynedfa y tu allan i'r giât. Yno, ar fy nghwrcwd yng nghysgod y wal, a gwynt y gaea'n chwyrlïo, dyna ble'r agorais y bag gwerthfawr. Bocs oedd o... bocs a llwyfan bach, a phob ochor i'r llwyfan, pâr o gyrtens coch, a nobyn i'w agor a'i gau. Ac o dan y llwyfan roedd rhes o ddroriau bach. Ym mhob drôr roedd y llyfr lleia un. Straeon operâu: *Hansel and Gretel; Sleeping Beauty; Pied Piper* a *Cinderella...* A'm llaw ar fy nghalon, dyna'r anrheg neisia a ges i gan unrhyw un erioed. Roedd Miss Larsen, drwy ei gweithred garedig, wedi gosod breuddwyd yn fy mhen, breuddwyd a effeithiodd arna i am weddill fy mywyd, ac yn un yr ydw i'n dal i'w dilyn hyd heddiw.

Ond yn ôl at realiti bywyd yr ysgol. Ar ddiwedd tymor yr haf, ffarwelio'n drist â dosbarth Miss Larsen a symud yn bryderus i Safon Dau – at Miss Gillespie. Welsoch chi erioed ddwy mor wahanol. Tra oedd Miss Larsen yn osgeiddig a hardd yn ei pherm a'i stiletos, roedd Miss Gillespie druan yn gwisgo cardigans henffasiwn a gwallt fel tas lwyd ar dop ei phen. A bod yn onest, roedd arna i ei hofn. Byddai'n gwylltio ar ddim. A pheth arall – ei thisian. Clamp o disiwww nes bod y lle'n crynu! Roedd hi'n tisian mor uchel nes bod y sŵn annaearol yn cario drwy'r waliau i weddill yr ysgol. Gwyddai pawb pan fyddai annwyd ar Miss Gillespie, ac roedd hynny'n bur amal, dwi'n tybio. Hen ferch oedd hi, dipyn hŷn na gweddill y staff, ac erbyn deall doedd yr hen greadures ddim yn gofalu ar ôl ei hun. Bu farw flynyddoedd yn ddiweddarach wedi i'w thŷ yn Llanberis fynd ar dân, ac roedd yr holl dŷ yn ofnadwy o flêr a budur, mae'n debyg. Ond chwarae teg i Miss Gillespie, wedi i mi ddod i'w hadnabod, roeddwn yn dod ymlaen yn iawn efo hi. Roeddwn i'n mwynhau ei gwersi Cymraeg, barddoniaeth ac ysgrifennu Cymraeg, arlunio, gwaith natur, hyd yn oed Mathemateg, ond wfft i un peth. Gwersi Saesneg. Doeddwn i ddim yn eu dallt. Be oedd eu pwrpas nhw? Doedd 'na ddim cyfle i siarad Saesneg efo neb. Mam a Dad a'r teulu, plant yr ysgol, yr athrawon i gyd – pawb yn siarad Cymraeg. Byddai holl weithgareddau'r cartref, yr ysgol a'r capel yn Gymraeg. Pam gebyst oedd isio Saesneg? Mi gymerodd hi flwyddyn neu ddwy i mi gael ateb i'r cwestiwn hwnnw.

Yn y cyfamser, erbyn Tymor y Gwanwyn bu newid athrawes, ac yn lle Miss Gillespie daeth Mrs Maud Williams i ddysgu Safon Dau. Cefais ddau dymor gwych efo hi. O dan Mrs Williams a Mr Eames y blodeuais i fod yn gyfeilydd nid yn unig yng ngwasanaeth boreol yr ysgol ond hefyd yng nghystadlaethau'r Urdd – dawnsio gwerin, cerdd dant ac yn bwysicach na dim, y gân actol. O dan gyfarwyddyd Mrs Williams mi ddatblygodd parti cân actol Ysgol Gwaun Gynfi yn enillwyr cenedlaethol sawl gwaith. Hi, Maud Williams, fyddai'n datblygu'r stori bob tro, ac yn cyfansoddi geiriau addas ar sail alawon poblogaidd, llawer ohonyn nhw'n ganeuon adnabyddus o'r rhaglen *Top of the Pops* a oedd yn boblogaidd iawn yn y chwedegau. Byddai hithau wedyn yn rhoi'r geiriau i mi fel y gallwn addasu'r gerddoriaeth a gweithio cyfeiliant iddyn nhw. Chwarae teg i Mrs Williams, roedd hi'n rhoi cyfle i mi nid yn unig i gyfeilio i'r parti, ond hefyd i ddatblygu fy nawn greadigol i gyfansoddi a threfnu cyfeiliant. Ac yn wyth oed, mi godais innau'n frwd i'r sialens. Roeddwn i yn fy seithfed nef, a chyn gynted ag y cyrhaeddwn adre ar ôl ysgol mi awn at y piano bron yn syth wedi i mi ddod drwy'r drws.

Mi roddodd Mrs Williams hwb anferth i mi ddatblygu fy nawn gerddorol yn ymarferol yn y cyfnod hwnnw, ac mae fy niolch iddi'n ddi-ben-draw. Wrth gwrs, ochor yn ochor â'm gweithgareddau yn yr ysgol, mi oeddwn i hefyd yn dal i fynychu'r gwersi piano, ac wedi mynd yn llawer pellach na'r hen lyfr *Beginners*. Erbyn hyn, roedd Olwen a Marina hefyd wedi ymuno â fi ac yn cael gwersi gan Mr Griffith, Cae'r Bythod, a'r tair ohonon ni'n cael gwersi un ar ôl llall. Fi fyddai'n cael y wers gynta bob amser, er mwyn rhoi Mr Griffith mewn mŵd da, yn ôl fy nwy chwaer! Mae Marina'n dweud mai fi a'i digalonnodd hi am byth ynglŷn â chwarae piano, fy ngweld i mor dda a chyflym a hithau mor ara deg. Wn i ddim pa mor wir ydi hynny, achos mae Marina'n dal i wneud lot efo cerddoriaeth yn ei swydd bresennol fel athrawes yn Llangefni, ac mae hi'n gallu canu, fel y tair ohonon ni: canu yn yr ysgol Sul ac eisteddfod y capel; canu ar ein pennau ein hunain yn ein gwahanol oedrannau, dan chwech, dan wyth, dan ddeg ac yn y blaen. Efo'n gilydd hefyd, a ffeindio ein bod, fel chwiorydd, yn harmoneiddio'n hollol naturiol. Cystadlu ar bob dim: adrodd, cerdd dant, deuawdau a phartïon.

Mi enillais i'r unawd piano yn eisteddfodau Cylch a Sir yr Urdd deirgwaith yn olynol, ond dim ond un wobr gefais i yn y Genedlaethol, sef trydydd yng Nghasnewydd. Tybed oedd hynny'n dangos nad perfformio ar fy mhen fy hun oedd fy nghryfder penna ond, yn hytrach, cyfeilio i unawdwyr, partïon, ac yn bwysica oll, y gân actol? Fel deudodd rhywun am yr Olympics, nid y cystadlu sy'n bwysig ond y cymryd rhan.

A rhag ofn i chi feddwl mai rhyw hogan fach dda, practisio piano, mêl-ddim-yn-toddi-yn-fy-ngheg oeddwn i, roeddwn i'n gymaint rhan o giang plant y pentre â phawb arall. Yn wir, roeddwn i gymaint efo nhw fel bod Mam a Dad yn poeni nad o'n i'n practisio digon. Dyna nhw'r criw – Gwyndaf ac Emyr, Wil fy nghefnder, Alwena fy nghyfnither, Olwen a Marina, Eira... a rhai eraill ambell dro. Pawb yn dod i fyny i'n tŷ ni ar hyd y lôn neu dros y caeau. Roedd ein gardd gefn ni'n ddigon o gae, i ddechrau arni. Ond wrth gwrs roedd yn rhaid i ni fynd dros ben y wal i'r cae nesa, yn doedd, er gwaetha rhybudd Mam. Dalan poethion at ein canol yn fan'no – eu taro nhw i lawr efo ffyn nes creu llwybyr fflat. I lawr at yr afon. Tynnu ein hesgidia ac i mewn i honno. Teimlo'r cerrig yn galed o dan ein traed. Trio dal y pysgod bach. Hel eirin. Marina'n cosi o dan ei thrwyn efo plu'r gweunydd oedd fel wadin bach gwyn. Ffrae gan Mam a Dad am fentro i lefydd peryg, nhwytha'n dweud bod 'na Gi Dŵr mawr yno... seis yna! Ond fasa waeth iddyn nhw siarad efo'r wal, am wn i... Roedd rhyfyg yn rhan ohona i. Cofio mynd ar drip i'r Rhyl unwaith a gweld sioe'r dolffiniaid. Roedd dyn y sioe am i blentyn ddod i'r ffrynt i arwain y dolffiniaid mewn cân ar y diwedd, a fi gafodd fy newis. I lawr â fi, a chael ffon i arwain y creaduriaid mewn rhyw fath o berfformiad gwichlyd. Yn wobr, beth gefais i ond pêl fawr las, ac allwn i ddim cyrraedd adre'n

ddigon buan i chwarae efo'r bêl. Cyn gynted ag y cyrhaeddais
Blaen y Waen, allan â fi a'n chwiorydd i gicio'r bêl.
'Cadwch y bêl 'na!' gwaeddodd Mam o'r gegin.
Ond wrandewais i ddim blewyn. Dyma fi'n rhoi andros o gic i'r
bêl nes bod honno'n hedfan dros y wal gerrig i'r lôn. Dros y wal,
mi welwn fy mhêl las newydd yn rhowlio'n braf i lawr y rhiw tua
Deiniolen, a dyma fi'n dweud wrth Olwen a Marina –'Cuddiwch
chi yn fan'na ac mi a' i dros y wal i'r lôn i'w nôl hi.'
'Ti'm i fod...' oedd ymateb Olwen yn syth, ond roedd hi'n rhy
hwyr, roeddwn i hanner ffordd dros y wal yn barod. A dyma roi
naid. Ond yn anffodus mi anghofiais fod 'na hen weiran bigog
wedi'i gosod ar dop y wal, ac wrth fynd drosodd dyma un o'r
pigau yn crafu rhwyg hir i mewn i gnawd cefn fy nghoes reit
o'r pen-glin bron hyd at y ffêr. Roeddwn i wedi dychryn na fu'r
ffasiwn beth erioed – nid yn gymaint oherwydd sioc y boen a'r
gwaed, ond oherwydd ofn beth ddeudai Mam. Mi rwygais ddail
tafol yn wyllt a'u taro ar fy nghoes i drio stopio'r gwaed. Ond
roedd Olwen wedi rhuthro i'r tŷ yn ei braw i ddweud wrth Mam,
gan weiddi'r frawddeg gynta ddaeth i'w phen, brawddeg oedd â
rhyw gysylltiad niwlog â gwaed a thrais:
'Mam! Mam! Mae Ann 'di cael siot!'
Dwi ddim yn cofio be ddeudodd Mam, dangos y wialen fedw
uwchben y drych, mae'n bosib. Ac roedd dangos honno'n ddigon.
Mae'r graith yn dal ar gefn fy nghoes hyd heddiw, ac weithiau,
peidiwch â chwerthin, bydd pobol yn meddwl mai *seam* wen fy
hosan ydi hi!
Ond ar wahân i bethau damweiniol fel yna, aelwyd hynod o
hapus oedd un Blaen y Waen. Er bod ganddon ni deledu, gwneud
ein hadloniant ein hunain fydden ni fel arfer. Un gêm fyddai
ganddon ni'n tair chwaer ar ddiwrnod glawog oedd cael darnau
o bapur a sgrifennu tair colofn. Yn y golofn gynta, rhes o enwau
anifeiliaid – camel, eliffant, jiráff ac yn y blaen; yn yr ail, enwau
lliwiau – coch, gwyrdd gola, du... ac yn y drydedd, a hon oedd
yr hwyl, enwau dillad, yn enwedig dillad isaf. Mi fydden ni ar
ein boliau'n chwerthin wrth sgrifennu geiriau fel nicars, brasiêr,
sysbendars, pantalŵns a geiriau fel'na. Wedyn, torri'r enwau ar

wahân a'u gosod yn wahanol bentyrrau, a phawb yn ei dro yn dewis gair o bob bwndel. Felly, mi allech gael 'jiráff pinc mewn nicars'... neu 'pry copyn mewn bra du'. Roedd y lluniau yn ein dychymyg yn ddigon i'n cadw mewn pyliau o chwerthin am weddill y dydd.

Roedd Mam yn wych am ddyfeisio gêmau geiriau bach syml fel hyn i ni, a darllenai i ni straeon anfarwol *Llyfr Mawr y Plant* a cherddi syml Eifion Wyn. Yn gefndir i hyn i gyd, roedd wastad ryw gân ar y gweill neu record yn chwarae ar y radiogram mawr pren – Tony ac Aloma, Hogia'r Wyddfa... Gwyddem ar ein cof eiriau 'Cloch Fach yr Eglwys' a 'Gwanwyn' T. Rowland Hughes. Ar brydiau, o'r gornel hefyd deuai lleisiau clasurol Caruso a Pavarotti – dewis Dad, ac wrth gwrs, David Lloyd – dewis Mam. Drwodd a thro, heb yn wybod i ni'n hunain bron, roedden ni wedi'n trwytho ym marddoniaeth a cherddoriaeth Cymru a'r byd. Aelwyd henffasiwn, o bosib. Ond aelwyd gynnes, gyfeillgar a diwylliedig.

Mi oeddan ni hefyd yn byw'n agos i fyd natur, mewn ardal wledig amaethyddol ar fin y chwarel. Roeddwn i'n cael mynd am dro yn amal ar hyd y caeau efo Wil Carreg Wen, neu fynd rownd y defaid efo fy nghyfnither. Cofiwch, er 'mod i'n hoff iawn o natur, faswn i byth yn licio bod yn wraig ffarm. Digon hawdd bod yn rhamantus am fywyd ffarm ac ŵyn bach a ballu. Ond mae angen cryfder a stumog i drin a thrafod ambell agwedd ar fyd anifeiliaid, a hynny bob dydd o'r flwyddyn. Roedd Mam a Dad yn frwd iawn dros ddysgu enwau'r blodau a'r planhigion lleol i ni – blodyn menyn, blodyn siwgwr ac yn y blaen.

Ffermdy bach oedd Blaen y Waen ar un adeg wrth gwrs, a thu ôl iddo roedd cae go wlyb a llawer o gerrig. Yn anffodus, beth oedd yn cuddio mewn tyllau yma ac acw ar hyd y cae, ond llygod mawr. A dwi'n cofio fi'n hun, er gwaetha rhybuddion cyson a difrifol fy nhad, yn cymryd ychydig o gerrig bach ac yn pledu'r cerrig ar y cae i'w gweld nhw'n neidio! A dyma Nhad yn penderfynu gosod trap. Yn y cyfamser, roedd 'na fwyalchen ddof iawn yn hedfan reit at stepan drws ein tŷ ni, ac mi roeddan ni'n ei gweld hi yno bob dydd, yn disgwyl am fwyd. Beth bynnag, mi es i'r ysgol un bore, ond erbyn i mi gyrraedd adre yn y prynhawn doedd dim sôn am y fwyalchen. Mi edrychais yn y trap llygod mawr, a dyna lle roedd hi. Sôn am grio!

Mi gawson ni gi bach wedyn, Pero. Olwen gymrodd ato fo fwya a byddai'n ei fagu drwy'r amser. Yr unig beth oedd yn bod ar y ci oedd bod ganddo'r duedd i redeg allan i'r lôn i gyfarth ar y ceir ac, wrth gwrs, yn hwyr neu'n hwyrach mi gafodd ei daro. I lawr â fo at y fet, a thra oedd Nhad yno, roedd Olwen wedi paratoi arch o gardbord efo rhyw ddarnau bach o ddefnydd, ac enw Pero mewn creon ar y top. Ond dyma Dad yn ôl o'r fet – ac mi oedd yr hen Bero wedi cael atgyfodiad! Ond, yn anffodus, ddysgodd ci bach Olwen mo'i wers, a'r car nesa oedd y tro ola iddo fynd allan ar y ffordd.

Treialon bywyd o fath gwahanol a'm hwynebai i yn Safon Tri yn yr ysgol. Gyda'm hathro newydd, Mr Larsen, brawd i'r Miss Larsen a'm hysbrydolodd yn gynharach, fe'm cyflwynwyd i'r *Alpha Beta* bondigrybwyll. Llyfrau mathemateg Saesneg oedd yr *Alpha Beta*, cyfrol un, dau a thri yn cynnwys pob math o ddulliau mathemategol ac yn eu plith – algebra. Waeth i mi ddweud fod y cyfan yn algebra i mi. Doedd y peth yn gwneud dim math o synnwyr, ac euthum i fath o banig, dwi'n meddwl. Pan oedd yr *Alpha Beta* yn aros yn y cwpwrdd caeedig, roeddwn yn ddigon hapus, ond pan agorai Mr Larsen y cwpwrdd a thynnu allan y cyfrolau melltigedig, suddai fy nghalon. Roedd Mr Larsen yn athro brwd, a chredai fod lles yn deillio o roi trefn a disgyblaeth ar feddyliau ac ymddygiad plant. Efallai ei fod yn iawn, ond mae arna i ofn fod ei agwedd wedi codi dipyn bach o ofn arna i, a phan ddaeth ata i'n ddigon caredig i drio egluro cymhlethdodau'r *Alpha Beta*, un-i-un, mi wnaeth hynny fi'n waeth, rywsut. Es i deimlo'n reit sâl, yn gorfforol felly. O edrych yn ôl efallai fod y bloc meddyliol hwn yn ymwneud â'r ffaith fod yr *Alpha Beta* yn uniaith Saesneg, a 'mod i yn fy isymwybod, wedi rhoi fy nghas arno o'r cychwyn.

Rhyfedd sut mae anawsterau'n dod efo'i gilydd, achos yn y cyfnod hwnnw yn yr ysgol hefyd y deuthum ar draws yr hen emosiwn hyll hwnnw – cenfigen. Erbyn hyn roeddwn wedi bod yn chwarae'n ffyddlon yng ngwasanaethau boreol yr ysgol ers sawl blwyddyn, yn ogystal ag mewn eisteddfodau a chyngherddau Band Deiniolen. Roedd ambell beth wedi cael ei ddweud, ambell si wedi crwydro – nid yn uniongyrchol wrth Mam efallai, ond rhyw gwyno yn y cefndir gan ambell fam arall: 'O, Annette sy wrthi eto. Plant erill ddim yn ddigon da, nagdyn?' Beth bynnag, rhyw fore, roeddwn i'n eistedd fel arfer ar stôl y piano yn barod i chwarae tra dôi'r plant eraill i mewn i'r neuadd. Roedd gen i wallt hir i lawr fy nghefn yr adeg honno, ac eisteddwn yn wynebu'r piano, a 'nghefn at res gynta'r plant. Yn sydyn, mi deimlais gur ofnadwy yn fy mhen. Roeddwn i'n methu deall beth oedd yn bod, a dyma fi'n troi rownd. Ar y llawr yn union y tu ôl i mi roedd bwndel o 'ngwallt i, wedi cael ei dynnu o 'mhen, a hynny mor sydyn fel na sylwais i pwy wnaeth. Yn naturiol, mi fu yna ypsetio a chrio a theimladau cymysg o ddicter a siom a hunandosturi ar fy rhan. Roedd hi'n gyfnod anodd ofnadwy i mi. Ond diolch i Dduw am Mam a Dad. Roedd Mam yn reit emosiynol ei hun, yn teimlo fy mhoen i. Roedd Dad yn fwy athronyddol am y peth, ac anghofia i byth mo'i eiriau cysurlon i mi:

'Wel, Ann bach,' medda fo. 'Cofia hyn bob amser. Mae 'na fwy o bobol o dy blaid di nag sy yn dy erbyn di bob amser. Sgin ti mo'r help be wyt ti 'di gael, ac mae gen ti rwbath sy gynnyn nhw ddim. Problem y bobol erill 'ma 'di hynny. Rwyt ti wedi dy greu fel rwyt ti. Fel'na wyt ti i fod. Paid â newid i neb. Paid â chymryd gan neb. A phaid â chael dy ypsetio gan neb.'

Oes, mae 'na amseroedd eraill yn ystod fy ngyrfa pan mae pobol wedi dweud petha amdana i, yn gudd ac yn agored. A phan fydd hynny'n digwydd, dwi'n cofio geiriau doeth a ffeind Dad pan o'n i'n naw oed.

Daeth tro ar fyd eto yn nosbarth Mary Wyn Jones yn y dosbarth ola cyn ymadael am Ysgol Gyfun Brynrefail. Blwyddyn hyfryd yng nghwmni Mary, un o gyfoedion Mam yn yr ysgol. Roedd hi'n hoff iawn o fynd â ni am dro i ganol byd natur, i sylwi ar y planhigion, casglu grifft llyffant ac yn y blaen. Roedd ei Bwrdd Natur hi'n ddigon o ryfeddod. Hi ddaru 'mherswadio i'n ddigon call y dylwn i ddygnu arni i drio darllen tipyn o lyfrau Saesneg yn ogystal â rhai Cymraeg. 'Mwya yn y byd ddarlleni di, gora yn y byd fyddi di.' Mi aeddfedais yn ei chwmni hi: dysgu petha ar fy nghof; dysgu petha o'r Beibl; salmau cyfan, weithiau. Chefais i erioed drafferth efo 'nghof. Mae gen i gof da, clir am bobol a llefydd, yn arbennig. Mi alla i gofio i bwy y gwnes i gyfeilio'r darn a'r darn ac ym mhle. Ond am enwau a dyddiadau, dwi'n cyfadda nad a' i byth i gadair *Mastermind*! Ro'n i hefyd bellach yn medru chwarae darnau Gradd 5 a 6 ar y piano, ac yn magu hyder bob dydd. Cawn sgwrs aeddfed efo Mary Wyn yn amal. Roedd hi'n hen bryd symud o'r ysgol gynradd. Yn ddeg oed, diolch i'r piano ac arweiniad athrawon a chefnogaeth rhieni, toeddwn i wedi cael miloedd o gyfleon i brofi fy hun o flaen pobol, yn cynnwys mil o bobol yn yr Albert Hall ei hun? Mae'n amlwg 'mod i wedi tyfu ac aeddfedu o gael y profiadau hynny, a 'mod i, efallai, yn fwy aeddfed na nifer o 'nghyfoedion ar y pryd. P'run bynnag am hynny, diolch i 'magwraeth yn y cartre a'r ysgol, mi ro'n i'n teimlo'n gyffrous a hyderus wrth wynebu'r bennod nesa yn fy mywyd – yr ysgol uwchradd...

6

Y DDYNES DROS Y BONT

ROEDD EIN CYNDADAU, YR hen Geltiaid, yn credu'n gryf mai rhwng dau fyd roedd petha gwyrthiol yn digwydd. Yn yr awr hudol rhwng machlud haul a nos, ar y bont rhwng dau dymor, ar y ffin rhwng un lle a'r llall, dyna pryd y mae'r byd hwn a'r byd arall ar ei agosaf. Rhwng dau fyd roeddwn innau ym mis Gorffennaf, 1972, rhwng ysgol gynradd ac uwchradd, rhwng deg ac un ar ddeg oed, rhwng dau dŷ, a rhwng gorffen efo un tiwtor piano a chwilio am un arall. A dyna pryd digwyddodd y wyrth. Fel rhyw dric hud a lledrith, fel rhyw frenhines o fyd y tylwyth teg, daeth tiwtor piano newydd – Mrs Rhianon Gabrielson – i 'mywyd i, fy nghyffwrdd efo'i ffon hud, a fu 'mywyd i byth yr un fath wedyn. Damwain a hap oedd hi. Ac eto, pwy a ŵyr nad oedd yr holl beth wedi'i ragdrefnu yn y sêr?

'Ylwch, fedra i wneud dim mwy i Annette,' meddai John Griffith Cae'r Bythod wrth Nhad. Mr Griffith, y cyn-chwarelwr ffeind a'i wallt Brylcreem tywyll yn ei dŷ i lawr y llwybyr hir yng Nghlwt y Bont. Roeddwn wedi bod yn mynd ato i ddysgu darllen miwsig ers pan oeddwn i'n bump oed, gan fynd drwy'r darnau hyd at Gradd 5. Ond yr hyn a wnawn, yn ddiarwybod, oedd chwarae'r piano drwy ddefnyddio 'nghlust, copïo'r hyn roedd Mr Griffith yn ei chwarae, nid darllen y nodau ar y dudalen yn union a chywir. Erbyn i mi gyrraedd fy neg oed roeddwn eisoes wedi mynd drwy'r holl ddarnau, a hyd yn oed wedi dod â'm llyfr fy hun, *Easy Classics*. Dyna pryd y sylweddolodd John Griffith ei bod yn hen bryd i mi symud ymlaen a chael tiwtor allai fy mharatoi ar gyfer arholiadau'r piano.

Yn Eisteddfod Llanrwst y flwyddyn honno enillais ar yr unawd piano i blant dan ddeuddeg oed. Yn yr eisteddfod honno, roedd dyn o'r enw R. Davy Jones o Lanfairfechan yn gyfeilydd swyddogol. Yn hogan fach ddeg oed, rhyfeddais at ddawn Davy Jones ar y piano.

'Dwi'n licio'r dyn yna'n chwara,' meddwn i wrth Mam. 'Dwi'n licio'r *touch*.' Roedd rhywbeth gosgeiddig amdano, ac mi blesiodd fi'n fawr pan ddaeth ataf ar y diwedd i ddweud ei fod wedi mwynhau 'mherfformiad i ar yr unawd. A chan fy mod wedi cymryd ato gymaint, dyma Mam yn gofyn iddo a oedd o'n rhoi gwersi. Nac oedd, doedd o 'i hun ddim yn rhoi gwersi gan ei fod yn rhy brysur efo'i waith yn cyfeilio yn rhywle bron bob penwythnos. Ond mi wyddai am rywun a wnâi, efallai. Ei hen athrawes biano fo'i hun, Mrs Blackham o Ddwygyfylchi. Dyma ystyried, a rhai dyddiau wedyn dyma Mam yn ffonio R. David Jones i gael ei manylion. Doedd gan y Mrs Blackham yma ddim ffôn, ond y cyfeiriad oedd 4, Bron Derw, Dwygyfylchi, Penmaenmawr.

Un diwrnod, a minnau newydd gael fy mhen-blwydd yn un ar ddeg, dyma'i mentro hi draw yno – Dad, Mam a minnau – i drio dod o hyd iddi hi. Dwi'n cofio'r diwrnod fel petai'n ddoe. Fi'n eistedd yng nghefn y car yn hanner edrych ymlaen ac eto'n hanner ofnus. Yn fy llaw roedd y cês miwsig newydd lledr brown a gawswn yn bresant gan Nain Tregarth. Cyrraedd Dwygyfylchi, a mynd i chwilio am 4, Bron Derw. Neb yn gwybod ble roedd o. O'r diwedd, dyma ddod ar draws tŷ cul tri llawr, a ffenestri bychain Sioraidd a drws gwyrdd. O'i flaen roedd afon fach, a thros yr afon roedd bont. Sefyll yn swil y tu ôl i Mam wrth i Dad gnocio ar y drws. Ymhen hir a hwyr dyma ddynes yn dod i'r drws. Roedd hi'n eitha hen – yn ei chwedegau hwyr, efallai. Roedd ganddi wìg lwyd, sbectol aur, cardigan weu a slipars *fold-over*. Ond yr hyn a ddenodd fy sylw yn syth oedd ei ffedog. Gwisgai frat bach o gwmpas ei chanol, yn llawn o ddarluniau cyfansoddwyr a nodau cerddorol. 'Ia,' meddwn i wrthyf fy hun, 'hon ydi hi.'

'Hello, can I help you?' meddai hi mewn acen Saesneg fain.

'Are you Mrs Blackham?' gofynnodd Mam.

'What did you say, love?' meddai hithau'n syn.

'Are you Mrs Blackham?' holodd Mam eto.

'I used to be Mrs Blackham,' meddai'r ddynes. 'But I'm now married to Mr Gabrielson. I'm Mrs Gabrielson. '

'I had your address from Mr R. Davy Jones,' eglurodd Mam.

'Davy!' meddai Mrs Gabrielson. 'How do you know Davy?'
A dyma Mam yn egluro. 'My daughter, Annette here, wants to
be a concert pianist.'
'Does she really?' meddai Mrs Gabrielson gan ddechrau dangos
diddordeb. 'But I'm sorry to say,' meddai hi wedyn, 'I don't teach
any more. My husband is partially blind, and my time is spent
looking after him. But please, do come in for a cup of tea.'
Ac i mewn â ni i'r stafell dywyll henffasiwn yma. Yno, yn ei
gadair, eisteddai Ernest Gabrielson, un o Sweden yn wreiddiol
ond a oedd wedi dysgu Saesneg a dringo'n bennaeth ar adran
addysg yn Lerpwl. Ond erbyn hyn roedd yn mynd yn ddall.
Roedd silff-ben-tân fawr uwchben y lle tân ond dim sôn am dân,
cloc mawr, soffa a bwrdd bach i'w osod o dan gadair esmwyth.
Mat treuliedig a chyrtens. A hen biano syth a dau gandelabra
arno, a stôl.
Mi ddigwyddais ddweud rhywbeth wrth fy nhad wrth basio
a dyma Mrs Gabrielson yn troi ata i'n syth. 'Cymraeg dach chi,
cariad?'
'Ia,' medda finnau gan ryfeddu.
'Be dach chi'n licio chwara, 'ta?'
'"Arafa Don",' oedd fy ateb parod.
'Wel,' meddai hithau, 'gan eich bod chi wedi dod mor bell,
waeth i mi wrando arnoch chi ddim. Do you mind listening to
this little girl?' meddai hi wrth Mr Gabrielson.
'No, not at all,' oedd ei ateb yntau.
Ac wrth i mi chwarae cyfeiliant 'Arafa Don' mi ddechreuodd
Dad ganu'r unawd.
'Mae hi wedi arfer cyfeilio i mi,' eglurodd Dad.
'Popeth yn iawn,' meddai Mrs Gabrielson. Wedi i mi orffen,
dyma hi'n gofyn i mi, 'Be arall dach chi'n chwara?'
'Y "Moonlight Sonata",' meddwn innau.
'Be, dach chi'n chwara Beethoven?' meddai hi mewn syndod.
Mi chwaraeais y 'Moonlight' yn y stafell dywyll honno.
Gorffen y cord ola mawreddog, a thoi at Mrs Gabrielson. Roedd
ei dagrau'n llifo yn y distawrwydd. 'Mae gan yr hogan bach 'ma
rwbath sbesial,' meddai hi wrth Mam toc, 'ond does ganddi hi

ddim *technique*.' A chan droi at ei gŵr, meddai, 'Can I take this
little girl as a pupil?' Cytunodd yntau.

Fi oedd ei hunig ddisgybl. Gan ein bod yn byw mor bell, roedd
am roi dwy awr o wers i mi bob nos Wener, un awr ar theori,
ac awr arall ar wella fy nhechneg. Roeddwn i gychwyn ar nos
Wener, 11 Awst, 1973 am saith o'r gloch, gan orffen am naw. A
dyna sut y dechreuodd fy mherthynas ddofn â Mrs Gabrielson, fy
athrawes, fy ysbrydolwr, a ffrind mynwesol am oes.

Roeddwn i'n gyffrous iawn wrth fynd at Mrs Gabrielson am
fy ngwers gynta. Er bod y tŷ'n dywyll a Mrs Gabrielson ychydig
yn ecsentrig, a dweud y lleia, doeddwn i ddim blewyn o'i hofn
hi. A dweud y gwir, mi liciais i hi o'r eiliad gynta. Y peth cynta a
wnaeth hi oedd mynd â mi'n ôl, reit i'r dechrau at Gradd 1. Mynd
dros y darnau nes roeddwn i'n gwybod pob nodyn yn berffaith.
Fyddai dim yn gwneud y tro ond sicrhau cywirdeb perffaith. A'r
nodiadau! Roedd hi wedi gofyn i Mam brynu llyfr nodiadau gwag
i fynd efo mi. Rhyw linell neu ddwy a sgrifennai John Griffith
ar ddiwedd pob gwers ond byddai Mrs Gabrielson, yn sgrifennu
nofel neu ddwy! Ro'n i wedi dychryn. A'r gwaith cartref – gorfod
ateb rhes o gwestiynau bob wythnos o wahanol arholiadau'r
gorffennol. Darllen pennod ar un o gyfansoddwyr y byd o lyfrau
y byddai'n eu rhoi i mi. Edrych yn y *Radio Times* a dewis rhaglen
gerddoriaeth bob wythnos, gwrando arni, a sgrifennu amdani.
Sgêls. Techneg. Sgrifennu rhythm. Dechrau cyfansoddi. Clywed
rhyw frawddeg gerddorol yn fy mhen, ei sgrifennu hi i lawr ar
erwydd, a'i thrio hi allan ar y piano. Ond doeddwn i ddim yn
meindio hyn o gwbwl. Gwnawn y gwaith yn llawen, gan wybod
yn iawn po fwya o waith y gwnawn i, y byddai hithau hefyd yn
rhoi yr un faint o amser wrth baratoi yn drylwyr a gofalus cyn pob
gwers ac ar ei hôl. Dwy yn cychwyn ar antur go fawr oedden ni,
y naill yn gweithio cyn galeted â'r llall. Mi roddodd i mi sbardun
ac awydd newydd ym myd y piano. Bûm ati bob nos Wener y am
y rhan helaeth o bum mlynedd fy arddegau, ac edrychwn ymlaen
bob tro. Hi oedd uchafbwynt fy wythnos.

Tyfodd perthynas arbennig rhyngon ni. Dechreuodd fy ngalw
yn Leo bach.

'Pam Leo bach?'

'Wel, dyna be 'di'ch sein yn y Zodiac, yntê cariad.'

Mi ddechreuodd sôn am astroleg a sêr-ddewiniaeth. Roedd hi'n arbenigwraig ac yn sgrifennu siartiau astrolegol hir a chymhleth i bobol. A'r adeg honno y deallais pam ei bod, yn hollol fwriadol, wedi dechrau fy ngwersi ar ddyddiad arbennig: 11 Awst. Roeddwn wedi dweud wrthi 'mod i'n cael fy mhen-blwydd ar 29 Gorffennaf. Mae dau a naw yn gwneud un ar ddeg. Fy oed ar y pryd – un ar ddeg. A dyna i chi beth od, mae'r rhif un ar ddeg wedi fy nilyn ers hynny. Yn fy mlwyddyn gynta yn y coleg, rhif fy stafell oedd 56; o'u hadio gyda'i gilydd roedd yn gwneud un ar ddeg. Y flwyddyn wedyn mi symudais i stafell arall yn yr hostel, a'i rhif? 65! Dechreuais edrych ar Mrs Gabrielson mewn golau newydd.

Nid yn unig roedd hi'n athrawes ysbrydoledig, ond roedd rhyw ddyfnder cudd a diarth iddi. Agorodd fy llygaid i fydoedd newydd. Sylwais ar groen ei hwyneb, yn llyfn a glân er gwaetha'i hoedran. Doedd hi byth yn defnyddio sebon, dim ond olew almwn, neu weithiau Oil of Ulay. Dim byd cemegol, annaturiol. Ar ôl awr ar y piano, a Mr Gabrielson yn gwrando yn ei gadair, byddai hithau'n gofyn, 'Shall we have a cup of tea now?' Ac nid unrhyw de, cofiwch. Dilynwn hi drwodd i'r gegin a gweld rhyfeddodau ar y silffoedd: licris, perlysiau o bob math, petha na welswn erioed yn ein tŷ ni – *cocoa-bean chocolate, nut roast*, petha llysieuol. Roedd y silffoedd yn llawn bwyd iach, a'r sinc yn llawn llestri heb eu golchi. Doedd dim ots am y llestri pan fyddai Annette yn dod, mae'n amlwg. Roedd paratoadau'r wers yn bwysicach o lawer...

'Fasach chi'n licio hwn, cariad?' gofynnodd, gan estyn rhyw jar.

'Be 'di o?'

'Instant Postum.'

'Instant be?'

Rhyw hanner coffi, hanner coco oedd o. Heb lefrith wrth gwrs. Doedd hi ddim yn yfed llefrith. Ac yn dilyn fy mhrofiad efo llefrith yn yr ysgol, roedd y ddwy ohonon ni'n gytûn yn hynny o beth! Beth bynnag oedd o, roedd o'n blasu'n ffantastig. Wedyn mi gawn ffrwyth ganddi, a siars am fy iechyd.

'Gwrandwch, Leo bach. Rhwng rŵan a'r Dolig mae Neptiwn yn mynd heibio Plwto. Mae hynny'n golygu bod yn rhaid i chi watsiad eich iechyd. Gwely cynnar, a dim gormod o gaws. Mae o'n ddrwg i chi.'

Ychydig a wyddai Mrs Gabrielson druan fod Mam, Dad, Olwen a Marina i gyd yn mynd yn wythnosol yn y car i siopa yn Kwik's Deganwy tra byddwn i efo hi. Ar ôl siopa, byddai'r pedwar yn ddefodol yn gwledda ar ffish a tsips, ac wedi gorffen am naw a mynd yn ôl dros y bont fach i ymuno â nhw, cawn innau ddewis o arlwy seimllyd siop tsips dynes Sbaenaidd Dwygyfylchi. Ond am y ddwy awr efo fy hoff athrawes yn y byd tu hwnt i'r bont fach, mi wnawn i unrhyw beth i blesio ac i barchu egwyddorion daionus Mrs Gabrielson. Roedd hi'n athrawes hynod. Dull henffasiwn efallai oedd ganddi o ddysgu, ond o! mi weithiodd efo fi. Mi ddysgais fwy ganddi hi na chan neb arall.

Brodor o Drefriw oedd hi ac wrth fynd i ddysgu mewn ysgol breifat yn Hastings, mi fabwysiadodd ddull a safonau clasurol. Mi ddysgodd ddisgyblaeth techneg a chywirdeb i mi, do. Ond llawer, llawer mwy hefyd – emosiwn mewn miwsig. A chwaeth, y ddawn honno i roi rhywbeth mewn darn.

'Ylwch, cariad,' meddai hi un diwrnod. 'Mae gennoch chi rywbeth sbesial, a 'dan ni am weithio ar hynna. Rŵan, dwi'n mynd i chwarae'r darn yma mewn dwy ffordd, a dwi isio i chi ddweud pa ffordd ydi'r gorau gennoch chi.'

A dyma hi'n chwarae'r darn mewn amseriad cysáct, cywir, technegol i ddechrau, ac yna'n rhoi teimlad a lliw ynddo. Mi glywn y gwahaniaeth yn syth wrth gwrs, ond sut roedd gwneud hynny, ei gyflawni mewn perfformiad? Ac ar yr eiliad honno dwi'n cofio cael rhyw deimlad od, crynedig yn fy stumog. Y foment hudol, gynhyrfus honno pan dach chi ar fin darganfod trysor amhrisiadwy.

'Mi fedar unrhyw un chwarae nodau,' meddai Mrs Gabrielson, 'ond mae'n rhaid i chi feddwl be sy'n mynd rownd y nodau.'

A dyma hi'n ceisio'i ddarlunio mewn ffordd arall. 'Pe tasach chi'n clywed darn o fiwsig, pa lun fasach chi'n ei wneud ohono? Pa fath o liw, pa fath o eiriau, pa fath o farddoniaeth, pa fath o deimlad?' 'Môr,' meddwn i wrth ei chlywed hi'n chwarae un darn. Machlud... anifail... tristwch... 'Pa nodau sy'n eich gwneud chi'n drist?' 'Y tri nodyn yna... ' ac yn y blaen. Mi aethon, ein dwy, yn ddwfn iawn iawn i mewn i gerddoriaeth. Mi ddysgodd dechneg *rubato* i mi mewn miwsig – y cymryd a'r rhoi sy'n dod o'r galon ym mhob perfformiwr mawr. Taflodd olau dealltwriaeth dros y materion hyn. Cyfuno'r lliw a'r dechneg efo'r emosiynau ar y piano. Codi brawddeg gerddorol ac yna dod â hi i lawr. Rhoi sylw arbennig i un nodyn allweddol, saib bach i'w gyfleu o. Rhoi enaid, darn o'r nefoedd, mewn darn o fiwsig.

Ond yr arholiad ddaeth â ni yn ôl i'r ddaear. Arholiad Gradd 5, yn haf 1973, flwyddyn ar ôl i mi ddechrau efo Mrs Gabrielson. Doeddwn i erioed wedi sefyll arholiad piano. Mi weithiodd Mrs Gabrielson yn anhygoel o galed i 'mharatoi. Mi roedd hi wedi deall fy ngwendid ers tipyn – darllen ar yr olwg gynta. Defnyddio 'nghlust oeddwn i, dyfalu'r nodau. Doedd hynny ddim yn ddigon da. Mi aeth drwy'r gwaith, fy stopio a'm cywiro. Mynd yn fwy a mwy strict. Sgêls, sgêls. Sgrifennu pob cwestiwn allai'r arholwr ei ofyn i mi yn llawn ar bapur...

'Please can you play the scale of D Major, both hands together,' a minnau'n gorfod gwneud hynny drosodd a throsodd. Nodiadau... 'Bar 12 – wrong note... Sight reading – you *have* to work!' Ddaeth hi ddim i'r arholiad. Mam a Dad aeth â fi i'r West Point Hotel ym Mae Colwyn. Mi chwaraeais 'Inventions' Bach, 'Contented' (fy hoff ddarn!) a darn gan Poulenc. Fy sgôr? 125. *Merit*. Pasio pob peth ond darllen ar yr olwg gynta. Yn ôl ati wedyn i baratoi at Gradd 6. Ges i ymarferion darllen ar yr olwg gynta? O do, hogia bach! Hanner awr bob wythnos yn gneud dim byd ond hynny. Canlyniad? Pasio Gradd 6 efo *Distinction*. Gradd 7... ac yn ola, pinacl y system arholiadau piano – Gradd 8, theori ac ymarferol. Coblyn o brawf, a Mrs Gabrielson yn gweithio cyn galeted â mi. Mi oeddwn i'n hwyr i'r wers unwaith, a Dad yn trio gwneud esgus ei fod wedi bod yn peintio cyn dod. Ond doedd hyn ddim yn plesio'r athrawes o gwbwl.

'Dach chi'm yn poeni am yr hogan bach yma isio gwneud Gradd 8?' meddai hi'n siarp wrth Dad!

Cofio cael gwers go iawn ganddi fy hun un tro hefyd. Rhyw bapur theori oedd o, a minnau wedi gwneud gwaith blêr. Doedd Mrs Gabrielson ddim am ddiodde hynny. Roedd yn rhaid i'r dotiau fod yn union yn y lle iawn ar yr erwydd, nid rhyw flotyn niwlog. Coesau'r nodau'n syth i lawr efo pren mesur.

'Be sy mater, cariad?' meddai, pan welodd fy ngwaith. ''Di hwn ddim 'run fath â'ch gwaith arferol chi.'

'Sâl o'n i,' meddwn innau.

'O... fasa well genna i tasach chi heb ei wneud o o gwbwl na hyn,' meddai hi, gan sbio eto. 'Mae hwn yn *warthus*. Dwi'm isio peth fel hyn gennoch chi byth eto. Peidiwch â'i wneud o o gwbwl os mai peth fel hyn dach chi'n ei wneud.'

Y gwir oedd nad wedi bod yn sâl oeddwn i, ond wedi bod mewn disgo'r noson cynt, ac wedi gwneud y gwaith ar y funud ola yn y car ar y ffordd yno. Wrth deimlo mor euog, mi dorrais allan i grio.

'Peidiwch ypsetio,' meddai hi wrtha i, 'ond peidiwch byth â gwneud hyn eto.'

A wnes i ddim.

Tua'r cyfnod hwn o bwysau a phryder hefyd y dechreuais gael hunllefau yn y nos, ac mi ddeudis am y freuddwyd wrth Mrs Gabrielson.

'Breuddwyd am be, cariad bach?' meddai hithau'n syth. 'Witsiwch funud i mi gael nôl papur a phensal.' A dyma hi'n cymryd manylion fy mreuddwyd i lawr, fel rhyw seiciatrydd.

Y freuddwyd oedd fy mod yn fy nghael fy hun mewn tŷ mawr, ac yn y stafell roedd y waliau a'r carped i gyd yn goch, dodrefn derw tywyll, brasys euraid, ond pob dim yn goch. Neb yno ond y fi. Roedd grisiau yno, ac ar ben y grisiau roedd drws. Mi wyddwn fod 'na rywbeth y tu ôl i'r drws... ond fedrwn i yn fy myw â chael y nerth na'r plwc i'w agor. Fan'no roeddwn i'n crynu cyn deffro'n chwys doman.

'Dach chi'n cuddio rhywbeth yn eich tu mewn,' meddai Mrs Gabrielson. 'Mae'n rhaid i chi gael y cryfder i'w wynebu.'

Hyder oeddwn i ei angen, meddai hi. Ac roedd hi'n hollol iawn. Darllenai fy mreuddwydion fel llyfr. Dynes grefyddol, ysbrydol oedd Mrs Gabrielson, ond crefydd a'i stamp arbennig hi arno. Credai mewn angylion, yn llythrennol. Weithiau, pan fyddai'n gwrando arna i'n chwarae, dôi dagrau i'w llygaid. Dweud bod angel y tu ôl i mi yn rhoi teimlad dwyfol yn fy mysedd. Credai yn egwyddorion Bwda am ailymgnawdoliad. Roedd hi'n teimlo ysbrydion o'i chwmpas. Diwrnod pen-blwydd ei mam, clywai arogl hoff flodyn ei mam.

'O, mae Mam efo mi,' meddai hi'n falch.

Ac yn y wers cyn fy arholiad Gradd 8, wrth i mi chwarae, mi gododd oddi ar ei heistedd wrth fy ochr.

'Cariwch chi ymlaen, cariad bach,' meddai wrthyf. 'Dwi'n mynd i fyny'r grisiau cul i'r llofft i weddïo drostach chi.'

Wedi'r arholiad, dyma fi a Mam a Dad yn syth yn ôl i'w thŷ. Doedd dim pall ar ei holi ynglŷn â'r arholiad. Wedi cael gwybod pob manylyn lleiaf, dyma hi'n troi ata i a dweud, 'Cariad, dach chi'n mynd i basio hwn. Dwi'n gwbod. Pan oeddach chi'n dechra'r arholiad, mi oeddwn i wrth y ffenast. Mi sbïais i ar fy watsh ac mi roedd hi'n ddau o'r gloch. A'r eiliad honno dyma'r haul allan, ac mi wnaeth o sgleinio am y tri chwarter awr y buoch chi wrthi.'

Rhaid i chi gael ffydd – dyna oedd ei brawddeg fawr hi. Heb ffydd, mae bywyd yn wag. Ac mi ddywedodd rywbeth arall hefyd. Wrth Mam y tro hwn.

'Mae'n rhyfedd iawn meddwl,' meddai hi, 'ar y pwynt yma yn fy ngyrfa, fod Duw wedi gyrru'r hogan bach 'ma mewn *ponytail* dros y bont ata i. Ches i rioed blant. Annette ydi'r ferch na chefais i erioed...'

Mi dalodd ffydd Mrs Gabrielson ynof fi ar ei ganfed. Yn 14 oed, mi basiais arholiad Gradd 8 ag Anrhydedd gyda sgôr perffaith bron o 144 allan o 150.

Mae Mrs Gabrielson yn brigo i'r wyneb drwy weddill fy hanes. Trwy flynyddoedd fy arddegau roedd ei gwersi piano hi fel pe baen nhw mewn byd gwahanol i'r byd roeddwn i'n byw ynddo bob dydd – byd cyffredin yr ysgol uwchradd a'r Youth Club, y canu a'r cyfeilio, y snwcer a'r hoci, y steddfodau a'r arholiadau Lefel 'O' (TGAU erbyn heddiw). Hogan freuddwydiol oeddwn i yn yr ysgol uwchradd, yn fy myd bach fy hun. Er 'mod i'n ffrindiau iawn â chriw hwyliog y dosbarth a'r pentre, yn ddistaw bach roeddwn i wastad yn teimlo rhywfaint ar wahân i 'nghyfoedion. A hynny, mae'n siŵr, am 'mod i'n gwybod, yn y blynyddoedd tyner hynny o dyfu'n ferch ifanc, fod 'na stafell fach gudd yn fy mywyd i, lle trigai gwraig hudol mewn tŷ dros y bont oedd yn agor byd dwfn a diddorol i mi, yn ehangu fy ngorwelion, yn maethu ac yn meithrin petha ysbrydol.

7

TEULU TŶ'R YSGOL

GWERSI MRS GABRIELSON AR nos Wener oedd uchafbwynt yr wythnos i mi am y pum mlynedd hynny yn fy natblygiad. Ond byw yn y byd go iawn oedd raid i mi weddill yr amser. Ac mi wnes i fwynhau hefyd, wel, y rhan fwya ohono, beth bynnag! Mi ddechreuodd fy arddegau ar nodyn go bryderus. Cofio ffarwelio â dosbarth Mary Wyn Jones yn Ysgol Gwaun Gynfi a hithau'n dymuno'n dda i bawb oedd yn symud i Ysgol Uwchradd Brynrefail, a dechrau teimlo'n reit grynedig. Ysgol fawr, fi fach yng nghanol llu o blant swnllyd mewn coridorau, iwnifform, athrawon yn arthio... popeth yn newid. Fi, fel y ferch hyna, yn gorfod torri'r gŵys gynta er mwyn i'r ddwy arall ddilyn yn fy sgil. Tipyn bach o ofn ac ansicrwydd.

Ac i goroni'r cyfan, yn ystod yr haf hwnnw cyn mynd i'r ysgol fawr am y tro cynta, gorfod dadwreiddio o glydwch a sicrwydd hen fwthyn bach cartrefol Blaen y Waen, a mudo i dŷ newydd dros y bryn – Tŷ'r Ysgol. Doedd y tŷ newydd ddim ond tua hanner milltir i ffwrdd, ym mhentre Dinorwig. Ond yn y pwl yma o gryndod, yn ystod y cyfnod byr hwnnw, teimlai'r tŷ newydd mor bell o'm hen gartre â chopa'r Wyddfa. A dweud y gwir, difethwyd fy mhen-blwydd o'i herwydd. Yn 11 oed, yn fy nhrywsus *bell-bottoms* newydd, lliw *beige*, a'm smoc *turquoise* a'm sgidia coch, gwrandawn braidd yn ddiflas wrth i Mam drio gwerthu'r syniad o symud i'r tŷ newydd i ni'r chwiorydd.

'Bydd 'na ddigon o le i chi... ac yn yr hen ysgol mi fydd 'na fwrdd snwcer a Youth Club a phob dim... a gan fod Dad yn edrych ar ôl y Ganolfan fel gofalwr, mi gewch chi fynd yno unrhyw bryd... ac mae 'na ardd a iard a phetha...'

Roedd hi wedi gwneud job reit dda ar berswadio Marina, ac mi brynodd hi focs o sialc newydd i roi gwersi i'r doliau ar y bwrdd du yn y lle newydd. Cafodd Olwen Tiny Tears a phram i fynd efo hi i gadw cwmni iddi yn y llofft. Mi wyddwn innau'n iawn, wrth gwrs, beth oedd y gwir reswm dros symud. Tŷ bach tamp oedd Blaen y Waen, wedi'i adeiladu ar waelod cors yn llawn o lygod mawr, ac roedd y caethdra ar frest Marina yn golygu nad oedd dewis – roedd yn rhaid symud. Ond er gwaetha hyn i gyd, cyndyn iawn oeddwn i godi rhyw lawer o frwdfrydedd dros y symud. A thua deg o'r gloch ar noson fy mhen-blwydd, pan gyrhaeddodd Manny, y Cynghorydd o Fach Wen, gyda'r agoriad i Dŷ'r Ysgol a dweud wrth Dad mewn llais terfynol, 'Wel Ifan, mae'r tŷ i chdi'... teimlais boen yn fy nghalon wrth synhwyro diwedd cyfnod.

Roedd Mam a Dad wedi cynhyrfu'n lân, a doedd 'na ddim byw na marw nad oedd rhaid mynd i weld y tŷ newydd yn syth bìn, er ei bod hi'n prysur dywyllu. Ac yng ngolau tortsh Dad y gwelais i du mewn i Dŷ'r Ysgol am y tro cynta erioed. Roedd o'n dŷ reit fawr, tywyll ei waliau, wedi'u cuddio gan haen o lechi. 'Rargian fawr... dwi'm yn licio fo.' Dyna ddaeth i'm meddwl i er na ddywedais air. Ond roedd Mam yn byrlymu o gyffro:

'Sbia! Lle tân yn fan'na! Parlwr yli... a *gas heater*! Ew, sbia cegin fawr! A mae 'na fyny grisia yma! (Bwthyn unllawr oedd Blaen y Waen.) Yli, Ann, dy lofft *dy hun!*'

Finnau ddim isio llofft ar fy mhen fy hun. Roeddwn i isio bod efo Olwen a Marina. Isio i bopeth fod fel cynt.

Wrth gwrs mi ddois dros hyn a setlo'n raddol. A dweud y gwir, erbyn gweld, roedd Dinorwig yn lle gwych i fyw ynddo. I ddechrau, roedd yr olygfa o ddyffryn Peris a'r Wyddfa a'i chriw yn well nag ar unrhyw gerdyn post – digon i gymryd eich gwynt. Yn ail, roedd tŷ'r annwyl Anti Katie jest i fyny'r lôn, ac awn i'w gweld yn amal, amal. Ac yn drydydd, roedd ardal Dinorwig yn llawn dop o bobol ifanc Cymraeg, cyfeillgar a bywiog. Criw da, sgwrslyd, cymdeithasol, triw: Shirley, Glenys, hogia'r Youth Club. Hen hogia iawn. Ac er holl ofn diwrnod cynta Ysgol Brynrefail – y rhesi o blant yn y neuadd fawr, y prifathro a'r staff yn gweiddi; plant yn rhuthro fel defaid ar hyd y coridorau i chwilio am y wers nesa; ofn bod yn hwyr, heb sôn am y bws a'r gwaith cartre – er hynny i gyd, mi wnes i addasu'n dda iawn, dwi'n credu. Yn un peth, ro'n i a'r athro cerdd, Mr Gwyndaf Parry, ar delerau da iawn o'r cychwyn cynta. Roedd o wedi clywed amdana i cyn i mi gyrraedd, ac yn gwybod am fy hanes yn cyfeilio ac yn y blaen. Dyn yn diodde'n ddrwg efo'i nerfau oedd Gwyndaf Parry, ac ar yr adegau hynny byddai'n gorfod mynd i gael hoe yn y *staff room* i'w dawelu'i hun efo panad a sigarét. Cyn pen dim roedd o wedi gofyn i mi:

'Annette, fasat ti'n meindio gwneud y gwasanaetha bora yn fy lle i?'

'Dim o gwbwl,' meddwn innau, wedi hen arfer, ac yn fy mlynyddoedd cynta dyna lle roeddwn i'n dilyn y prifathro hynaws, Elfyn Thomas, a'r staff i lwyfan y neuadd yn y boreau, i chwarae'r piano, a dewis yr emynau a'r cwbwl. 'Teacher's pet,' meddai rhai, ond dyna fo, toeddwn i wedi hen arfer efo'r gri honno!

Mi ges fy rhoi yn nosbarth 1J, y dosbarth ucha, felly rhaid eu bod nhw'n meddwl bod gen i dipyn bach o allu. Ac mi oeddwn i'n gwneud yn reit dda yn y rhan fwyaf o bynciau. Byddwn yn mwynhau y gwersi Cymraeg gydag athro arbennig iawn, Mr Alwyn Pleming. Hoci – eitha licio hwnnw. Mae gen i adroddiad ysgol yn rhywle ac arno mae Miss Marjorie Rowe, yr athrawes Ymarfer Corff, wedi ysgrifennu'r geiriau, 'An excellent hockey player'. Ro'n i'n fyr ond ro'n i'n reit gryf, mae'n rhaid. Yr unig beth dwi'n cofio poeni amdano oedd ofn i'r bêl galed hitio 'mysedd i, ac y byddwn i'n methu chwarae'r piano. Dau beth na fedrwn i gymryd atyn nhw o gwbwl – Gymnasteg a Saesneg! Methu yn fy myw gwybod sut roedd neidio dros y ceffyl pren: naid gynta, 'ta dwylo gynta? Ac am y blwmin Shakespeare 'na – be aflwydd oedd y busnes 'Art thou...' gwirion yna? Pwy oedd yn siarad fel'na? Pwy oedd yn siarad Saesneg o gwbwl yn yr ysgol o ran hynny? Dim llawer ar y pryd.

Ar y llaw arall, uchafbwynt y flwyddyn i mi, wrth gwrs, oedd yr eisteddfod ysgol. Honno oedd fy ysgol i, a byddai paratoi brwdfrydig ar ei chyfer. Cefais fy rhoi yn nhŷ Elidir (gwyrdd), a rhown gynnig ar bob peth: unawd, adrodd Cymraeg, Saesneg (oedd, roedd yr iaith fain yn iawn i ennill pwyntiau i'r tŷ!), darn o'r ysgrythur... hyd yn oed adrodd Ffrensh! Wedyn y sgets, deuawd, deuawd offerynnol, a'r corau – corau deulais, a chorau mawr pedwar llais, a châi athrawon y tŷ ganu efo ni yn y rheiny. Roedd cyfarfodydd mawr, pwysig i ddewis capteiniaid o blith disgyblion hŷn yr ysgol, ac yn y flwyddyn honno, dewiswyd Michael John Williams o Ddeiniolen yn gapten y gwyrddion. Roedd Michael John yn fy adnabod i – ei dad, Gwilym, wedi bod yn gweithio ar y bysys efo Dad. A dyma Michael yn troi ata i a deud,

'Hei Annette, gwranda, dwi'n gwbod dim am fiwsig. Wnei di arwain y côr i fi?' Deuddeg oed oeddwn i, ond mi gymerais at y dasg yn syth. Cymryd y côr mawr, dysgu 'Tydi a Roddaist' iddyn nhw mewn pedwar llais, dysgu'r rhannau gwahanol i bawb, yr athrawon a chwbwl. Ac mi enillon ni! A chael Tlws y Cerddor – sef cwpan bach! Dwi hefyd yn cofio cael hwyl efo Michael John, yn canu 'Fernando' Abba efo'n gilydd. Erbyn hyn mae Michael John yn llawfeddyg uchel ei barch yn Efrog. Roedd yn bresennol mewn cyngerdd yn Efrog yn ddiweddar, ac mi gyflwynais 'Fernando' iddo, er cof am yr amser hapus gynt.

Person arall y cymerais ato'n gynnes iawn tra oeddwn yn Ysgol Brynrefail oedd Dewi Wyn Williams, o bentre bach bach Saron, ger Bethel yn Arfon. Roedd Dewi flwyddyn yn hŷn na mi, ac edrychwn arno fel arwr. Dewi Brainbox fyddai'r plant yn ei alw, a hynny am reswm da. Roedd o'n un o'r adar prin hynny, yn athrylith ar bob peth a gyffyrddai. Cerddoriaeth, Mathemateg, dim ots be, roedd Dewi'n disgleirio. Person galluog, yn sefyll ar wahân i weddill y plant, heb lawer o ffrindiau agos. Closiais ato'n syth. Roedd Dewi'n berson preifat, annibynnol, bob amser yn dwt ac yn daclus, ei ddillad yn drwsiadus a sbectol aur ar ei drwyn. Fel model. Fel mae'n digwydd, cefais fy hun yn yr un tŷ â fo, Elidir, a bu hynny'n gyfle i ni wneud lot efo'n gilydd a dod yn ffrindiau agos.

Buom yn cystadlu droeon yn erbyn ein gilydd ar y piano – er, mae'n rhaid dweud, mai fi oedd yn cael y gorau arno yn y maes hwnnw! Ond yn un o'r eisteddfodau ysgol mi lwyddais i berswadio Dewi i fentro canu deuawd ddigri efo fi. Beth ddewiswyd ond 'Hywel a Blodwen'. Gwisgodd Dewi het bowler ddu a dici-bô, a minnau, os gwelwch yn dda, fel pync rocar mewn bŵts du at fy mhengliniau, jîns, gwallt fel gwrych o gwmpas fy mhen a siaced ledr fawr ddu a fenthyciais gan Elis Wyn, un o goths yr ysgol!

Wedi i Dewi basio'i arholiadau ac ennill gradd 'A' ym mhob dim, a mynd i Brifysgol Lerpwl, mi gollais gysylltiad yn llwyr efo fo, a hynny tan gwta ddwy flynedd yn ôl pan welais fam Dewi yn yr ardal, a hithau'n gofyn i mi lofnodi fy CD ddiweddaraf i'w hanfon at Dewi. A lle mae o'n byw erbyn hyn? Yn Stockholm, Sweden. Ar ôl gyrfa fel peilot, mae Dewi bellach yn gwneud un o'r swyddi pwysica yn Ewrop. Fo ydi un o benaethiaid yr asiantaeth ryngwladol sy'n trefnu, yn mapio ac yn rheoli llwybrau awyrennau dros Ewrop. Petaech chi'n dal awyren o Fanceinion i Fadrid, neu o Baris i Budapest, y siawns ydi mai Dewi, a ganodd 'Hywel a Blodwen' efo fi ar lwyfan Ysgol Brynrefail mewn bowler hat a dici-bô, sy'n gyfrifol am drefnu llwybyr eich awyren! Rydan ni wedi dechrau e-bostio'n gilydd, ac mae'n dweud bod ganddo dŷ ar ryw ynys ger Sweden, ac mae o wedi gwahodd Gwyn, y gŵr, a fi yno. Mi awn ni ryw ddydd, yn siŵr i chi!

Wrth ymroi i'r petha roeddwn yn eu licio yn yr ysgol – a diodde'r gweddill – adre yn Nhŷ'r Ysgol, Dinorwig, roedd gweithgareddau'r Clwb Ieuenctid, (neu'r Iwth Clyb fel y galwen ni o mewn Cymraeg llafar!) yn adeilad yr hen ysgol, yn mynd o nerth i nerth. Roedd digon o weithgaredd yno i ddiddori criw da o ieuenctid y pentre ar nosweithiau oer y gaea, dan ofal Mr Eddie Lewis, yr arweinydd. Un da oedd Eddie Lewis, boi bywiog, hyderus o'r de. Trefnai raglen ddeniadol yn llawn o bethau i ni eu gwneud. Roedd 'na fwrdd snwcer yno, a llwyfan a phiano, a minnau wrth fy modd yn cael dianc o'r tŷ i'r neuadd i chwarae arno am oriau. Roedd yno fwrdd ping-pong a bwrdd dartiau. Lle i chwarae badminton hefyd, ac mi ddois i'n eitha da yn y gamp! Weithiau trefnai Mr Lewis i rywun ddod i siarad efo ni, neu i gynnal arddangosfa – heb sôn am gystadlaethau, eisteddfodau, cyngherddau, disgos, partïon Dolig, a thripiau i sir Fôn i ddiddanu pobol mewn gwahanol gapeli. Daeth tair chwaer Tŷ'r Ysgol yn Iwth Clybars selog. A sôn am y tair chwaer, roedd y tair ohonon ni wedi bod yn canu ac yn harmoneiddio efo'n gilydd ers cyn cof. 'Dan ni'n mynd yn ôl rŵan at ddyddiau'r ysgol Sul a'r Band o Hôp bob nos Lun yng Nghapel

Cefn y Waun, Deiniolen, cyfnod trio tonau Detholiad yr ysgol Sul gartre – emynau newydd bob blwyddyn a phetha eraill hefyd. Fel deudodd Olwen, os oedd o'n swnio'n dda, roedden ni'n ei ganu o! Recordiau Tony ac Aloma, Dafydd Iwan... a hefyd, y Beverley Sisters. Wn i ddim oedd Mam a Dad wedi prynu'r record er mwyn ceisio'n cael ni'n tair i efelychu'r tair enwog, ond doedd dim rhaid i neb roi'r syniad o ganu mewn triawd yn ein pennau ni. Toedden ni eisoes wedi cymryd at y syniad fel hwyaid at ddŵr – fi'n cyfeilio ac Olwen a Marina'n ymuno'n naturiol. Ar y pryd, Marina oedd yn canu'r alaw, Olwen ar y top, a minnau ar y gwaelod. Ond rywbryd yn ystod ein gyrfa fel triawd, does neb yn siŵr pryd, mi ddyfnhaodd llais Marina, hithau'n aeddfedu i'r llais gwaelod a minnau'n codi i'r alaw. Dyma'r cyfnod hefyd pan brynodd Dad declyn newydd sbon – y *tape-recorder* a Mam yn recordio'r tair fach yn canu 'Michael, row the boat ashore' mewn harmoni. Ydi'r tâp dal ar gael, tybed?

Tra defnyddiwyd y triawd fel offeryn hwylus ond anffurfiol i gystadlu mewn eisteddfodau ac i ganu mewn ambell gyngerdd, mi ffurfiolwyd y syniad yn act os liciwch chi, yn dilyn un gwyliau teuluol i Great Yarmouth pan oeddan ni'n dal i fyw ym mwthyn Blaen y Waen. Owie Gibson ddaru awgrymu'r peth i Dad. Dau deulu o Ddeiniolen – y Gibsons a ninnau, naw i gyd – yn teithio mewn dau gar i gael gwyliau mewn un garafán fawr yn Great Yarmouth. Sôn am edrych ymlaen. Cofio cychwyn ar yr antur fawr cyn codi cŵn Caer am bedwar o'r gloch y bore – i osgoi'r traffig tua'r Midlands 'na. Ond, yn anffodus, aeth ein car mawr du ni ddim pellach na Phenmaenmawr cyn iddo ddechra berwi'n ulw. Dad wedi anghofio rhoi dŵr yn yr injan. Ta waeth, wedi'i drwsio a chyrraedd ar ddiwedd siwrnai faith, mi oedd hi'n berwi yn Great Yarmouth hefyd. Andros o wythnos boeth, a'r naw ohonon ni bron â mygu yn y garafán.

Wrth gerdded ar hyd y prom yno un diwrnod, be welodd Dad ond hysbyseb: 'Talent Competition'. A dyma fo'n cofio 'mod i wedi dod â 'ngitâr efo fi, a rhoi enwau'r tair ohonan ni i lawr yn syth bìn, dim lol. Mi ruthrais yn ôl i'r garafán i nôl y gitâr, dim practis na dim, ac yn syth ymlaen ar y llwyfan mawr a'i tharo hi.

'Creigiau Aberdaron' a ganon ni i'r Saeson amryliw o'n blaenau. A mi fuo geiriau Cynan a miwsig Hogia'r Wyddfa yn hit anferth yn Great Yarmouth. Curo dwylo gwyllt, a'r wobr gynta. A be oedd y wobr? Un o'r gêmau pêl *hard-soft* 'na. Ond yn fwy na hynny, dyma'r arweinydd, Chris North, oedd hefyd yn dipyn o sgowt talent i'r rhaglen enwog *Opportunity Knocks* mae'n debyg, yn ein gwahodd ni i ymddangos mewn rhagwrandawiad i sioe Hughie Green yn Blackpool ym mhen ychydig wythnosau. Ai hon fyddai'r *big break*, 'ta be? Dyma fenthyg car mawr Yncl Owie, a mynd o gwmpas siopau Blackpool i gael dillad newydd. A'r ddelwedd a grëwyd gan ymgynghorydd ffasiwn y grŵp? Ffrogiau piws efo sbotiau gwyn at ein pen-glin, sanau gwyn a sandals gwyn, a Mam fel dynes wyllt yn trio rhoi *ringlets* yn ein gwalltiau efo clwt y noson cynt! Dewiswyd 'Wrth ddod ymlaen o'r Trenshys' fel y gân ddwys gynta, am y Rhyfel Byd Cyntaf, ac wedyn 'Now is the Hour'. Ond pan gyrhaeddon ni'r theatr ar gyfer y perfformiad, buan y gwelson ni fod ein harddull ni rhyw fymryn yn wahanol i bawb arall! Yn disgwyl eu tro i fynd ymlaen o'n cwmpas ni roedd pob math o berfformiadau *variety* – genod dawnsio llawn *glamour*, yn goesau a cholur i gyd – a ninnau yn eu canol fel genod bach diniwed henffasiwn mewn sandals gwyn. Mi ddechreuon ni deimlo dipyn yn anghyfforddus, a wnaeth y ffaith i ni fethu mynd drwodd ddim poeni llawer arnan ni, mae'n rhaid dweud. Ac eto, mae'n siŵr bod y profiad wedi cryfhau'n delwedd ni fel triawd, a'n gwneud yn eitem gyhoeddus weladwy.

Cyn bo hir, daeth cyfle arall i hybu gyrfa'r genod. Un diwrnod, daeth Eddie Lewis atan ni fel criw efo newyddion am ryw gystadlaethau efo'r Youth Club Association of Great Britain. Cystadleuaeth sgrifennu cân oedd un – a hynny dros Brydain, am wn i. Yn 1976 oedd hyn. Dyma John Eryl, hogyn o Faes Eilian, Dinorwig, yn dod ata i a gofyn yn ddigon didaro, 'Wnei di wneud cân efo fi?'

'Gwna'n tad,' medda finna.

'Os gwna i'r geiria, wnei di greu'r miwsig?'

'Ocê.'

A myn yfflon i, mi aeth John Eryl ati'n syth y noson honno, a'r bore wedyn ar y bỳs mi ro'th y geiriau i mi. Minna'n sgwennu rhyw fiwsig a ni'n tair yn recordio'r gân wedyn ar gasét reit sydyn, ei rhoi hi i Eddie Lewis a hwnnw'n ei gyrru hi i rywle yn Llundain. Meddwl dim mwy am y peth – nes i'r newyddion anhygoel gyrraedd Eddie Lewis ym mhen hir a hwyr. Roedd John Eryl a minna wedi ennill dros Brydain! Ac nid yn unig hynny, roedd Clwb Ieuenctid Dinorwig wedi ennill ar ddwy gystadleuaeth arall *hefyd*! Sôn am ecseitment yn y pentre bach! Roedd yn rhaid cael noson arbennig yn y Ganolfan i gyflwyno'r medalau, a Radio'r BBC yn dod yr holl ffordd i Ddinorwig i recordio'r cwbwl. A phwy oedd am ddod i gyflwyno? Neb llai na Vince Savile, brawd yr enwog Jimmy!

O'r diwedd, dyma fore'r diwrnod mawr yn gwawrio, a Mam ar bigau'r drain isio i'r Ganolfan ymddangos ar ei gorau i'r bobol bwysig o'r BBC. Roedd hi wedi codi gyda'r adar am wn i, a chan nad oedd blodeuyn yn ein gardd ni ar y pryd, mi ruthrodd i lawr i'r dref, prynu bwnsiaid go lew o'r petha delia fedrai hi eu ffeindio, dod adre, a'u stwffio nhw i mewn i'r pridd. Ati wedyn i lanhau'r lle fel pìn mewn papur nes oedd hi'n chwys doman, a pharatoi'r swper i'r pwysigion, sef te a brechdanau samwn. Y noson honno, dyma'r Vince enwog yn cyrraedd Dinorwig yn ei gar mawr, a'i sigâr fwy. Trywsus claerwyn tyn, crys blodeuog pinc, modrwyau ar bob bys oedd genno fo, ac wrth ei ochor, ei ysgrifenyddes. Hogan hefo gwallt hir *brunette* bron at ei phen-ôl, *trouser suit* frown, a gwinadd hir. Mi wnaeth dipyn o argraff ar Ddinorwig! Beth bynnag i chi, wedi'r seremoni, dyma'r ddau i lawr i'n tŷ ni i ymgymryd â'r brechdanau samwn, a Dad yn ffysian o gylch y *brunette* 'ma fel gwenynen, nes gwneud i Mam deimlo'n reit sâl. A be glywodd Mam wedyn ond Dad yn arwain yr hogan ifanc at y soffa, ac yn dweud mewn llais meddal, teimladwy wrthi,

'Oooh, are you tired, my darling? Come and sit over here.'

Roedd Mam druan yn methu coelio'i chlustiau. Gofyn a oedd *honna* wedi blino! A hithau wedi bod wrthi'n llnau drw'r dydd... ac wedi bod yn gwneud y blydi 'rardd ers ben bora... a be oedd yn brifo'n waeth, achos ei bod hi wedi nosi, yr unig floda welodd y blwmin Vince Savile 'na oedd y rhai ar ei grys! Gwrando ar y darllediad y noson wedyn, a chlywed Vince yn siarad efo blaenor capel yn Ninorwig. 'Have you got a pub here in Dinorwig?' oedd cwestiwn Vince. 'No,' meddai'r blaenor yn syth, 'and we don't want one either!' Dad oedd yn gyfrifol, i raddau helaeth, am ein cael ni'n tair ar lwyfan fel triawd. Roedd o, fel y dywedais o'r blaen, yn meddu ar lais tenor naturiol, mwyn. Canai'n rheolaidd yn lleol, mewn eisteddfod, yn y capel ac efo'r band yn eu cyngherddau... yr enwog Seindorf Arian Deiniolen. Byddai'n canu deuawdau efo Yncl Edwyn yn amal iawn hefyd. Saer oedd Yncl Edwyn, o Allt y Foel, ac ro'n i wrth fy modd efo fo. Pan o'n i'n beth fach byddwn yn ecseitio'n lân wrth weld car bach Yncl Edwyn yn dringo'r rhiw tuag at ein tŷ ni i gael practis efo Dad. Canu petha fel 'Y Ddau Wladgarwr' a 'Watchman, What of the Night' a wnaen nhw.

Ychydig iawn o hyfforddiant a gafodd y ddau, ond dwi'n cofio un tro, pan o'n i'n reit ifanc, mynd efo nhw at ryw hyfforddwr llais yng Nghlynnog – Robin Garreg Boeth. Bwthyn bach oedd Garreg Boeth, fel y cofia i. Tân mawr ar yr aelwyd, ac yn y gegin syml safai piano da, safonol o wneuthuriad Almaenaidd Challen, a thôn ffantastig arno. Mi wnaeth Dad i mi chwarae dipyn bach er mwyn i Robin wrando arna i. Mae'n rhaid i mi gyfaddef, roedd arna i ychydig bach o ofn yr hen ŵr. Beth bynnag, erbyn y 1970au roedd Dad ac Yncl Edwyn wedi dechrau canu yng ngwesty'r Royal Victoria, Llanberis, i wneud rhyw geiniog neu ddwy drwy ddiddanu'r gwesteion a'r ymwelwyr amrywiol a heidiai yno ar nosweithiau Sul. Roedd y Vic yn lle poblogaidd gan ymwelwyr a phobol leol fel ei gilydd, a byddai yno ganu da'r adeg honno. Ond cyn hir rhoddodd Yncl Edwyn y gorau iddi, ac yn lle colli ei slot nos Sul, dyma Dad yn ein perswadio ni'n tair i fynd efo fo, i wneud sioe deuluol ohoni. Fo, Dad, yn arwain ac yn canu ar ei ben ei hun, y triawd yn gwneud eitemau, a minnau'n cyfeilio i'r cyfan. Ein tâl oedd £2 yr wythnos! A dyna sut y ganwyd y parti a enwyd yn ddiweddarach yn Teulu Tŷ'r Ysgol.

Cymysgedd oedd gennon ni – caneuon ysgafn, emynau, a

thwtsh o Abba wrth gwrs! Dad efo'r hen ffefrynnau 'Beibl Mam' ac 'O Iesu Mawr'; minnau'n rhoi unawdau ar y piano, petha fel miwsig Andrew Lloyd Webber a 'Love Story'. Mi fuon ni wrthi'n gwneud hyn bob nos Sul am hafau cyfan yn ystod ein harddegau – ac wedyn hefyd. Yr un caneuon, a Dad yn dweud yr un jôcs bob tro. Erbyn y diwedd roedden ni'n medru adrodd ei straeon o air am air! Mae'r tair ohonon ni'n dal i allu cydadrodd y stori am y ddau deulu Jones: 'Two couples living next door to each other... as we say in Wales, keeping up with the Joneses', ac mae'r stori yn mynd yn ei blaen i sôn am un teulu'n gwneud hyn a hyn, a'r teulu drws nesa'n mynd un yn well bob tro. Yn y diwedd mae Mr Jones yn marw, ac ar ei garreg fedd mae ei wraig yn rhoi'r geiriau 'Snug as a bug in a rug'. Ond yna mae Mr Jones drws nesa'n marw, a'i wraig yn mynd un yn well na'i chymdoges wrth roi'r geiriau hyn ar ei fedd: 'Snugger than the bugger next door!' Roedd hi'n ddoniol y tro cynta, ond wedi'i chlywed hi rhyw fil o weithia...!

Erbyn y diwedd roeddan ni mor bôrd, roedd unrhyw beth bach anghyffredin yn gwneud i'r tair ohonon ni fod isio giglo'n ddireolaeth. Un tro, gweld rhyw hen wraig mewn het fawr grand yn gwrando arnan ni, a beth oedd ganddi am ei thraed, os gwelwch chi'n dda, ond pâr o trenyrs. Wel, mi oeddan ni yn ein dyblau, yn methu cario ymlaen, a Dad yn sbio'n reit frwnt arnan ni. Ond po fwya roedd o'n gwylltio, mwya yn y byd roeddan ninnau'n chwerthin! Cofiwch chi, roedd pobol wrth eu boddau yn gwrando arnan ni. Roeddan ni'n cael gwahoddiadau gan Saeson i fynd draw i ganu mewn 'Musical Welsh Evenings' mewn llefydd fel Darlington yn amal.

Un noson, roedd rhyw Eidalwr yn torri ei fol isio canu efo ni. Cyflwynodd ei hun fel Benvenuto Finnelli, y tenor byd-enwog! A wir, erbyn deall, roedd y boi yn rhyw fath o denor uchel, uchel, yn medru canu pedwar nodyn uwchben top C! Mi fuodd o'n cadw consart efo ni nes oedd hi'n oria mân y bore – a hen bobol y Vic yn taro'r nenfwd am eu bod yn methu cysgu yng nghanol yr holl sŵn! Mi fu Dad yn gohebu efo fo am flynyddoedd, dwi'n meddwl.

O ia, yr Americanwyr hefyd, wrth gwrs. Roeddan nhw'n gorlifo o ganmoliaeth i ni bob amser, chwarae teg iddyn nhw. Cofio un tro digri iawn. Tua 14 oed o'n i, ac yn cyfeilio i Yncl Edwyn. Be oedd Edwyn i fod i ganu oedd cyfieithiad Cymraeg Rol Williams o gân enwog Louis Armstrong 'It's a Wonderful World'. Yn anffodus, mi aeth meddwl Edwyn yn hollol wag a methodd gofio'r un gair. Be glywais i wrth gyfeilio iddo oedd nodau swynol y gân 'It's a Wonderful World' ond y geiriau dirdynnol hyn gan Edwyn: 'Dwi'm yn gwbod y geiria... Be dwi'n mynd i'w wneud? Plis, helpa fi. O Dduw, be dwi'n ddeud? Dwi'm yn gwbod y geiria... O be dwi'n mynd i wneud?' A doedd hi'n mynd dim gwell yn yr ail bennill: 'Annette, fedri di'n helpu i? Sbia arnaf fi...' ac yn y blaen fel hyn drwy'r gân. Ar y diwedd, distawrwydd llethol, ac yna ton ar ôl ton o gymeradwyaeth fyddarol. A dyma Americanes frwd atan ni ar y diwedd, y perfformiad yn amlwg wedi'i chyffwrdd i'r byw.

'I luuuuuv that song!' medda hi. 'But hearing it in Welsh, it's even *more* amazing!'

8

GWYN A'M BYD

DWI DDIM YN COFIO pryd gwelais i o gynta. Roedd Gwyn fel petai wedi bod yno erioed, yn hogyn o'r un pentre â fi ac yn raddol ac yn naturiol y des i i'w nabod o. Nid fel taranfollt y dechreuodd ein perthynas ni. Mi oedd o'n ddatblygiad nad oeddwn i prin yn ymwybodol ohono. Ac eto, tydi hynny ddim cweit yn wir, chwaith. Mae 'na rai digwyddiadau yn ein hanes cynnar ni sydd fel cerrig milltir, yn cyfeirio'n llwybrau ni tuag at y ffordd rydan ni wedi bod yn cyd-droedio ar hyd-ddi ers pum mlynedd ar hugain. Roeddwn i'n adnabod ei deulu o ers blynyddoedd. Roedd Tommy, tad Gwyn, yn y chwarel efo Dad. Roedd Gwyn hefyd yn aelod o'r Band, yn chwarae tenor horn ac roeddwn i wedi bod yn cyfeilio mewn cyngherddau efo'r Band ers oedran ifanc iawn. Un trip dwi'n ei gofio ydi hwnnw mewn bws i gyngerdd y band yn Nhalgarreg, sir Aberteifi. Digwydd bod, roeddwn i'n eistedd yn y sedd o flaen Gwyn, ar y daith yno ac yn ôl. Ai cyd-ddigwyddiad oedd hynny, neu ryw awydd yn yr isymwybod i fod yn agos at ein gilydd? Pwy a ŵyr? P'run bynnag, yn y chwe awr hynny dwi'n cofio troi'n ôl yn fy sedd i'w wynebu a siarad llawer efo fo, a chael blas ar yr hwyl a'r tynnu coes diniwed ar hyd y daith. Rhaid 'mod i'n teimlo'n hollol gartrefol a chysurus yn ei gwmni. Gan fod saith mlynedd rhyngon ni, erbyn i mi gyrraedd yr ysgol uwchradd, roedd Gwyn eisoes wedi ymadael i'r coleg ym Mangor, ond doedd hynny ddim yn bell, ac fe'i gwelwn o'n eitha amal yn Neiniolen a'r ardal.

Un o'r achlysuron hynny oedd pwyllgor Plaid Cymru. Nid 'mod i'n aelod o'r pwyllgor hwnnw, ond roedd Gwyn yn aelod brwd ohono, a Mam hefyd. Roedd mynd mawr ar weithgareddau'r Blaid yn Neiniolen, a changen gref yn trefnu ymgyrchoedd a thripiau diwylliedig, fel trip i gartre Ann Griffiths yn Nolwar Fach. Beth bynnag, un noson, roedd Mam wedi trefnu bod pwyllgor y Blaid i gyfarfod yn ein tŷ ni. Pymtheg oed oeddwn i, a Gwyn yn ddwy ar hugain a newydd ddechrau ar ei swydd gynta fel athro yn Ysgol Emrys ap Iwan. Dyma Gwyn a'r lleill yn cyrraedd y tŷ, a minnau o gwmpas y lle'n gwneud panad a gweini ac yn y blaen. Rhyw ychydig ar ôl i bawb adael, dyma'r ffôn yn canu, a phwy oedd yno ond Gwyn, isio siarad efo fi. Mi fu'r ddau ohonon ni'n siarad a sgwrsio am hydoedd ar y ffôn ac ym mhen hir a hwyr, meddai Gwyn wrtha i fel hyn: 'Mae gen i deimlada mawr tuag atat ti...' Mae'n rhaid i mi ddweud, mi ges i dipyn bach o sioc. Pam ei fod o'n deud petha fel hyn? Hwyrach bod fy nistawrwydd a'm syndod i wedi dangos iddo yntau ei fod wedi mynegi ei hun ychydig bach yn rhy uniongyrchol, efallai, achos meddai o wedyn, 'Yli... ella gawn ni siarad am hyn eto, ia?' Mae'n siŵr 'mod i'n eitha diniwed ar y pryd. Doeddwn i erioed wedi cael cariad stedi, dim byd mwy nag ambell sws neu snog ar y slei o bryd i'w gilydd. Roedd clywed dyn aeddfed yn dweud petha fel hyn wrtha i yn deimlad reit rhyfedd, a dweud y lleia. Ond o edrych yn ôl, mae'n rhaid bod ei eiriau wedi deffro rhywbeth yno' i...

Rai dyddiau wedyn dyma fi'n penderfynu cerdded i lawr i bentref Deiniolen. Roeddwn wrth fy modd yn mynd am dro ar 'y mhen fy hun y dyddiau hynny, ac roedd gen i fy nghylchdaith arferol... i lawr i Ddeiniolen, i fyny heibio'r stryd lle roedd tŷ Gwyn, ac yn ôl ar hyd ffordd y mynydd i Ddinorwig. Dwi'n taeru hyd y dydd heddiw mai glynu wrth yr un patrwm arferol o daith wnes i'r diwrnod hwnnw. Mae Gwyn, ar y llaw arall, yn honni bod fy nghamre wedi'u rhag-gynllunio gen i, a bod cyd-ddigwyddiad ymhell ohoni. Beth bynnag ydi'r gwir, y ffaith ydi bod fy nhraed wedi fy arwain heibio tŷ Gwyn y diwrnod hwnnw, oedi a gweld bod Gwyn y tu allan.

'Ti'n iawn?' medda fo wrtha i.

'Ydw, champion,' medda finna, 'a titha?'

'Ydw,' medda fyntau. 'Ti isio dod i mewn am banad?'

'Ia, iawn.'

A dyna lle buon ni'n siarad a sgwrsio.

'Ga i dy ddanfon di adra?' holodd o.

A dyma ni'n dau yn dringo i fyny ffordd y mynydd yn araf. Ac yno, uwchben Deiniolen, yn ucheldir fy ardal enedigol, dyna lle cawson ni ein cusan gynta. 'Dan ni ddim wedi edrych yn ôl ers hynny...

Wrth gwrs, roedd yn rhaid i ni gamu'n ofalus ar y dechrau. Y fi yn hogan ysgol ar ei blwyddyn Lefel 'O' ac yntau'n athro. Mi fu Gwyn yn ddigon doeth i fynd i lawr at fy rhieni ac egluro wrthyn nhw ei fod mewn cariad â mi. Roedd fy rhieni i a'i rai yntau'n deall y sefyllfa. Penderfynon ni gadw'r peth yn ddistaw am sbel. Roedd hynny'n reit anodd i mi. Yn yr ysgol, clywn y merched yn siarad a hel clecs am hogia, fel mae genod. Ambell un yn brolio ei bod yn mynd i ddisgo efo hogyn... 'Ac ysti faint ydi'i oed o? Sefntîn!' Minnau'n meddwl wrtha fi fy hun: 'Argol, dwi'n mynd allan efo dyn sy'n ddwy ar hugain!' Ond ddeudais i ddim gair.

Yn naturiol, mi ddaeth y stori allan yn hwyr neu'n hwyrach. Sgandal mawr! Tîtshyr yn mynd allan efo hogan ysgol! Siarad... cenfigen. Trio'i anwybyddu. Genod yr ysgol yn holi a holi... 'Pwy 'di o? Lle gwelist ti o? Ers pryd mae hyn?' Trio dygymod orau gallwn i. 'Wyt ti'n dod i ddisgo'r chweched nos fory? Ty'd â'r cariad 'ma efo ti.' 'Na, dwi'm yn meddwl.' Be fasa Gwyn yn ei wneud yng nghanol haid o ferched ysgol yn dawnsio'n wirion mewn disgo? Mi faswn wedi gallu mynd fy hun, dwi'n gwybod, ond do'n i ddim isio. At Gwyn ro'n i isio mynd. Roeddwn i wastad wedi teimlo dipyn bach ar wahân i 'nghyfoedion yn yr ysgol. Mi wnaeth y cyfnod hwn i mi ddieithrio ymhellach fyth – ond ro'n i'n fwy penderfynol nag erioed o gadw f'annibyniaeth.

Yr arholiadau Lefel 'O' ddaeth ar fy ngwartha, ac mi wnes i'n weddol. Pum pwnc basiais i. Un pwnc y methais i'n llwyr ynddo oedd Gwnïo. Nid am nad oedd gen i ddiddordeb yn y pwnc. Mi faswn i wedi bod wrth fy modd yn creu blows neu sgert i mi'n hun, ond roedd arna i hanner ofn y peiriant gwnïo trydan. Toedd o'n symud mor sydyn, a chithau'n gorfod bod ar flaenau'ch traed neu mi fasech chi'n gwneud mistêc mor hawdd â phoeri. Mae gen i gyfaddefiad i'w wneud yn hyn o beth. Roeddwn i wedi bustachu i wneud ffrog ar gyfer yr arholiad

– un *flared* frown a gwyn – ond roedd hi filltiroedd yn rhy fawr. Doedd dim amdani ond gwneud *tucks*. Erbyn hynny, roedd hi'n hanner nos a minnau'n chwys laddar yn trio'i gorffen erbyn y bore wedyn. O'r diwedd, roedd hi'n edrych yn weddol. Ond wrth sbio'n fanylach... o na... roedd 'na dwll mawr wedi datblygu yn yr ochor. 'Ydi'r arholwraig yn mynd i sbio y tu mewn?' meddwn i wrthyf fy hun. 'Nac ydi, siŵr Dduw.' A dyma fi'n mynd ati efo selotep a chau'r bwlch o'r tu mewn efo hwnnw. Wrth gwrs, mi roedd y selotep mor amlwg â haul canol ddydd i'r arholwraig, ac mi ges i fy haeddiant sef Gradd 5... ac allech chi ddim mynd yn is na gradd 5!

Felly, beth oedd y cam nesa? Wel, yr hyn roeddwn i wedi bwriadu ei wneud oedd dychwelyd i Ysgol Brynrefail i'r Chweched, i ddilyn cwrs Lefel 'A' mewn Cerdd. A dweud y gwir, doedd gen i ddim diddordeb mewn unrhyw beth arall, felly dyna broblem yn syth. Pa bynciau i'w cymryd efo Cerdd? Mynd i ofyn cyngor y prifathro, Elfyn Thomas, wnes i. Ac meddai Elfyn, 'Os mai Cerdd, a Cherdd yn unig wyt ti isio'i wneud, gwastraff amser fasa i ti ddewis dau bwnc arall, dim ond i aros yma am ddwy flynedd. Yli, dwi'n gwbod dy fod di wedi gwneud Gradd 8 mewn piano yn barod, felly mi ddeuda i wrthat ti be wnei di. Gwna'r Lefel 'A' Cerdd o fewn blwyddyn yn y Chweched, ac wedyn mi gei di dreulio'r amser yn gwneud ceisiadau i golegau cerdd am y flwyddyn nesaf.'

Roedd cyngor Elfyn Thomas yn un doeth, a threuliais flwyddyn ddefnyddiol ym Mrynrefail. Roedd gen i dipyn o wersi rhydd, a defnyddiais nhw i ddysgu offerynnau eraill heblaw'r piano. Cymerais at y delyn a'r clarinét, a hefyd, goeliech chi byth, offerynnau taro! Ymunais â sefydliad gwych Cerddorfa Ieuenctid Gwynedd, ac wedyn Cerddorfa Ieuenctid Gogledd Cymru, yn chwarae'r drymiau. Mi wnes i ffrindiau da ymhlith pobol ifanc gerddorol y gogledd yr adeg honno. Roedden ni'n mynd am sesiynau ymarfer i'r hen Goleg Normal ym Mangor, ac weithiau yn aros dros nos ym Mhlas Glynllifon, a hynny ar gost awdurdodau goleuedig y sir. Un hogyn y cymerais i ato oedd Geraint Daniel, *percussionist* gwych o Ysgol Syr Hugh

Owen, Caernarfon. Roedd Geraint â'i fryd ar fynd i Goleg Cerdd y Gogledd, The Royal Northern College of Music, Manceinion, a bûm yn ei holi yn frwd, a chael copi o brosbectws y coleg ganddo.

Yn ôl canllawiau'r coleg, i gael fy nerbyn byddai angen Distinction yn yr arholiadau Gradd 8, ymarferol a theori, un Lefel 'A' a phum Lefel 'O'. Felly, dim ond y Lefel 'A' oedd yn rhaid i mi ei gael. Gwneuthum gais yn syth i'r coleg am gyfweliad. Dad ddaeth efo mi ar y trên i Fanceinion. Gwisgwn ffrog efo *puff sleeves* a botymau, a *flares* hufen a brown mewn steil sipsi. Yn adeilad mawreddog y RNCM mi es drwy'r profion darllen ar yr olwg gynta yn ddigon hwylus. Yna i lawr i gael panad. Roedd Geraint Daniel yno, a Robat Wyn, myfyriwr arall o Bontnewydd. Dywedais wrthynt fy mod i'n gorfod mynd i weld Doctor Ray yn nes ymlaen.

'O, *medical* ydi o, 'sti,' meddai Geraint yn ddidaro.

'*Medical*? I be?'

'O, jest rhyw fath o *check-up* i wneud yn siŵr dy fod ti'n iawn cyn mynd i'r coleg. Mae pawb yn ei gael o, 'sti. Bydd rhaid i ti dynnu dy ddillad. Ond paid â phoeni. Bydd 'na nyrs efo Doctor Ray, siŵr o fod. 'Dio'm byd...'

A dyma fynd i weld Doctor Ray, a disgwyl yn y coridor bach y tu allan i'w stafell. Roedd hi'n andros o boeth yn y coridor, a dyma fi'n agor rhyw ddau neu dri botwm ar fy ffrog a deud wrth Dad, oedd yn eistedd wrth fy ymyl, 'Duwcs, waeth imi dynnu'r ffrog 'ma i gyd ddim, achos bydd rhaid i mi ei thynnu yn y munud, p'run bynnag.'

Ar hyn, dyma lais yn fy ngalw i mewn, a minnau'n disgwyl gweld dyn mewn côt wen. Ond yr hyn welais i oedd dyn bach y tu ôl i'r ddesg mewn crafát a gwasgod a siwt o frethyn da.

'Hello,' medda fo. 'I'm Dr Ray, Professor of Music.'

Dychmygu Geraint yn chwerthin ar ei fol i lawr y grisiau! Allan ar y stryd wedyn, dyma Dad, chwarae teg iddo, yn mynd â fi i siop a phrynu cadwen fach arian i mi i gofio'r cyfweliad. Wyth lle oedd yna i lasfyfyrwyr yn yr RNCM y flwyddyn honno, a chant tri deg wedi gwneud cais. Deuthum adre o'r ysgol rhyw ddiwrnod, a Mam yn deud, 'Mae 'na lythyr i ti yn fan'na.' Mi wyddwn yn iawn be oedd o. Ei agor:

The Royal Northern College of Music.
Dear Miss Annette Roberts,
We are delighted to offer you a place... etc.

Mam yn crio o lawenydd; y newyddion yn y papurau newydd lleol; cyhoeddiad yng ngwasanaeth boreol yr ysgol; pob math o bobol yn fy llongyfarch. Ond mi oedd yna un roedd ei dymuniadau da'n golygu mwy na'r byd i mi. Mrs Rhianon Gabrielson.

I fynd yn ôl ychydig at y cyfnod yn union ar ôl i mi basio Gradd 8 pan oeddwn i'n dal yn 14 oed. Derbyniodd fy rhieni lythyr gan Mrs Gabrielson druan yn dweud bod ei gŵr wedi gorfod mynd yn ôl i'r ysbyty, a hithau'n gorfod rhoi'r newydd trist i ni na fedrai hi barhau â'r gwersi wythnosol bellach. Wyddai Mam a Dad ddim sut i dorri'r newyddion i mi, achos mi wydden nhw'n iawn y baswn i'n torri 'nghalon. A dyna'n union ddigwyddodd. Mi griais am ddau ddiwrnod. Cerdded i fyny ac i lawr y lôn yn dweud wrtha i fy hun, 'Cha' i neb fel Mrs Gabrielson... neb!'

Yn y diwedd mi aeth Dad i'w gweld, ac egluro hyn i gyd iddi. Erbyn deall, roedd hithau, Mrs Gabrielson, wedi bod yn torri ei chalon hefyd.

'Anwybyddwch y llythyr,' meddai hi wrth Dad. 'Mi fedra i sbario dwy awr. Dowch â'r hogan bach yn ei hôl.'

O hynny ymlaen, roedden ni wedi bod yn parhau â'r gwersi, gan ganolbwyntio ar waith Diploma. Pan glywodd hi am fy llwyddiant yn mynd drwy'r cyfweliad i'r RNCM roedd hi ar ben ei digon. Cofio'r wers ola yn y tŷ bach dros y bont yn Nwygyfylchi, a minnau ag ofn gollwng fy ngafael ar arweiniad a chwmni un oedd yn gymaint rhan o 'mywyd i erbyn hyn.

'Os na fyddwch chi'n hapus, cariad bach, dowch i 'ngweld i,' oedd ei siars. 'Pob lwc i chi, Leo bach, a peidiwch â bod yn ddiarth.' Ac yn fy llaw dyma hi'n rhoi ei llyfrau o Waltzes Chopin a Sonatas Beethoven. 'I chi mae'r rhain.' Ar bob un o'r llyfrau roedd hi wedi sgrifennu: 'To my treasured pupil'.

Pasiais Lefel 'A' Cerddoriaeth heb broblem yn y byd yn Awst 1979. Anfonwyd yr holl ffurflenni yn gwneud cais am grant i'r Cyngor Sir yng Nghaernarfon, a chael ateb positif ganddynt.

O'r diwedd, dyma'r diwrnod mawr yn gwawrio, diwrnod gadael cartref a chychwyn fel myfyriwr ym Manceinion. Mi gefais fy hebrwng yno'n anrhydeddus. Nid yn unig roedd Mam a Dad yno, ond rhieni Gwyn hefyd. Wrth fy ngweld yn mynd i mewn i'r hostel a seinio fy enw i aros yno am flwyddyn, roedd gruddiau Mam yn wlyb, ond mi roeddwn i'n teimlo'n reit gadarn ar y pryd. I ryw dafarn nid nepell o'r coleg o'r enw The Princess yr aethon ni'n pump wedyn, am lasiad bach o rywbeth i ddod â ni at ein coed. Yno, roedd rhyw frodor digon blêr yr olwg yn eistedd efo'i beint, ac mi oedd o'n syllu yn go arw arna i, ac meddai Mam wrth Nhad, 'O Ifan, sbia ar y dynion 'ma'n edrach ar Ann fel hyn. Awn ni â hi adra. Ia?'

I ryw fwyty Indiaidd yr aethon ni wedyn. Miwsig Indiaidd, wrth gwrs, oedd yn chwarae fel cerddoriaeth gefndir. Ond yna toc, dyma rywun yn newid y tâp a be gawson ni ond Rod Stewart yn canu 'I am Sailing'. Roeddwn i wedi bod yn ei chanu droeon, a Gwyn ei hun wedi cyfansoddi geiriau Cymraeg i'r gân. Yn sydyn, dyma 'nagrau i'n llifo. Roeddwn i'n methu eu hatal. Ac wrth fy ngweld i, dyma pawb arall yn dechrau crio hefyd. Meddai tad Gwyn yn y diwedd, 'Rhaid i ni roi'r gora iddi, wir Dduw, neu bydd y dyn bach yn meddwl fod 'na rywbeth yn bod efo'i fwyd o!'

'Peidiwch â deud ta-ta, jest cerwch... ' meddwn i'n ddewr, ychydig yn ddiweddarach ar risiau'r hostel, a hwythau ar fin mynd.

'Cofia dy fod ti'n ffonio bob nos,' oedd geiriau olaf Mam, cyn i mi gamu dros y trothwy i fyd newydd yr RNCM. Ond er 'mod i ar fin hwylio, fel Rod Stewart, ar fôr difyr a chyffrous, ychydig a wyddwn fod storm yn ffurfio ar y gorwel...

9

RNCM

CEFAIS CHWE WYTHNOS CYNTA digon diddorol yn y coleg ym Manceinion. Roedd yr hostel ryw dair milltir o'r coleg, a bws Rhif 8 yn mynd â ni o ddrws ffrynt yr hostel reit i ddrws ffrynt y coleg. O'm stafell gwelwn barc mawr braf, a dyhewn am gael mynd am dro ynddo. Ond na. Yn ardal Moss Side roedden ni, a chawsom rybudd pendant iawn gan Warden yr hostel i beidio â rhoi troed yn y parc ar unrhyw gyfrif oni bai ein bod yn griw da. Doedd dim cymaint â hynny o fywyd cymdeithasol yn yr hostel. Roedd pawb yn rhy brysur yn ymarfer eu dewis offeryn… tua phum awr y dydd ar gyfartaledd. Ond mi oedd Cymry eraill yno, ac weithiau bydden ni'n bwyta ac yn cymdeithasu neu'n gwylio'r teledu yn stafelloedd ein gilydd, ac yn mynd i'r ymarfer côr ar nos Fawrth. Anamal yr aem allan am ddiod neu ginio. Doedd 'na ddim digon o oriau yn y dydd!

Rhoddwyd un o'r prif diwtoriaid piano, Miss Marjorie Clementi, i ofalu amdanaf. Fedrech chi ddim cael cyferbyniad mor llwyr â Mrs Gabrielson. Tra oedd fy nhiwtor piano annwyl o Benmaen-mawr yn dalp o enaid dwfn Cymreig, dynes fawr Seisnig gydag acen y gallech ei thorri â chyllell oedd Miss Clementi. Roedd ei gwallt wedi'i gribo'n ôl ar siâp nyth cacwn, gwisgai lipstic coch, colur a dillad crand ac roedd yn ogleuo o bersawr. Y peth cyntaf wnaeth hi oedd ymosod ar fy nhechneg:

'You play like a schoolgirl, not a student! Where do you practise at home?'

'Well, in the parlour,' medda finna. 'That's where my piano is.'

'Parlour? *Parlour?*' medda hitha'n ffroenuchel. 'Good grief, that's a word from the Victorian age!'

Cyfri i ddeg wnes i, crensian fy nannedd a thrio dyfalbarhau. Yn anffodus, chefais i ddim dyfalbarhau am hir ganddyn nhw.

Wedi chwe wythnos, mi ymddangosodd nodyn yn fy nhwll c'lomen yn y coleg un bore: 'Please come up to see me at the office. Dr Ray.' Roeddwn i'n pryderu braidd. Beth oeddwn i wedi'i wneud o'i le? I fyny â mi.

'Sit down, Miss Roberts,' medda fo. 'I'm afraid that I've got some rather bad news for you.'

O diar, be oedd wedi digwydd...

'I'm sorry to tell you, but you've been accepted here in the college under false pretences.'

'I'm sorry?'

'You've been accepted without proper qualifications. The college is at fault – but it's the County Council's fault as well.'

'I don't understand.'

Teimlwn fy nghalon yn suddo i'm hesgidiau.

'Miss Roberts, if you check the prospectus... '

Mi aeth yn ei flaen i ddangos y print mân yn eu llyfryn ynglŷn ag amodau mynediad. Roedd yn rhaid cael pum Lefel 'O', digon teg. Ond mewn cromfachau wedyn roedd yn dweud 'not including music'. Wrth gwrs, roedd fy mhum pwnc Lefel 'O' i'n cynnwys Cerddoriaeth, oedd yn golygu 'mod i wedi torri un o'u rheolau mynediad. Y dewis felly, meddai Dr Ray, oedd i mi geisio pasio arholiad mewn pwnc arall heblaw Cerddoriaeth, a hynny yn ystod y tymor hwnnw, Tymor y Nadolig. Petawn i'n llwyddo i basio'r pwnc hwnnw, mi gawn aros yn y coleg. Os byddwn yn methu, byddai'n rhaid ymadael. Teimlwn mewn sioc ac roeddwn yn crynu wrth ddod allan o swyddfa Dr Ray. Methu credu'r peth! Meddwl yn wyllt. Pa bwnc fyddai'n fwyaf addas i mi drio'i basio, a hynny'n gyflym? Roeddwn wedi cael gradd D mewn Ysgrythur yn yr arholiadau'r haf cynt. Dim ond methu wnes i. Holi, a chael bod modd eistedd yr arholiad ym mis Tachwedd ym Mrynrefail. Y drwg oedd, roedd hi'n ganol mis Hydref eisoes. Tair wythnos oedd gen i i adolygu'r pwnc, cael fy hun yn barod i sefyll yr arholiad, ac ar yr un pryd parhau i ymarfer a gweithio am chwe awr y dydd yn y coleg!

Mi gefais fy hen nodiadau, a thrio 'ngorau glas i gael yr wybodaeth i 'mhen. Ond tydi panig ddim yn stad emosiynol addas i geisio dysgu a chofio ynddi. Ac i wneud petha'n waeth, roedd y cwrs Ysgrythur wedi newid rhywfaint ers y flwyddyn cynt, a neb wedi dweud wrtha i. O'r herwydd dyma agor y papur arholiad ym Mrynrefail ym mis Tachwedd, a chael bod un cwestiwn hollol annisgwyl nad oeddwn i'n gwybod dim oll amdano. Fis Ionawr daeth y canlyniad disgwyliedig: D arall. Erbyn hyn roeddwn yn ôl ym Manceinion, wedi dechrau'r ail dymor. Galwad arall gan Dr Ray i'w swyddfa.

'I'm really sorry, Annette, but you've got to leave to try the exam again. However, I can tell you that your place in the college will be kept for you for the next academic year. You will not have to face another entrance interview. I'm so sorry, Annette, but I have to do it.'

Roedd yn amlwg fod y dyn yn ei chael hi'n anodd iawn i gyflawni ei ddyletswydd, a chefais lythyr diffuant ganddo yn ymddiheuro yn fuan wedyn. Dwi'n cofio brawddeg neu ddwy o'r llythyr hwnnw. 'Things happen for a reason, Annette. You've a promising career ahead of you. Do not worry.' Ac yna'r frawddeg syfrdanol... 'The same thing happened to me, years ago.'

Ond doedd geiriau Dr Ray yn ddim cysur. Roeddwn i'n beichio crio. Cymysgedd o siom, dicter... a chwithdod hefyd. Meddwl am yr holl bobol oedd wedi rhoi eu ffydd yno' i, wedi rhoi anrhegion a degau o gardiau i ddymuno'n dda i mi. Minnau'n cael fy ngyrru yn ôl adre. Teimlwn fy mod wedi siomi pawb. Y diwrnod y daeth Dad i fy nôl, a minnau wedi pacio fy holl bethau'n barod, mi es i lolfa goffi'r coleg i ddweud ffarwél. Cofleidio mawr a dagrau ar wyneb pawb. A phwy oedd wedi ypsetio'n fwy na neb? Miss Clementi grand. Meddai hi wrth Dad, 'Listen, Mr Roberts, I think the world of Annette. I'm willing to teach her once a month in my house in Altrincham.'

Wedi cyrraedd adre bu trafodaeth fawr, a Mam a Dad yn gandryll fod y fath beth wedi digwydd. Y peth anhygoel oedd na sicrhaodd awdurdodau'r Sir fod y wybodaeth gywir amdanaf wedi'i rhyddhau i'r coleg tan yn rhy hwyr. Roeddent eisoes wedi talu'r grant a hynny'n amlwg heb sicrhau fod fy lle yn y coleg wedi'i warantu yn y lle cyntaf. Mi aeth fy rhieni i weld yr

Ymgynghorydd Cerdd, John Huw Davies, yn bersonol, i fynnu ymholiad i achos y blerwch. O ganlyniad, gorfu i'r Cyngor Sir ymddiheuro a chyfaddef mai eu camgymeriad nhw oedd o. Ond doedd ymddiheuriad ddim yn newid petha. Mynd yn ôl i Ysgol Brynrefail ddaru mi felly yn 1980 am ddau dymor, i wneud dau Lefel 'O' ychwanegol i'r rhai oedd gennyf eisoes – Cymraeg ac Ysgrythur. Mi gymerais swydd fach mewn archifdy i helpu efo'r biliau, yn ogystal ag ennill ychydig bach o bres poced trwy gyfeilio mewn eisteddfodau lleol.

Yn y cyfamser, mi gymerais Miss Clementi ar ei gair, a mynd am wersi efo hi yn ei thŷ yn Altrincham unwaith y mis. Doedd y gwersi ddim yn rhad, cofiwch, £25 yr awr, oedd yn ddrud iawn yr adeg honno. Tipyn o helynt i gyrraedd yno hefyd. Roeddwn i'n gorfod dal trên o Fangor i Gaer, newid yn fan'no i Altrincham, ac wedi cyrraedd y stesion yno, gorfod cerdded gryn hanner milltir i'w thŷ. Tŷ mawr crand, wrth gwrs – drws mawr, gyda *bay window*, ac o'i mewn, *grand piano*. Be arall?! Ond mi sticiais i efo hi tan yr haf, a phasiais y ddau arholiad. Ond mi roddodd y ddau dymor annisgwyl hynny amser i mi feddwl. Cyfle i mi fyfyrio ar eiriau doeth Dr Ray – nad oes un dim yn digwydd heb reswm. Yn sicr mi oedd cael dau dymor heb ormod o bwysau ar fy ysgwyddau wedi rhoi cyfle i mi ddod ataf fy hun. Ac roedd y ffaith i mi gael ychydig fisoedd yn y coleg eisoes yn golygu 'mod i'n gwybod beth i'w ddisgwyl, a 'mod i'n gryfach i'w wynebu'r eildro. Mae profiad fel'na yn bownd o aeddfedu dyn.

Yn ola, mi wnaeth y misoedd rhyfedd hynny o deimlo'n chwithig ac ar ddisberod ddod â Gwyn a minnau hyd yn oed yn agosach at ein gilydd. Mi gawsom lot o amser yng nghwmni'n gilydd, a blodeuodd ein perthynas. Roedd fel petai'n fwy o gam i droi cefn arno wrth adael am Fanceinion am yr eildro. Ym mis Medi mi benderfynon ni ddyweddïo.

'Dwi isio i'r myfyrwyr 'na yn y coleg weld y fodrwy ar dy fys,' meddai Gwyn yn bendant. 'Iddyn nhw gael gwybod dy fod ti wedi dy gymryd!'

Mi aeth i weld fy rhieni i egluro ein bwriad, sef 'mod i'n mynd yn ôl i'r coleg am bedair blynedd, ac yna ein bod yn priodi yn syth wedyn. Yn Llandudno y prynon ni'r fodrwy, yn siop Forfar. Un fach ddelicet oedd hi, efo saffir a diamwntiau bach, yn siwtio fy mys i'r dim. Yn ôl wedyn i Ddeiniolen a mynd am dro i weld hen fwthyn bach Blaen y Waen. Doedd Nhad heb ei werthu'r adeg honno, ac mi fu 'na ryw how-siarad ein bod ni'n dau am ei brynu, er na wireddwyd hynny, chwaith. Yno, yn sefyll o flaen hen fwthyn annwyl fy magwraeth y rhoddodd Gwyn y fodrwy ddyweddïo ar fy mys, a selio'n cariad.

Yn ôl ym mis Medi i Fanceinion brysur, am bedair blynedd hir o fynd yn ôl ac ymlaen o Ddeiniolen i Loegr, a derbyn gwersi gan Miss Clementi. Cyfnod eitha stormus gafodd Miss Clementi a mi fel athrawes a disgybl ar y dechrau. Mae perthynas dau mewn sefyllfa ddysgu uniongyrchol yn un ddelicet, yn enwedig os ydyw'n ymwneud â byd y celfyddydau, pan fo emosiwn a phethau'r galon yn cael eu trin a'u trafod. Mae teimladau'n rhwym o ffrwydro i'r wyneb ar adegau. Y peth pwysig yw datblygu techneg i reoli a harneisio'r teimladau hynny, a dyna pam bod y gair bach 'hyder' mor bwysig. Heb hwnnw, waeth i rywun suddo ddim. A dyna'r prif wendid yn fy mherthynas i a Marjorie Clementi i gychwyn. Roedd hi fel petai'n benderfynol o ddinistrio unrhyw owns o hunanhyder oedd gen i. Eto, roedd gan Miss Clementi ochor gydymdeimladwy a charedig iawn, fel y gwelais yn y cyfnod pan anfonwyd fi o'r coleg. Dro arall gallai fod yn hen ast galed ac oriog. Ambell ddiwrnod cawn hi mewn tymer ddu, dim gwên na chyfarchiad, dim ond arthio arnaf o'r munud y down i'r stafell.

'I want you to play that Sonata *from memory!*'

'But I've only done the First Movement.'

'You've *got* to try the Second and Third. You've got to practise for four or five hours a day. You can do that Sonata in five hours. You can *do it!*'

Ar adegau fel yna, mi oeddwn i'n mynd yn llai na fi'n hun, ac isio i'r llawr fy llyncu. Erbyn diwedd y flwyddyn gynta, roedd petha wedi mynd mor ddrwg rhyngddi hi a fi, nes 'mod i'n teimlo'n wirioneddol ei bod hi'n effeithio arna i, gorff ac enaid, ac mi benderfynais wneud rhywbeth am y peth. Es i swyddfa Dr Ray i gael dweud fy nweud.

'There's a clash of personalities here,' medda fi wrtho fo. 'She makes me feel very nervous, and that's affecting me badly. Can I change to another tutor?'

Mae'n amlwg fod y neges wedi'i chyrraedd, oherwydd y tro nesa yr es i weld Miss Clementi roedd hi'n amlwg wedi'i brifo i'r byw. Mynnai ddeall pam roeddwn i isio'i gadael...

'When you shout at me, I get very nervous,' medda fi.

'Oh, *grow up!*' meddai hi'n wyllt. 'You're not a schoolgirl any more! You're a student, for God's sake! Look, if you want to be a concert pianist, you've *got* to take it!'

'Hang on,' medda fi. 'I don't know if I want to be a concert pianist.'

'Of course you do! With your talent, of course you're going to be a concert pianist!'

'No, sorry,' medda fi. 'I don't really want to travel round the world on my own. I want to become an accompanist.'

'You're *not* leaving me!'

'Well,' meddwn innau, yn synhwyro buddugoliaeth fach. 'Maybe you could be nicer to me.'

'Well,' meddai hithau, 'I'll try.'

Ac ar ôl y bennod fach yna o glirio'r awyr, wyddoch chi be, mi oedd Miss Clementi yn lyfli efo mi am weddill fy amser yno!

Erbyn yr ail flwyddyn mi ddaeth petha'n lot haws yn gyffredinol. Mi basiais y profion theori yn iawn, ac roedd hynny'n golygu bod yr holl amser gen i i ganolbwyntio ar yr ymarfer a'r perfformio. Mi fedrwn wneud llawer o hwnnw adre, a chan nad oedd dim penodol i mi ei wneud ar ddydd Gwener yn y coleg, mi fyddwn i'n dal y trên i Fangor ar nos Iau, a Gwyn yn y stesion i 'nghyfarfod i efo'r car. Treuliwn y penwythnos efo fo, yntau'n fy nreifio i gyfeilio i ambell eisteddfod leol ar y Sadwrn, gan ddychwelyd i'r coleg yn fy mhwysau fore Llun. Erbyn diwedd fy nghyfnod ym Manceinion, roeddwn i adre gymaint ag roeddwn i yn y coleg. Er bod Gwyn wedi dwys ystyried trio am swydd ym Manceinion i gael bod yn agos ata i, prin y byddai hynny o werth a minnau yn Neiniolen mor amal beth bynnag. Yng Nghymru roedd y ddau ohonon ni isio bod. Yma roedden ni isio byw a setlo. Ac fel digwyddodd hi, mi ddaeth cynnig Yncl Dafydd, brawd fy mam, yn amserol iawn.

'Gewch chi dir genna i i godi tŷ, os liciwch chi,' meddai Dafydd. 'Hwnnw fydd fy mhresant priodas i i chi.'

Drwy ei rodd hael roedd Dafydd wedi rhoi sail gadarn i'n bywyd ni. Tŷ newydd! Sicrwydd. Gwreiddiau. Dyfodol. A phedair blynedd o amser i'w gynllunio a'i adeiladu efo fy nyweddi. Ar ddiwrnod braf ond niwlog, mi gerddodd Gwyn a fi i fyny'r ochr ucha i Ddeiniolen at y tir a addawyd. Bryn moel, llechwedd uchel efo waliau cerrig a chrawcwellt, uwchben y ffordd a arweiniai dros lethrau Elidir tuag at Bethesda. Aros mewn llecyn arbennig ac edrych i fyny at y grib.

'O sbia,' meddwn i wrth Gwyn. 'Dwi'n siŵr fod 'na olygfa ffantastig o fan'na...'

Dros ben wal yr aethon ni, ac edrych i lawr ar bentref Deiniolen, Elidir Fawr yn codi'n urddasol i'r chwith, a mawredd Eryri o'n blaenau... ac yn fan'no mae fy nghynefin i byth! Gwyn wnaeth y gwaith caled. Anfon y cynlluniau i'r Adran Gynllunio i gael caniatâd adeiladu. Cael ein gwrthod. Rhaid iddo fod yn unllawr. Trio eto a chael ein gwrthod yr eilwaith. Y safle ddim yn plesio. Yn y diwedd gorfu i ni anwybyddu Cyngor Gwynedd a gwneud cais uniongyrchol i'r Swyddfa Gymreig, fel roedd hi'r adeg honno. Mi gawsom ganiatâd yn y diwedd ar un amod – ein bod yn ei beintio'n llwyd! Un gwrthwynebiad mawr a gawson ni oedd ei fod yn dŷ ar ei ben ei hun mewn ardal wledig. Erbyn heddiw mae 'na gryn hanner dwsin o dai o'n cwmpas!

Wrth gwrs, tŷ bychan oedd Cynefin ar y dechrau o'i gymharu efo'r adeilad estynedig sydd gennon ni rŵan. Tŷ cymedrol ei faint a'i adnoddau oedd yr un cyntaf. Er hyn roedd o'n gyfnod andros o gyffrous. Cael siarad efo'r pensaer, cynllunio hyn a'r llall, dychmygu sut fywyd gaem yn ein bwthyn bach cynta fel cwpwl. Mi fu Gwyn yn slafio ac yn labro yn ystod y cyfnod adeiladu, a minnau'n ei helpu hefyd ar benwythnosau o'r coleg. Cymysgu sment... cario a chlirio. Amser reit flinedig, a minnau erbyn hyn yn fy mlwyddyn radd ym Manceinion. Ond yng nghanol penllanw pedair blynedd o ymarfer ailadroddus a gwersi techneg gan Miss Clementi, roedd meddwl am yr hapusrwydd oedd yn fy nisgwyl yn Neiniolen yn gwneud i mi anghofio'r holl waith blinderus. Roedd fy ngradd bellach, fel y dywedais, yn ddibynnol ar waith ymarferol ar y piano. Hwn oedd yr unig beth y canolbwyntiwn arno bellach.

Roedd dau gam tuag at y nod o ennill gradd a chymeradwyaeth y coleg fel pianydd a'r hawl i ddefnyddio'r llythrennau balch RNCM ar ôl fy enw – Cam Un a Cham Dau. Ni chaniatâi'r coleg i unrhyw fyfyriwr berfformio'n gyhoeddus ar y piano nes ei fod yn cwblhau Cam Dau. Cam Un oedd perfformio rhaglen ddi-dor o ugain munud o flaen holl fyfyrwyr y coleg. Byddai'r Cam hwn yn cael ei recordio. Ac er 'mod i'n nerfus, roedd pawb o 'nghyfoedion mor gefnogol fel y bu i mi gwblhau'r Cam hwn yn llwyddiannus. Rŵan am yr ail Gam, sef perfformiad piano terfynol o 45 munud ar y cof, ar ddiwedd y bedwaredd flwyddyn. Nid ar chwarae bach y medrwn gyrraedd y safon honno. Golygai oriau diddiwedd o ymarfer nes bod y darnau fel ail natur i mi. Ac nid yn unig roedd yn rhaid dysgu chwarae'r piano, ond yr holl ymarweddiad a'r ymddygiad a ddisgwylid gen i ar lwyfan fel pianydd cyngerdd. Gwrando ar y recordiad o Gam Un, a chlywed fy hun yn clompian cerdded at y piano, gan gyflwyno fy narnau gyda chlamp o acen Deiniolen ar fy Saesneg. Yn wir, roedd fy acen Saesneg mor od i rai myfyrwyr eraill fel y byddent yn siarad yn araf â mi fel dysgwr, gan gymryd, o weld fy ngwallt golau a'm llygaid glas, fy mod yn dod o Sweden!

Ond, doedd ymarweddiad llwyfan amrwd fel hwn ddim yn ddigon da i Miss Clementi, o na! Ychydig fisoedd cyn fy mherfformiad terfynol dyma hi'n rhoi prawf arna i! Y cwestiwn cyntaf:

'What are you going to wear for your Finals?'

Nid jîns a chrys-T yn amlwg.

'I've bought a new pink dress,' medda fi. Iawn hyd yma.

'Right,' meddai Miss Clementi wedyn. 'I want you to walk from that door to the piano, and introduce your pieces.'

A dyma fi'n gwneud hynny, a hithau'n syllu arna i fel hebog. Doedd hi ddim wedi'i phlesio.

'Three things,' meddai hi'n awdurdodol. 'First, do not swing your arms when you walk up on stage. Look very elegant, head up high, shoulders back, back straight. You've got to be in the correct mood from the start. Have the music in your head as you walk. Your performance starts at the back of the hall, not when you sit down at the piano. Second, you've got to wear a good bra... audiences do not like to see bouncing breasts. Third, when introducing your pieces, do not accentuate your own accent. People do not want to hear that broad Welsh accent. They want to hear polished English.'

Ddeudais i'r un gair ynglŷn â'r pwynt diwetha – ond yn ddistaw bach mi ddeudais i wrthyf fy hun: iawn Miss Clementi, mi dria i 'ngora efo'r ddau bwynt cynta, ond am drio bradychu fy acen a'm cefndir, sorri, dwi ddim yn barod i wneud hynny i neb.

Pedwar darn a ddewisais ar gyfer y perfformiad tri chwarter awr. Cychwyn efo darn gan Bach, yna 'Impromptu Rhif 4, Opus 90, yn G Leiaf' gan Schubert, darn gan Schumann, a gorffen â'r darn bywiog 'Feux d'Artifices' (tân gwyllt) gan Debussy. Yn ystod y cwrs mi gefais drio fy llaw ar bob math o arddulliau a chyfnodau cerddorol, a Miss Clementi'n dysgu i mi'r gwahanol dechnegau i'w cyflwyno. Dwi'n licio meddwl, fel pianydd, mai Miss Clementi roddodd y dechneg i mi, ond fod yr enaid yn fy chwarae wedi dod oddi wrth Mrs Gabrielson. Beth bynnag, es drwy weithiau modern o bob math yn ystod fy nghwrs ym Manceinion – Bartók, Kodály, Mathias. Ond Schubert oedd y ffefryn gen i o ddigon, a fo ydi fy hoff gyfansoddwr hyd heddiw. Mae 'na rywbeth amdano fo sy'n taro rhyw dant dwfn iawn ynof fi, fel petawn i'n gallu adnabod a mynegi fy nheimladau fy hun trwy ei fiwsig.

Ar ddiwrnod y perfformiad terfynol, y ffordd orau i ddisgrifio fy stad emosiynol oedd nerfus, ond penderfynol. Mi es drwyddi o flaen yr arholwyr ac wedi i mi orffen, daeth Miss Clementi trwodd ata i i'r cefn. Roedd hi'n emosiynol iawn. Dyma hi'n ysgwyd llaw â mi, a'm cusanu.

'I'm proud of you,' meddai hi. 'I must admit that I've never ever heard anybody play that 'Impromptu' like you did this afternoon. It really touched me. And not just me, all the examiners had tears in their eyes.'

'Was I that bad?' medda finna'n gellweirus.

'No, you've got something really special.'

'Do you think I've passed?'

'Of course you have, my dear, of course you have. Don't worry about it. But I'd like a word with you before you go home.'

Roedd perthynas y ddwy ohonon ni wedi closio'n anhygoel ers y dyddiau cynnar hynny. Mi wyddwn ei bod hi'n licio persawr arbennig, Ô de Lancôme, a chyn mynd i'w gweld am y tro ola, prynais botelaid fach ohono iddi.

'Well, I'm finally ready to go home,' medda fi wrthi. 'My bags are all packed, and my father is on his way to fetch me this afternoon. I'd like to thank you personally for everything you've done for me. '

A dyma hi'n troi ata i a dweud, 'Have you thought of coming back?'

'No, I don't think I'll ever come back.'

'Annette,' meddai hi. 'I'm putting your name forward for a Scholarship for the Professional Performance course. I know you're getting married, and there's no guarantee that this will be successful. However, I have put your name forward.'

'Well... I'll think about it,' addewais.

Ysgoloriaeth ariannol ar gyfer mynd yn bianydd cyngerdd proffesiynol ydoedd. Mwy o flynyddoedd ym Manceinion? 'No way' oedd fy ymateb greddfol cyntaf. Dwi'n cofio meddwl yn glir: 'Does 'na ddim gobaith i neb geisio fy mherswadio i aros eiliad yn hirach yn y lle 'ma.'

Ta waeth, ym Mehefin daeth y canlyniadau trwodd: gradd Dosbarth Cyntaf yn yr RNCM. Y geiriad oedd 'Upper Class with an Endorsement in Theory' a chyda'r troad, daeth llythyr arall gan y coleg yn cynnig ysgoloriaeth blwyddyn ar gyfer cwrs Perfformio Proffesiynol. Wrth weld y cynnig yn glir o flaen fy llygaid, a'r gefnogaeth ariannol roeddan nhw'n ei chynnig, mae'n rhaid i mi ddweud 'mod i mewn tipyn o gyfyng-gyngor erbyn hyn.

Ond chefais i ddim llawer o amser i bendroni. Daeth y cynnig ym Mehefin 1984. Ym mis Gorffennaf roeddwn i'n priodi, heb brin gael cyfle i gymryd fy ngwynt. O edrych yn ôl rŵan, mae'n rhaid i mi gyfadde bod y briodas wedi dod ar fy mhen ychydig bach yn rhy sydyn ar y pryd. Nid oherwydd perthynas Gwyn a fi, wrth gwrs. Yn hytrach oherwydd na roeson ni ddigon o amser i ni'n hunain, i drefnu a chynllunio'r briodas ac oherwydd y brys a'r pwysau di-alw-amdano roedden ni wedi'u rhoi arnon ni'n hunain. A bod yn onest, chefais i ddim digon o amser i gael fy ngwynt ataf wedi holl gynnwrf a straen emosiynol arholiadau terfynol y coleg ddim ond mis ynghynt – ynghyd â gollyngdod, y cyffro a llawenydd y graddio. Roedd y petha hyn, daeargryn o ddigwyddiadau anhygoel yn fy mywyd i, yn rhwym o fod wedi cael blaenoriaeth lwyr yn fy meddwl.

Mewn gwirionedd, prin roeddwn wedi meddwl am y briodas – beth fyddwn i'n ei wisgo, y gwasanaeth, y brecwast a'r holl drefniadau mae pâr cyffredin yn cymryd amser i'w cynllunio'n fanwl ar gyfer eu diwrnod mawr. Y rheswm sylfaenol am y brys hwn i briodi, mae'n siŵr, oedd fod Gwyn a minnau wedi bod yn cyfri'r dyddiau ers pedair blynedd hir pan fyddwn i'n cael dod yn ôl i Ddeiniolen a gwisgo modrwy briodas ar fy mys. Drwy flynyddoedd Manceinion fedrwn i feddwl am ddim ond am gael priodi'n syth bìn, wedi'r holl ddisgwyl ac edrych ymlaen. Ond, fel y petha hynny rydych chi'n edrych ymlaen cymaint atyn nhw am amser maith, mae cwrs a chyffro bywyd yn digwydd yn y cyfamser. Fel deudodd John Lennon yn un o'i ganeuon: 'Life is what happens to you while you're busy making other plans.'

Ond, wrth gwrs, fedrai neb na dim ohirio trefniadau'r briodas ym mis Gorffennaf. Roeddent yn eu lle ers misoedd. O'r herwydd, prin ddiwrnod a gefais i ddod o hyd i ffrog newydd ar gyfer diwrnod pwysica 'mywyd i. Ches i ddim cyfle i fynd efo'n chwiorydd a chael dewis a dethol yn iawn a rhoi fy marn ar eu ffrogiau nhw. Mater o 'Sgen i ddim amser... dewiswch chi be dach chi'n licio... dim ots gen i,' oedd hi. A Mam yn pwyso arna i: 'Rhaid i ti gael ffrog, Ann bach,' a minnau'n ateb bob tro, 'A' i wîcend nesa, Mam.' Mynd efo Mam yn y diwedd i ryw siop. Y ffrog roeddwn i'n ei licio yn un eitha plaen mewn 'French tulle'. Yn anffodus, ces fy nigalonni gan eiriau dynes y siop:

'She's not going to wear that, is she?! We usually sell it to people getting married for the second time. Older people, y'know.'

Doedd hi'm yn edrych yn debyg 'mod i'n mynd i gael prynu'r ffrog roeddwn yn ei licio ar gyfer fy mhriodas fy hun! Mi gymerais i'r llall. 'Duw, wneith hi'r tro...' Eto, er gwaetha'r holl gythrwfl, mi gawson ni ddiwrnod da. Gorffennaf 28ain, 1984: Capel Dinorwig; diwrnod braf; Olwen a Marina'n forynion digon o ryfeddod; pedwar ffrind yn canu pedwarawd yn ystod y gwasanaeth. Yr annwyl Mrs Gabrielson ar yr organ, yn chwarae darn o'i chyfansoddiad ei hun wrth i mi ddod i mewn i'r capel, a darn arall wrth i ni ymadael. Allan wedyn i dynnu lluniau yn yr haul. Car, a brecwast priodas yn Neuadd Henllys ym Miwmares. Araith wych gan Irfon Morris, y gwas priodas. Aros yno'r noson honno. Rhywbeth doniol dwi'n ei gofio am fwyta brecwast yn y bwyty crand y bore wedyn – Gwyn yn archebu'r 'Full English', a'r wêtres yn gofyn iddo sut roedd o'n licio'i wyau. 'Well done,' meddai Gwyn yn syth, fel petai'n ordro stêc!

Lawr i stesion Bangor â ni'n dau wedyn i ddal y trên i Lundain, ac oddi yno i Fienna am ein mis mêl. Conffeti mawr ar stesion Bangor. Aros y noson honno gyda ffrindiau yn Llundain, cyn ymadael y diwrnod canlynol ar y trên i Dover a dal trên arall i Fienna. Ia, trên yr holl ffordd i Fienna, cofiwch! Wrth gwrs, roedd arian y ddau ohonon ni'n reit brin yr adeg honno. Pob ceiniog o gyflog Gwyn fel athro ifanc yn ogystal â'm cynilion prin innau wedi'u gwario ar y tŷ. Mae'n amlwg fod Gwyn wedi cael dêl reit dda ar y tocynnau trên, ond yn ei frys doedd o ddim wedi sylweddoli dau beth. Yn gynta, roedd hi'n mynd i gymryd dau ddiwrnod i gyrraedd Fienna. A'r ail beth? Roedd o wedi anghofio bwcio bynciau cysgu ar ein cyfer ar y trên! Gorfu i ni gysgu dros nos ar seddau cyffredin y trên. Os cysgu hefyd! Ar un ochr i'r sedd roedd Gwyn, minnau yn y canol, ac wrth fy ochor roedd clamp o ddyn o dras Affricanaidd, a hwnnw'n chwyrnu o'i hochor hi. Felly y teithion ni tua Fienna ar ein mis mêl! Roedd y gwesty yno'n ddigon glân ond yr adnoddau'n eitha sylfaenol. Crwydro ar hyd strydoedd mawr y ddinas, a synnu pa mor ddrud oedd petha yno. Roedd cyngherddau rif y gwlith yn cael eu hysbysebu ar bob tu, ambell un yn tynnu dŵr o'r dannedd. Yn anffodus, fedren ni mo'u fforddio.

Rhyw wythnos o grwydro a mynd i amgueddfeydd a theithiau tywys am ddim fuo hi a hynny mewn tywydd melltigedig o boeth! Roedd nifer o dai'r cyfansoddwyr wedi cael eu hagor i'r cyhoedd, ac yn wir, roedd tŷ fy arwr Franz Schubert yn un o'r rheiny. Yn y tŷ hwnnw roedd grisiau yn arwain i'r llofft, a dyma Gwyn a minnau i fyny, a neb ond ni'n dau yno. A be oedd yn sefyll yng nghornel y llofft, llofft y cyfansoddwr ei hun, ond piano Schubert! Dynesu ato, a chodi'r caead oddi ar ei allweddellau yn ddistaw bach. Ac o!... y teimlad rhyfedd wrth weld ôl bysedd Schubert ei hun ar ei nodau hynafol. Eiliad anfarwol... ac roedd rhywbeth yn fy ngyrru i chwarae 'Impromptu yn G leiaf' gan y meistr ei hun ar y piano, yn ddistaw bach, bach. Yr un darn ag yr enillais radd wrth ei chwarae, fis ynghynt. Bythgofiadwy.

Wedi dychwelyd i Gymru, a Gwyn *wedi* archebu gwlâu cysgu y tro yma, diolch byth, roeddwn i'n dal i bendroni beth a wnawn ynglŷn â'r cynnig a dderbyniais i gael ysgoloriaeth. Ond un diwrnod ym mis Awst, mi ymyrrodd ffawd unwaith eto, ar ffurf hysbyseb yn y wasg am swydd newydd yn Adran Gerddoriaeth Prifysgol Bangor, o dan arweiniad y diweddar William Mathias – swydd yn dysgu piano fel ail offeryn i fyfyrwyr Bangor a fyddai'n cymryd eu gradd mewn offeryn arall. Es i lawr i weld yr Athro Mathias, a chael y swydd yn syth bìn. Beth roeddwn yn mynd i'w wneud yn awr? Fedrwn i ddim gwrthod swydd Bangor, a hithau mor agos a hwylus, a minnau erbyn hyn nid yn unig yn wraig briod ond hefyd yn wraig tŷ, yn fy nhŷ bach newydd ar lethrau Deiniolen. Ar y llaw arall, ysgoloriaeth am *fil* o bunnau gan Fanceinion? Mi bendronais. Mi gollais gwsg. O diar... be wnawn i? Ac yn y diwedd, penderfynais fod yn ddewr a cheisio ymgymryd â'r swydd a derbyn yr ysgoloriaeth. Dau ddiwrnod yr wythnos ym Mangor fel athrawes gerdd, dau ym Manceinion fel myfyriwr cerdd. Teithio, gweithio, gweithio a theithio.

Tybed sut fuasai hynny'n gweithio yn y diwedd? Tybed fedrwn i lwyddo i gyflawni'r cwbwl?

Oeddwn i isio gwneud hynny... go iawn?

10

Y COLEG AR Y BRYN

ANGHOFIA I BYTH FY niwrnod cyntaf yn y lle y dechreuodd fy ngyrfa – y Coleg ar y Bryn... Prifysgol Cymru, Bangor. Cerdded i lawr o Cynefin i bentre Deiniolen wnes i'r bore cyffrous hwnnw, a dal y bws i Fangor. Ymlwybro i fyny'r bryn adnabyddus ym Mangor a chyrraedd yr adeilad brics coch, a gweld yr arwydd Adran Gerdd – Music Department. Roedd fy emosiynau mor gymysglyd: yn nerfus, yn ofnus ac eto'n gynhyrfus. Hon oedd fy swydd gynta. Ni wyddwn beth i'w ddisgwyl. Cerddais i lawr y grisiau a gweld yr Athro a'r cyfansoddwr byd-enwog William Mathias. 'Croeso i'r Brifysgol, Annette,' meddai'r Athro'n glên, 'a gobeitho y cei di amser da yma gyda ni.' Finna'n wylaidd iawn yn dweud: 'Dwi'n siŵr y gwna i, mi wna i fy ngora.' Ymlaen wedyn i'r stafelloedd dysgu, a wir, dyna lle roedd fy enw ar y drws – Annette Bryn Parri GRNCM – Tiwtor Piano. Fy enw ar ddrws – yn union fel Miss Clementi ym Manceinion! Roedd wedi bod yn werth yr holl ymdrech a'r gwaith caled.

Roedd dau biano yn fy stafell i – un i mi ac un i'm disgyblion, ac ar y bwrdd, amlen efo amserlen ac enwau'r myfyrwyr. Roedd pawb yn ddieithr i mi ond roedd dyfodol y rhain o dan fy ngofal. Ro'n i'n benderfynol o wneud fy ngora, a dal i ddysgu, dal i wella, a bod o ddifri yn athrawes biano dda.

Daeth geneth dlos iawn at y drws, a dyma hi'n gofyn,

'Are you Annette Parri?'

'Yes,' medda finna.

'I'm Elsie Bai Tai Tse,' meddai hithau.

Geneth o Hong Kong oedd Elsie. Roedd hi mor bell o'i chartref, ei gwlad a'i rhieni, ac wedi dewis astudio Cerdd ym Mangor. Roedd Adran Gerdd Prifysgol Cymru, Bangor yn amlwg yn tynnu myfyrwyr o bob rhan o'r byd gydag enw mor adnabyddus â'r Athro William Mathias wrth y llyw.

Gwnes ymdrech arbennig i wneud Elsie'n gartrefol, a mynd ati i siarad efo hi a chael gwybod rhywfaint o'i hanes a'i chefndir. Roedd fy nghalon yn gwaedu drosti – mor bell oddi wrth ei theulu. 'Shall we have a cup of tea and a chat?' medda fi wrthi, a dyma hithau'n rhoi ei dwy law efo'i gilydd yn syth a phlygu'i phen a dweud, 'Thank you ma'am.'

Aeth y ddwy ohonon ni i'r ffreutur ac mi brynais *green tea* iddi. Roedden ni ein dwy angen ein gilydd: finna'n dechra ar fy ngyrfa dysgu go iawn a hitha'n dechrau ar ei gyrfa gerddorol. Fel roedden ni'n sgwrsio am wahanol betha, mi ddois i ddeall ei bod yn glyfar iawn, yn wybodus ym mhob maes, ac yn ferch benderfynol o lwyddo. Bryd hynny fe'm trawodd – pa mor bwysig oedd bod yn glên ac yn annwyl tuag at bobol, yn enwedig wrth ddysgu rhywun ar ei ben ei hun.

Ar ôl cael paned a sgwrs efo Elsie, roedd grŵp bychan wedi ymgynnull y tu allan i fy nrws, ac yno y bûm yn cymryd eu henwau ac yn trafod amserlen. Pobol ddiddorol iawn – y rhan fwyaf o Loegr a rhai o Gymru. Mi wnes i bwynt o fynd i lyfrgell yr Adran Gerdd hefyd. Roedd y llyfrgell i fyny'r grisiau a phob math o gerddoriaeth yn dwt ar y silffoedd dan enw'r cyfansoddwyr. Ystafell fach efo recordiau o bob math, ac adnoddau i wrando ar recordiau heb darfu ar neb arall.

Siarad â'r myfyrwyr, trefnu'r amserlen, ond wedyn, y cwestiwn mawr. Sut oeddwn i am ddarparu ar eu cyfer? Sut yn y byd o'n i'n dechrau, a beth oedd eu safonau? Diolch byth am gymorth maes llafur Associated Board Llundain: y darnau penodedig wedi cael eu dewis, o raddau 1 i 8. Amrediad o'r cyfnod baróc i'r cyfnod modern, a digon o ddarnau piano gan wahanol gyfansoddwyr ac mewn arddulliau gwahanol.

Dyma hi'n amser cinio. Wrth fynd i lawr y coridor, dyma ŵr bonheddig yn dod i'm cyfarfod. Siwmper goch gynno fo, a chetyn yn ei geg.

'Croeso i ti, Annette,' medda fo. 'Bedwyr Lewis Jones ydi'r enw. Dwi'n darlithio yma yn yr Adran Gymraeg. Dwi wedi dy weld di sawl gwaith mewn eisteddfoda a chyngherdda. Argol, dwi'n genfigennus o rywun sydd yn medru chwarae piano fel ti. Mi faswn i wrth fy modd taswn i'n medru canu a chwarae piano.'

'Diolch,' medda finna, 'tydi hi ddim yn rhy hwyr i neb ddysgu, ychi.'

Chwerthin ddaru o, a dweud, 'Mae croeso i ti ddod am banad aton ni yn yr Adran Gymraeg. Paid â bod yn ddiarth.'

Mi wnaeth Bedwyr argraff fawr arna i, ac mi wyddwn o'r adeg honno y byddwn yn hapus yno. Ffrindia newydd...

Roeddwn wedi penderfynu sut i ddysgu piano i'r myfyrwyr: ro'n i am ofyn iddyn nhw chwarae darn oedd yn gyfarwydd iddyn nhw, a dweud wrthyn nhw am beidio â malio dim am gamgymeriadau na thechneg na nerfusrwydd, dim ond perfformio fel roeddan nhw'n teimlo. 'Yma i helpu ydw i, nid i farnu.' Dyna fydda fy ngeiriau cyntaf bob tro. Roedd hi'n hawdd gweld ar ôl un perfformiad ble roedd y diffygion technegol.

Dwi wastad wedi bod â diddordeb mewn seicoleg, a dyna beth ydi dysgu mewn gwirionedd: defnyddio seicoleg ac aralleirio er mwyn cael y gorau gan bobol. Mi fedrwch chi ddweud un peth wrth rywun, a tydi o'n golygu dim iddo fo neu iddi hi. Yna, dweud yr un peth mewn ffordd wahanol, ac maen nhw'n deall yn iawn. Teimlwn ei fod yn bwysig peidio ag iselhau unrhyw un drwy ddeud, 'Mae hynna'n anghywir,' neu 'Tydi'r dechneg ddim yn iawn,' a difetha'u hunanhyder. Roeddwn i fy hun wedi bod drwy'r felin honno ym Manceinion, ac mi ro'n i'n benderfynol o beidio â bod yn negyddol efo nhw. Dim ffraeo, dim beirniadu, dim *mood swings*, yn hytrach, mwynhau creu cerddoriaeth, chwarae, arbrofi, cael hwyl, a dod i nabod pawb. Nid Mrs Parri yr athrawes biano, ond Annette y ffrind.

Aeth yr wythnosau heibio fel y gwynt. Buan y setlais yn y coleg, fel petawn i wedi bod yno erioed. Ro'n i ar ben fy nigon yno. Ond beth am ysgoloriaeth Manceinion? Y cwrs blwyddyn mil o bunnau. Y 'Professional Performance Course'. Oeddwn, roeddwn i'n dal i ddilyn y cwrs hwnnw. Mynd un diwrnod bob wythnos i Fanceinion. Gwers dwy awr gyda Miss Clementi, er mwyn perfformio ar ddiwedd y flwyddyn i dîm llym o gerddorion a phianyddion proffesiynol. Her i unrhyw fyfyriwr – heb sôn am un rhan-amser! Ychydig a wyddai myfyrwyr

Bangor fod eu hathrawes biano Mrs Parri yn fyfyrwraig ei hun ym Manceinion. Roedd disgwyliadau'r ysgoloriaeth yn drwm, a'r straen arna i'n anferth. Rhaid oedd taclo'r darnau mwyaf anodd posib – consiertos, darnau mawr gan Rachmaninov a Chopin. Gwneud brechdanau fyddwn i bob dydd yn lle cael cinio yn ffreutur Bangor, er mwyn ymarfer yn y coleg dros amser cinio a phob eiliad sbâr arall fedrwn i ei gwasgu. Adref wedyn i barhau i ymarfer yn ddi-stop – dim amser i'w wastio ar waith tŷ na gwneud bwyd, dim ond taro rhywbeth yn y popty ar y munud olaf. Ac am fy mywyd cymdeithasol – wel, toedd hwnnw ddim yn bodoli! Doedd dim syndod yn y byd 'mod i wedi sylweddoli'n eitha buan nad oedd hwn yn fywyd hapus na theg i neb. Doedd dim amdani. Rhaid oedd gwneud penderfyniad: naill ai dysgu ym Mangor neu ddilyn cwrs Manceinion. Un neu'r llall.

Aros ym Mangor oedd fy mhenderfyniad, a rhoi arian yr ysgoloriaeth yn ôl i'r Coleg Cerdd ym Manceinion.

Nid oedd Miss Clementi yn deall o gwbwl. 'Waste of a talent,' meddai. 'You'll regret this one day.'

'I'm sorry,' meddwn, 'but thank you for everything you've done for me.'

Ni ffarweliodd yn iawn â mi. Cerddais innau'n benderfynol i lawr y grisiau piws i'r swyddfa, rhoi fy arian ysgoloriaeth o £500 yn ôl, ac allan â mi drwy'r drysau gwydr. Sefais ar y palmant y tu allan a rhoi ochenaid hir. Teimlwn fel aderyn wedi'i ollwng o'i gawell. Yn rhydd: rhydd fy meddyliau, rhydd fy mhenderfyniadau, rhydd i reoli fy mywyd bach fy hun. Diolch byth.

Es i orsaf drenau Manceinion a phrynu bwnsiad mawr o lilis gwynion mewn stondin fach gerllaw'r orsaf er mwyn eu rhoi wrth ddrws ffrynt Cynefin. Eisteddais ar y trên a gweld Manceinion yn ymbellhau. Ni fyddai mwy o deithio bob wythnos, nac ymarfer chwe awr y dydd. Gallwn fwynhau fy ngwaith, a mwynhau fy nghartref. Coginio, glanhau a chymdeithasu. Normalrwydd! Gwyddwn fy mod wedi gwneud y penderfyniad cywir, ac mi ro'n i'n hapus iawn o gyrraedd gorsaf Bangor a Gwyn yn fy nisgwyl ar y platfform.

'W't ti wedi gneud y peth iawn, Ann?' gofynnodd.

'Yndw, Gwyn, dos â fi adra. Tydw i ddim isio gweld y stesion 'ma am yn hir iawn eto.'

Ac adra â ni i Gynefin gan roi fy lilis gwynion i flodeuo ar y cwpwrdd a chael pryd bach neis a glasiad o win...

Yn ddiweddar, cefais fraw a llawenydd wrth weld fy enw ymhlith 'Notable alumni' Coleg Cerdd, Manceinion. Mae fy enw ymysg yr enwogion, a'r rheiny'n gyfansoddwyr a chantorion mawr y byd – Esgob Birmingham, a finna 'Annette Bryn Parri – pianist' – yr unig Gymraes sydd yno. Fedra i ddim disgrifio mewn geiriau beth mae hyn wedi'i olygu i mi'n bersonol. Rhaid diolch o galon felly i'r Coleg am gydnabod fy ngwaith fel cyfeilydd a phianydd.

Ond roedd hi'n bleser cael dychwelyd i'r coleg ym Mangor, fel athrawes ac nid myfyrwraig. Mi ddois i nabod y myfyrwyr yn dda a byddai ambell un hyd yn oed yn gofyn, 'Annette, dach chi isio dod am beint neu ddau hefo ni heno?' Gwrthod y cynnig cymdeithasol fyddwn i wrth gwrs. Gwyddwn beth oedd 'peint neu ddau' i fyfyrwyr!

Roedd y darlithwyr hefyd yn glên iawn efo mi – Wyn Thomas, Jeff Lewis, yr Athro William Mathias, David Evans a John Hywel. Roedd gan John Hywel hiwmor arbennig iawn. Yn gyfansoddwr, yn ddigrifwr heb ei ail, cymerai John ddiddordeb mawr yn fy ngyrfa; roedd o wastad yn holi be o'n i'n neud, a lle roeddwn i'n recordio ac yn perfformio. Dois i adnabod pawb yn yr Adran Gerdd. Ond at yr Adran Gymraeg yr hoffwn fynd am baned – at Gwyneth Williams, ysgrifenyddes Bedwyr Lewis Jones; Branwen Jarvis; yr Athro Gwyn Thomas; Derec Llwyd Morgan a Jane ei wraig, ac wrth gwrs, y dyn ffeind a welais ar fy niwrnod cyntaf, Bedwyr ei hun. Mi ro'n i'n arfer tynnu'i goes – mai Man Utd oedd y tîm ffwtbol gora, achos mi wyddwn ei fod yn gefnogwr brwd o dîm Lerpwl. Mi roedd o'n ddigri efo'i atebion gan ddweud petha fel, 'Sticia at dy biano, 'mach i, dwyt ti ddim yn dallt ffwtbol os nag w't ti'n cefnogi Lerpwl.' Be wyddwn i am ffwtbol, ond hoffwn ei glywed o'n ffieiddio ac yn taranu am chwaraewyr Man Utd, gan wybod eu hanes nhw i gyd, a sut roeddan nhw wedi chwarae'n flêr, a pha mor wyllt oeddan nhw. Byddai Lerpwl wastad wedi cael cam pan fydden nhw'n colli, a'r dyfarnwr fyddai'n cael y bai ganddo'n amal. Roedd o'n ffan go iawn ac mor driw i'w dîm. Cetyn bob amser yn ei geg, a Chymraeg mor raenus a naturiol ganddo. Roedd yn hanesydd difyr, yn storïwr ac yn ddyn gwerinol, agos at ei le. Fasech chi byth yn meddwl ei fod yn Athro mewn coleg.

Cymeriad mawr arall yn y coleg bryd hynny oedd Yvonne Mathias, gwraig yr Athro Cerdd. Mi ges i'r pleser mawr o gyfeilio i fyfyrwyr Yvonne. Wel, am gês a hanner. Dynes fyrlymus iawn, bob amser â gwên fawr ar ei hwyneb, a llond pen o wallt *platinum blonde*. Sôn am lais: pan fyddai hi'n canu, byddai rhyw ias oer yn mynd i lawr fy nghefn. Roedd ganddi lais soprano anferth, ac eto roedd rhyw ddyfnder iddo. Hwn oedd y llais tebyca i lais fy ffrind annwyl, Mary Lloyd Davies, Llanuwchllyn. Roedd Yvonne wrth ei bodd yn dweud jôcs ac yn adrodd hanes ei dyddiau cynnar yn ne Cymru. Wrth iddi wneud ymarferion llais un tro, cyrhaeddodd nodyn uchel, a dyma fylb y *chandelier* crand yn y stafell ganu'n ffrwydro, a darnau o wydr yn disgyn fel glaw mân ar ei gwallt *platinum blonde*.

'Good God!' meddai. 'I didn't know I had so much power – boy, oh boy, oh boy, oh boy!'

Roedd yr olwg ar ei hwyneb fel pe bai hi wedi gweld ysbryd, a'i cheg yn llydan agored. Mi fydda i'n dal i chwerthin hyd heddiw wrth feddwl am Yvonne o dan y *chandelier*.

Diwrnod trist oedd hwnnw pan fu farw'r Athro William Mathias. Roedd hon yn golled i'w deulu, yn naturiol, ond hefyd i'r byd cerdd yng Nghymru. Roedd hi'n golled ar lefel ryngwladol hefyd gan fod Mathias yn enw byd-enwog. Fo gafodd ei gomisiynu i gyfansoddi'r ymdeithgan ym mhriodas y Tywysog Charles a'r Dywysoges Diana. Roedd cerdded ar hyd coridor yr Adran Gerdd heb weld Wil, nac arogli ei sigâr yn unman yn deimlad digon od, ac er i Yvonne aros a dysgu am ychydig ar ôl i'w gŵr farw, eto i gyd roedd wedi colli ei bwrlwm. Gan ei bod yn hiraethu roedd yn ddistawach ac yn amal deuai deigryn i'w llygaid wrth iddi wrando ar rai o'i myfyrwyr yn canu a minnau'n cyfeilio. Doedd ei chalon ddim yn y dysgu bellach a chan fod gormod o atgofion yn y coleg, penderfynodd adael. Colled fawr. Roedd gen i feddwl y byd ohoni.

Yn dilyn marwolaeth William Mathias, apwyntiwyd John Hywel yn bennaeth dros dro ar yr Adran Gerdd. Ro'n i'n falch o hynny: roedd wedi bod yn darlithio am flynyddoedd yn y coleg ac yn haeddu derbyn yr anrhydedd. Mi wnaeth waith aruthrol i'r Adran Gerdd.

Un doniol ac agos atoch chi oedd John Hywel. Roedd ganddo ei ddull ei hun o wneud petha. Nid cerdded yn naturiol ar hyd coridor a wnâi. Arferai frasgamu, troi a chwifio'i freichiau a gwenu bob amser. Cefais alwad i fynd i'w weld un bore, a dyma fo'n gofyn i mi sut y byddwn i'n hoffi chwarae consierto efo cerddorfa'r coleg, ac yntau'n arwain. Wnes i ddim deud gair, ond yn hytrach rhedeg ato a gafael yn dynn amdano a dweud, 'Diolch, mi faswn i wrth fy modd!'

Consierto gan Beethoven, gyda Chôr Monteverdi a'r gerddorfa – dyna'r dasg y cytunais i'w chyflawni mor sydyn. Mi es yn syth i'r llyfrgell a chael sgôr, ac adra â fi'n ofnadwy o gyffrous i ddechrau ymarfer y consierto yn syth bìn. Yn yr wythnosau yn dilyn hynny bu'n rhaid i mi wneud oriau o ymarfer, ond mi wnes i fwynhau pob munud. Yna, fel sy'n digwydd bob amser, gwawriodd y diwrnod mawr. Mi es i'n *andros* o nerfus – a John ei hun hefyd. Y ddau ohonon ni yn y stafell biano ar ochor y llwyfan yn troi yn ein hunfan, yn chwysu ac yn crynu wrth feddwl am y perfformiad o'n blaenau.

'Pam 'dan ni'n gneud hyn?' medda John.

'Dwi ddim yn gwbod,' medda finna.

'Na finna chwaith,' meddai gan siglo'i ben.

Roedd Gwyn, Mam, Dad, Rita a Dave Wood, ffrindiau a chymdogion fy rhieni, yn y gynulleidfa, ac yn fwy nerfus na fi, mae'n siŵr, a hynny am fy mod wedi dweud wrthyn nhw 'mod i am chwarae'r consierto ar fy nghof.

'Dos â'r copi, jest rhag ofn,' medda Dad.

'Na, mi dria i heb y llyfr, mae o'n niwsans i droi tudalennau o hyd,' meddwn i'n hollol dalog ar y pryd.

Erbyn hyn roedd hi'n fater gwahanol. Beth bynnag, i fyny'r

grisiau â mi, a 'nghalon yn fy ngwddw, ac ar y llwyfan. Y neuadd yn orlawn. Pawb yn cymeradwyo. John yn edrych arna i dros ei sbectol. I fyny â'r dwylo, y baton yn ei law, ac ar hynny dyma'r gerddorfa'n dechrau, a minnau fel deilen. Breuddwyd bob pianydd ydi cael chwarae consierto gyda cherddorfa, a dyma'r cyfle hwnnw wedi dod. Be oedd yn bod arna i? Mi es i siarad hefo fi fy hun yn gynddeiriog. 'Tyrd yn dy flaen, Annette bach, canolbwyntia, mae'r darn ar fin newid cyweirnod, gwranda ar y ffliwt, dilyna nodau'r obo, bys tri ar nodyn du E fflat i gael *scale* C leiaf. Ty'd! Ty'd!' Roedd hyn i gyd yn mynd drwy 'mhen i drwy'r adeg. 'O'r diwedd, dyma'r diwedd,' meddwn i wrtha i fy hun eto, a dyma fi'n chwarae fy *scale* olaf, yna'r cordiau pwerus a gorffen! Diolch byth! Roedd pob dim wedi mynd yn iawn!

Nid cerdded ataf yn osgeiddig wnaeth John ar y llwyfan ond rhedeg ataf a gafael amdanaf yn dynn. 'Briliant, Annette bach, briliant!!' Roedd y gymeradwyaeth yn fyddarol a phawb ar eu traed. Fedra i ddim disgrifio'r teimlad – yn emosiynol, yn falch, yn drist o fod wedi gorffen, yn prowd, yn ddiolchgar. Cerddais i lawr y grisiau, ac i fyny yn ôl wedyn deirgwaith. Cyrraedd y stafell biano, a rhoi bloedd wrth i John fy nghodi oddi ar y llawr a'm swingio fel cath o amgylch y stafell! Wel, am brofiad – roedd y ddau ohonon ni wedi gwirioni fel plant bach, wrth gario'r blodau a cherdded at Neuadd Prichard Jones i gyfarfod Mam, Dad, Gwyn, Rita a Dave. Deigryn yn llygaid Dad, Dave a Gwyn, a Rita a Mam yn sychu chwys oddi ar eu dwylo ar eu sgertiau! Yna, gwahoddiad i ddathlu yn Nhŷ'r Ysgol – Mam yn gneud brechdanau a Dave yn dod â photel o wisgi. Ia, wisgi – doedd dim byd arall ar gael! Dau wydraid o wisgi a lemonêd ac adra i Gynefin. Ond fedrwn i ddim cysgu am oriau. Y gerddoriaeth yn mynd rownd a rownd yn fy mhen, a'r adrenalin yn dal i bwmpio. Wna i byth anghofio'r noson honno tra bydda i byw...

Aeth y misoedd heibio, a'r blynyddoedd hefyd.

Mae patrwm i bob blwyddyn academaidd, gyda'r flwyddyn yn dod i ben efo seremoni raddio myfyrwyr y drydedd flwyddyn. A minnau, fel pob tiwtor arall, yn falch o'u llwyddiant. Ond roedd Medi 1986 yn wahanol iawn iawn. Breuddwyd arall wedi dod

Cychwyn y daith yn 5 oed.

Genod Tŷ'r Ysgol
(dan 6 oed).

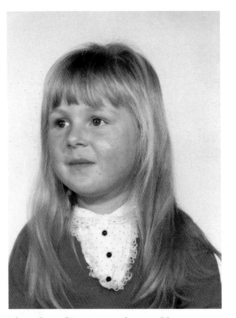

Llun ohonof i yn yr ysgol gynradd.

Gwaith golchi ar wallt hir pan oeddwn yn Ysgol Brynrefail.

Siôn Corn wedi dod ag organ yn anrheg.

Derbyn medal Grace Williams am gyfansoddi yn Eisteddfod Genedlaethol yr Urdd (Pwllheli 1982).

Ennill gradd GRNCM ym Manceinion yn 1984.

Diwrnod ein priodas, 28 Gorffennaf 1984.

Ffrindiau coleg yn canu yn ein priodas: (o'r chwith i'r dde) y diweddar John Puw; Meinir Williams; Julie Wynne; Gwion Thomas.

Tommy a Vera Parry (rhieni Gwyn) ar ddydd ein priodas.

Cynefin – ein nefoedd fach ni, a'n hunig gartref ers 1984.

Gwyn yn cario'r briodferch dros drothwy Cynefin – a Tommy yn y bar.

Tomio Becaro (Tommy Becar) oedd y seren mewn cystadleuaeth Noson Lawen (yn Llanddeusant).

F'annwyl Anti Katie mor falch ohonof yn ennill y Rhuban Glas.

Trisgell, Trebor, Huw Edward Jones a Genod Tŷ'r Ysgol – teulu brenhinol 'ta be?

Cyfarfod y capten ar y QE2

Gwenu fel giât – y Steinway wedi cyrraedd Cynefin.

Heledd, y cyntaf-anedig, yn cael mwythau gan ei mam.

Ynyr yn ymarfer chwibanu.

Bedwyr yn meddwl am ei nodau cyntaf.

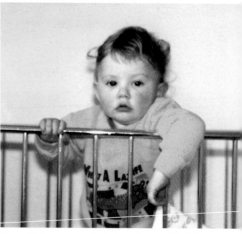

Diwrnod bedyddio Bedwyr, a theulu
Cynefin yn gyflawn.

Ynyr: "Dim mwy o fenyn yn fy ngwallt, Mam,
dwi'n gaddo."

Y plant a fi yng
Nglynllifon.

Dim lipstic ar ôl i
Mam!

Y teulu bach yn tyfu'n hŷn.

Ein plant ni efo'u cyfnitherod (o'r chwith i'r dde) Anest, Lois a Caryl.

Tri *cool dude* o Ddeiniolen ar eu gwyliau dramor.

Fy ffrind annwyl, Del.

Llun mae'r plant yn hoff iawn
ohono.

Llun ar gyfer fy nwy CD, a
hoff lun Gwyn.

Syr Geraint Evans oedd
y meistr yn y gyfres
Meistrioli.

Côr Meibion y Traeth ym
Mhrifysgol Bangor.

Rosalind, Hogia'r Wyddfa a minnau yn ymarfer,
Awstralia 1996.

Dafydd Edwards, Glyn Williams, John
Eifion – Y Tri Thenor o Gymru.

Tommy yn cyflwyno siec o £2,000 i Ward Alaw, Ysbyty Gwynedd.

Hogia'r Wyddfa, Piantel, Trebor Edwards a Hywel Parry yn codi arian i Ysgol y Bont, Llangefni.

Golden Girls Dinorwig.

Llun diweddar o'r plant efo Anti Brenda ac Yncl Bill, Awstralia.

Piantel yn yr Eisteddfod Genedlaethol.

Cyfeilyddes grynedig ar gopa'r Wyddfa, yng nghwmni Bryn Terfel.

Rhianon Gabrielson, fy nghyn-athrawes biano, yn 95 oed.

Fy annwyl fam a Nhad.

Fy Nadolig olaf yng nghwmni Tommy annwyl yn 2006.

Calendar Girl!!!!!

Jack Swift a minnau'n paratoi'r CD *Myfyrdod*.

Mam a merch yn dal i gofleidio'i gilydd.

Ynyr (chwith) a Bedwyr – dau frawd sy'n dipyn o fêts.

"Dau enaid hoff cytûn".

yn wir, ac roeddwn wedi gwirioni 'mhen yn lân. Roeddwn yn feichiog.

Ar ddechrau'r tymor newydd, cerddais heibio'r hysbysfwrdd a darllen enwau fy myfyrwyr. Sylwais ar yr enw Heledd, ac mi drawodd yr enw fi, gan aros yn fy meddwl drwy'r dydd. Penderfynais y noson honno mai Heledd fasa'r enw pe bawn i'n cael merch. Diolch byth, roedd Heledd yn un o hoff enwau Gwyn hefyd, felly roedd popeth yn iawn! Gweithiais drwy Dymor y Nadolig, ac yna cael saib ar ôl y Nadolig i eni ein plentyn cyntaf. Ia, Heledd oedd hi! Merch fach saith pwys a hanner, a ddaeth i'r byd am ddeng munud wedi wyth y bore, 28 Chwefror, 1987, yn Ysbyty Dewi Sant, Bangor. Jest cyn diwrnod y flwyddyn naid!

Braf oedd cael bod adre yn magu fy merch fach yn fy mreichiau, heb boeni am ddysgu na chwarae piano, dim ond rhoi fy holl sylw a'm cariad i'r un a newidiodd fy mywyd yn llwyr. Ond roedd yn rhaid mynd yn ôl i'r coleg am fis i baratoi ar gyfer yr arholiadau, a chwarae teg i'r myfyrwyr, mi gefais eu dysgu gyda'r nos, a Gwyn yn gwarchod Heledd.

'Llongyfarchiadau i ti, 'mechan i,' meddai Bedwyr Lewis Jones pan welodd o fi. 'Ew, dwi'n lecio'r enw'n fawr.' A dyma fo'n adrodd ar ei gof, yn y coridor, ddarnau o farddoniaeth a chwedl Heledd. Roeddwn i'n gegrwth! Roedd y dyn fel enseiclopedia ar ddwy goes!

Arhosais adre dros haf 1987 a dechrau tymor arall ym mis Medi, gan ddysgu am ddau ddiwrnod yr wythnos y tro hwn. Ond mis Medi gwahanol eto gan fy mod i'n feichiog eto fyth. Ac meddai Bedwyr yn gefnogol, 'Da iawn chdi'r hen hogan. Tyrd â Chymry ifanc i'r byd 'ma, dysga nhw i siarad yr iaith ac i werthfawrogi ein diwylliant.'

'Dwi'n trio 'ngora,' medda finna.

Roedd hi reit anodd, a bod yn onest. Mam a Dad yn gwarchod un diwrnod, a Tommy a Vera yn gwarchod ar ddiwrnod arall. Mi es ymlaen i ddysgu tan Nadolig 1987, a chael saib i fagu Heledd a dathlu ei phen-blwydd yn flwydd oed yn Chwefror 1988. Ac ym mhen chwinciad wedyn dyma eni fy mab cyntaf, Ynyr, am saith o'r gloch y nos, 15 Mawrth, 1988, yn saith pwys. Roeddwn wedi gwirioni fy mhen eto.

'Nôl â mi i'r coleg ym mis Medi i wneud dau ddiwrnod yr wythnos unwaith yn rhagor. A wyddoch chi be? Roedd y mis Medi yma'n wahanol hefyd: roeddwn yn feichiog *eto*!

'Tybed be ddywed Bedwyr y tro yma?' meddwn i. Ac ar y gair, dyma fi'n ei weld o'n anelu amdana i ar y coridor yn ei siwmper goch, a'i getyn yn ei law, yn gwenu o glust i glust.

'Croeso'n ôl, Annette bach,' meddai. 'Sut mae Heledd a sut mae... Ynyr?' A chyn i mi fedru dweud gair, dyma fo'n lansio i mewn i araith am yr enw Ynyr. Egluro bod Ynyr yn dod o'r gair Lladin 'honorius' a mynd ymlaen i drin a thrafod yr enw, a rhannu ei wybodaeth eang â mi. Doedd dim dwywaith fod y dyn yn *genius*.

'Bedwyr,' medda finna ar ôl dipyn. 'Sorri i dorri ar eich traws chi, 'de, ond dwi'n feichiog eto.'

'Be?' medda fo'n syn. 'Iesu bach, mae'n rhaid bod chi'n cael lot o *power cuts* tua Deiniolen 'na!'

Cario ymlaen unwaith eto am ddau ddiwrnod yr wythnos tan y Nadolig, a chael saib i ddathlu pen-blwydd Heledd yn ddwy ac Ynyr yn flwydd oed, cyn geni ein hail fab, Bedwyr, am bum munud ar hugain wedi saith y nos, 2 Mawrth, 1989. Roeddwn bellach yn fam i dri o blant iach. Ond doedd dim mwy i fod. Dywedodd y meddyg fy mod i'n lwcus iawn i gael tri, gan fod fy mhwysau gwaed yn uchel at ddiwedd y beichiogrwydd bob tro, hefo'r tri. Dyna pam y bu'n rhaid i mi orffwys am bythefnos hefo'r tri yn Ward Ffrancon, Ysbyty Dewi Sant. Bu'n rhaid i mi orwedd yn y gwely, yn gwneud dim ond gorffwys, rhag ofn i mi gael *pre-eclampsia*, sydd yn beryg i'r fam a'r plentyn. Rhaid cyfadde 'mod i'n siomedig pan glywais eiriau'r meddyg. Am ryw reswm ro'n i wedi rhoi fy mryd ar gael pedwar, ond wedyn, toeddwn i wedi bod yn lwcus i gael bod yn fam i dri. Diolch i Dduw a wnes i am y fraint gysegredig a roddwyd i mi – y fraint sylfaenol o gael bod yn fam.

Wnes i ddim aros tan fis Medi i fynd i'r coleg y tro hwn i gael ymateb Bedwyr, ond mynd â'r tri bychan yn y car i'w weld o.

'Bedwyr,' medda fi, gan gyflwyno'r plant iddo. 'Dyma Heledd... dyma Ynyr, a dyma... Bedwyr. Bedwyr Gwyn Parri.'

Roedd dagrau yn ei lygaid. Dyma'r tro cyntaf iddo fethu deud gair, dim darlith nac araith wybodus. Dim ond edrych arnynt, a gwên fawr ar ei wyneb, ac yn arbennig ar Bedwyr, y plentyn bychan a enwyd ar ei ôl o.

'Da iawn, 'mechan i,' medda fo toc. 'Mi eith hwn yn ei flaen yn iawn, wsti, mae ganddo fo enw gwerth chweil.' A do, *true to nature*, mi aeth rhagddo i roi i mi a'r bychan, o'i ysgolheictod anhygoel, hanes Bedwyr, un o farchogion Arthur.

Cyn gorffen efo hanes cyfnod Coleg Bangor hoffwn sôn am un ferch arbennig iawn – Glenys Eleri. Merch ddistaw, ddiymhongar, ddi-ffys a diffwdan. Roedd hi'n bianydd gwerth chweil, wedi pasio ei Gradd 8 ac wedi cael Diploma cyn dod i'r coleg. Roedd y ddwy ohonon ni wedi paratoi'n dda ar gyfer yr arholiad gradd, ac roedd hi'n barod i roi perfformiad gwych yn Neuadd Powys. Eisteddais yn y neuadd yn disgwyl amdani, ond ni ddaeth Eleri i berfformio. Wedyn y deuthum i wybod ei bod wedi marw.

Cefais fy ysgwyd yn ofnadwy. Roedd ei ch'nebrwn yn un mawr, a llawer o fyfyrwyr y coleg yno, y staff a'r athrawon. Diwrnod trist iawn, ond dwi'n falch fod 'na ysgoloriaeth bellach i gyfeilyddion, er cof amdani, yn yr Eisteddfod Genedlaethol bob blwyddyn. Mi fasa hi wedi bod yn gyfeilyddes wych i ni yng Nghymru. Dwi'n meddwl yn amal amdani, a phob tro dwi'n crwydro heibio ardal Dinbych, ac yn gweld arwydd Llandyrnog, mae hiraeth mawr am Eleri yn fy nghalon.

Rai blynyddoedd ar ôl hynny, ro'n i'n cyfeilio yn yr Eisteddfod Genedlaethol ac yn cerdded ar y maes hefo fy mag miwsig, a dyma fi'n gweld Bedwyr Lewis Jones.

'W't ti'n brysur, Annette bach?' gofynnodd.

'Yndw,' medda finna. 'Prysur iawn.'

'Wel, dwi wedi gorffen am heddiw. Teg edrych tuag adre,' meddai, gan droi oddi wrthyf. Ychydig a wyddwn mai dyna fyddai ei eiriau olaf wrtha i.

Mi ges i'r fraint fawr iawn o chwarae yng ngwasanaeth coffa Bedwyr, yn y coleg. Newydd ddod adre o'r ysbyty oeddwn i, wedi

cael triniaeth, a chofiaf eistedd wrth yr organ fawr yn Neuadd
Prichard Jones, pwythau ar draws fy mol, ac mewn poen. Ond
mi r'on i'n benderfynol o fod yno. Allai dim fy rhwystro rhag
chwarae'r organ i Bedwyr. Roedd llond y neuadd o enwogion
ac ysgolheigion: gwasanaeth urddasol a Chymreigaidd. Ond
ar ddiwedd y gwasanaeth, nid anthem na *voluntary* arferol a
chwaraeais. Yn hytrach y gân syml honno, 'You'll Never Walk
Alone'. Ia, anthem tîm Lerpwl! Doedd dim ots gen i beth fyddai
neb yn ei ddweud, ro'n i'n gwbod mai honno fasa wedi plesio
Bedwyr:

> When you walk through a storm,
> Hold your head up high.
> And don't be afraid of the dark.
> At the end of a storm is a golden sky,
> And the sweet silver song of a lark.
> Walk on through the wind,
> Walk on through the rain,
> Though your dreams be tossed and blown.
> Walk on, walk on, with hope in your heart,
> And you'll never walk alone.
> You'll never walk alone.

Ond cerdded ar fy mhen fy hun wnes i Nadolig 2000, a gorffen
dysgu yn y Coleg ar y Bryn. Ro'n i wedi bod yno am un mlynedd
ar bymtheg. Roedd fy mhlantos yn tyfu ac arnynt fwy o fy angen
rŵan – Heledd yn dair ar ddeg, Ynyr yn ddeuddeg a Bedwyr
yn un ar ddeg. Teimlwn fod gofal mam yn bwysicach na bod
yn athrawes biano. Eto, mae gen i feddwl mawr iawn o Goleg
Bangor, y lle a roes gyfle, mwynhad a chyflog i mi ar ddechrau
fy ngyrfa, y lle y cwrddais â ffrindiau oes, lleoliad profiadau
mawr, lle y cefais chwerthin a chrio. Dyddiau da, cofiadwy o
fewn ei furiau urddasol. Tybed a' i yn ôl yno rhyw ddydd?

11

DOES UNMAN YN DEBYG I GARTREF!

'TEG EDRYCH TUAG ADRE,' meddai'r hen air, a hefyd Bedwyr druan, ac er gwaetha helyntion y coleg a Manceinion a'r holl bwysau arall arnaf ar ddechrau fy ngyrfa, roedd un lle, un hafan y medrwn ddychwelyd iddi dro ar ôl tro. Oeddwn, roeddwn yn breuddwydio am gael gyrfa a gwireddu fy uchelgais broffesiynol. Ond roedd rhan ohonof yn dyheu am setlo i lawr, gwneud cocŵn cyfforddus i mi a'm priod. Wir, roeddwn i *isio* bod yn wraig tŷ! Yn fwy lwcus na llawer un, roedd gen i gartref annibynnol yn fy ugeiniau cynnar. Pleser a chyffro parhaus oedd meddwl am y lle. Tŷ bychan fy hun, lle cawn goginio, golchi, smwddio a glanhau. Dim problem, nid baich oedd hyn ond pleser newydd. Edrychwn ymlaen at gyflawni'r rôl. Chredech chi ddim pa mor hapus oeddwn i.

Heb sôn am ymarfer ar fy mhiano newydd. Ia, piano Steinway Grand! Ei weld mewn hysbyseb yn Altrincham wnes i – yr un dref â chartref cefnog Miss Clementi. Mynd ar drên i'r tŷ mawr 'ma... dynes yn dod i'r drws a'r geiria cynta a ddywedodd wrtha i, 'I knew you were coming. I've had a picture in my mind of a small girl with long blonde hair coming here.' Hanes yn ailadrodd ei hun? Efallai wir. Ond bellach doedd cyd-ddigwyddiadau fel hyn ddim yn fy nychryn nac yn fy mhoeni: roeddwn wedi hen arfer hefo galluoedd proffwydol anesboniadwy Mrs Gabrielson! Wnes i ddim cynhyrfu, dim ond gwenu arni a deud, 'Isn't that strange?'

Un du oedd y piano mewn stafell ger *bay window* fawr, y caead wedi'i godi a'r nodau'n wyn a glân. Gadawodd y ddynes fi ar fy mhen fy hun am ryw chwarter awr i chwarae. Oedd, mi oedd y piano'n hen, ond roedd y teimlad a'r cyffyrddiad wrth ei chwarae'n braf iawn, ac mi wyddwn yn fy nghalon 'mod i isio'r piano'n ofnadwy. Ond, wrth gwrs, mae 'na gant a mil o bethau eraill pwysicach na phiano wrth ddechra byw, 'yn does – ac mi

oedd gen i biano *upright* C Bechstein yn Nhŷ'r Ysgol, hen biano
Mrs Gabrielson a brynodd Mam a Dad i mi pan oeddwn yn un
ar hugain oed. I be roeddwn i isio dau? Bu trafodaeth hir rhwng
Gwyn a minnau. Oeddan ni'n medru'i fforddio fo 'ta be? Ac eto
roedd ganddon ni le iddo yn y stafell fyw. Hmmm...

Ond mi ymyrrodd ffawd yn y penderfyniad ym mherson
Gerald, cefnder Gwyn, a ddaeth i'n gweld un diwrnod yn y
tŷ newydd. Meddai Gerald yn syth wrth weld ein stafell fyw:
'Annette, fan yma mae isio i ti roi dy grand piano du, a chofia
roi rhosys cochion arno bob tro, mae hynny'n *classy* iawn.' Ar
ôl geiriau Gerald fedrwn i ddim cael y darlun o'm meddwl! Y
piano'n sefyll yn urddasol yn fan'no, a'r rhosod cochion arni...
du, a gwyn, a choch... rhamantus 'ta be? Wrth gwrs, mi brynon
ni'r piano, a rhoi dwy fil o bunnoedd amdano. Hwnnw'n
cyrraedd mewn fan fawr o Siop Eifionydd, a nhwytha'n ei roi
hefo'i gilydd a'i osod yn fy stafell fyw. A'r peth rhyfedd ydi,
dim ond cwta bythefnos ar ôl iddo fod yma'n creu ei ddarlun
rhamantus yn fy meddwl, bu farw Gerald yn sydyn. Fel petai o
rywsut wedi talu'r gymwynas olaf â mi cyn gadael. Pan fydda
i'n prynu bwnsiad o rosod cochion, a'u rhoi ar ben y piano du,
byddaf bob amser yn meddwl am Gerald...

Buan iawn y daeth y tŷ, y cartref, Cynefin, i olygu llawer i
mi. Mi ro'n i'n codi yn y bora, yn agor y llenni ac yn gweld yr
Wyddfa, Elidir Fach ac Elidir Fawr, Moel Eilio, Caernarfon ac
Ynys Llanddwyn. Anadlu sicrwydd, harddwch, awelon rhyddid.
Ni freuddwydiais erioed am well bywyd.

Roedd Gwyn wedi cael swydd newydd fel Pennaeth Addysg
Grefyddol yn Ysgol David Hughes, Porthaethwy, ac un diwrnod,
wrth fy ngweld i'n stwnan yn freuddwydiol o gwmpas y tŷ,
dyma fo'n deud wrtha i, 'W't ti isio mi drefnu cwrs ymarfer
dysgu i ti?' Edrychais yn hollol hurt arno. Be oedd ar ei ben o?
Rhyddid creadigol, perfformio, dilyn gyrfa fel pianydd llawrydd
yng Nghymru – dyna oedd gen i mewn golwg. Doedd o erioed
yn awgrymu 'mod i'n mynd i ddysgu mewn ysgol, yn sownd
o fewn pedair wal? Byth bythoedd! Dwi ddim yn meddwl fod
Gwyn wedi deall beth oedd gen i mewn golwg ar y pryd. Mae'n
siŵr fod y syniad o weithio'n *freelance* yn ddieithr iawn iddo yn

y cyfnod hwnnw. Ceisio fy helpu i roedd o, wrth gwrs, ond yn anffodus doedd gweithio o naw tan bump ddim ar fy agenda i! Ddim o gwbwl! Nid felly y gwelwn i fy hun. Yn hollol groes i hynny – amrywiaeth, sefyllfaoedd gwahanol, cyfarfod â phobol wahanol, y teimlad o beidio â gwybod be sy'n dod nesa – dyna be oeddwn i isio mewn bywyd... a hynny yng Nghymru. Pam lai? Onid oedd y llechen las yn fy ngwythiennau? Roedd fy nheidiau a 'nghyndeidiau wedi gweithio yn y chwarel ac wedi bod yn asgwrn cefn y traddodiadau Cymraeg a Chymreig. Dilyn ôl eu traed a rhoi fy nhalentau at wasanaeth fy mhobol a'm cenedl... dyna'r freuddwyd a'm taniai innau, gan wybod yn fy nghalon fod gen i bob amser fy nefoedd fach fy hun i ddod yn ôl iddi – fy nghartref mynyddig fy hun.

A do, o dipyn i beth mi ddaeth fy mreuddwyd yn wir. Galwadau i gyfeilio neu berfformio. Cyngherddau, eisteddfodau, stiwdios recordio a theledu...

Ond cyn sôn am hynny, gair am y gwersi. Yn ogystal â gwersi'r Coleg ar y Bryn, mi ddechreuais roi gwersi preifat ryw ddwy noson yr wythnos yn Cynefin. Pleser pur! Plant bach oedd y rhan fwyaf o'r disgyblion, ac mi ges oriau o chwerthin hefo nhw. Dwi wedi gwirioni hefo plant erioed, a gwirioni cael eu dysgu, hoffi eu diniweidrwydd a'u doniolwch – a'u cyfeillgarwch agored. Mewn cerddoriaeth mae 'na leins a spesys, yr enwau ar y leins i'r llaw chwith – GBDFA, a'r spesys – ACEG. Dwi'n cofio Dewi, hogyn bach gwallt coch o Ddeiniolen, yn deud wrtha i:

'Dwi'n gwbod sut medra i gofio'r rhain.'

'Sut, 'y ngwas i?' gofynnais.

'Good Budgies Don't Fly Away.'

Oedd o wedi clywed neu weld hyn yn rhywle, wn i ddim, ond mi wnaeth o i mi chwerthin efo'i wreiddioldeb annisgwyl. Byddai rhai o unawdwyr Seindorf Arian Deiniolen yn dod acw hefyd i gael eu dysgu. Yr unig drafferth efo'r offerynnau pres oedd cael gwared â'r poer 'rôl chwythu'r offeryn. Pot blodau anferth oedd gen i i'r pwrpas, a phlanhigyn gwyrdd anferth. Mi dyfodd hwnnw'n fwy ac yn fwy gyda holl boer y plant dros y misoedd. Nid 'pot pourri' oedd gen i ond 'pot poeri'!

Deuai cantorion acw'n amal hefyd dros y blynyddoedd – rhai

o leisiau gorau'r fro, os nad y byd erbyn hyn. Rhaid sôn ar y cychwyn am y bariton o Bant-glas a goncrodd y byd – Bryn Terfel. Hogyn ysgol oedd o pan ddaeth ataf fi gynta am arweiniad cerddorol. Hyd yn oed yr adeg honno gwyddwn yn sicr fod 'na ddyfodol i Bryn: roedd o mor gerddorol, mor aeddfed a llais mawr cyfoethog ganddo pan oedd ond yn ddeunaw oed. Wedyn dyna Gwyn Hughes Jones, a llais bariton cyfoethog ar y pryd, yn cystadlu llawer mewn eisteddfodau lleol. Erbyn hyn mae llais Gwyn wedi newid, ac yntau'n awr yn un o denoriaid gora'r wlad. John Eifion wedyn, llais tenor pur iawn, llais y tenor Cymreig fel y baswn i'n ei ddisgrifio. Ychydig a wyddwn yr adeg honno y basai'n dod yn frawd-yng-nghyfraith i mi! Dôi'r canwr arbennig hwnnw, Alun Mabon, acw hefyd – eisiau dysgu petha ar gyfer eisteddfodau, gan fwyaf. Roedd dystroffi'r cyhyrau ar Alun, a chyrhaeddai mewn tacsi neu efo'i ffrind, Wmffra. Am ddewrder! Canai Alun o'i gadair olwyn. Mynychai fwy o eisteddfodau na neb, yn canu alaw werin, unawd Gymraeg, her unawd, cerdd dant, heb sôn am adrodd. Dyna oedd ei fywyd o. Wmffra, ei ffrind wedyn – dyn diymhongar, tawal, wastad yn helpu Alun. Tenor distaw ond telynegol. Ei gân fawr oedd 'Y Delyn Fud'. Chwaraeais i 'mo hon i neb arall, a chlywais i neb arall yn ei chanu.

Dyn bychan bywiog o Landdaniel oedd Clarence, wedyn. Cymeriad ar y naw, wastad efo rhyw jôc i wneud i mi chwerthin, ond am lais bas/bariton. Hoffai ganu caneuon dramatig, gan roi rêl perfformiad i gynulleidfa. Dôi Alun Edwards o Fôn hefyd, ac yn amal iawn dôi â'i wraig, Gladys, hefo fo. *Right–hand woman* Alun, yn cyfeilio iddo a'i helpu i ddysgu'r caneuon, a ganai'n hyfryd yn ei lais bas cyfoethog. Un arall o Fôn roeddwn mor falch o'i gweld oedd Marian Roberts, Brynsiencyn. Soprano bur a llais fel cloch, yn ledi o ddynes, a phob amser wedi'i gwisgo'n neis, ac yn naturiol o dlws. Roedd cael cwmni Marian yn gymaint o bleser, y ddwy ohonon ni'n janglo'n ddi-baid am goginio, dilladau, gwyliau ac ati!

Dysgu yn y coleg, dysgu gartref, ymarfer, eisteddfota, perfformio, teithio. Doedd 'na'm eiliad o saib i'w gael. Ac ar ben y cwbwl, trio glanhau'r tŷ bob dydd. Ond erbyn hyn, mae'n rhaid cyfaddef, euthum i gasáu smwddio â chas perffaith. Toedd o'n gymaint o wastraff amser – sefyll neu eistedd wrth fwrdd hefo haearn poeth yn smwddio o un ochor i'r llall. Ond dyna fo, roedd rhaid gwneud, debyg... Fedar neb fynd i'w waith hefo dillad wedi rhinclo, chwedl Mam, a chwarae teg, mi ddaeth hithau i'r adwy sawl gwaith, diolch byth. Ond toedd hi'n anodd gwneud pob dim a finna'n gymaint o berffeithydd? A Gwyn druan yn deud yn amal, 'Eistedda lawr, wir Dduw! Ti fel iâr ar darana!' Ia, fo oedd yn iawn. Trio gwneud pob dim, cymryd popeth, gwrthod dim gan 'mod i'n ei ffeindio hi'n anodd deud 'na'. Mae'n anhygoel meddwl cymaint o egni oedd gen i bryd hynny...

Bellach, roedd fy ngwaith yn mynd â fi i bobman ac roeddwn yn gorfod trafaelio a bod oddi cartref yn barhaus. Oedd, roedd fy mreuddwyd yn dod yn wir. Ond O! roedd un peth angen ei sortio, roedd yn *rhaid* gwneud rhwbath am y dreifio. Ardal wledig, byw ar dop mynydd, a thrio teithio Cymru benbaladr. Anghyfleus a deud y lleia. Bysys – anghofiwch amdanyn nhw! Ac mi oedd hi'n dechrau mynd dipyn bach yn chwithig gorfod swnian ar bobol i gael pàs drwy'r amser. Doedd ond un peth amdani. Er 'mod i'n casáu meddwl mynd am wersi dreifio, dyma ymuno wysg fy nannedd ag Ysgol Yrru Phil Birch ym Mangor. Ew, ro'n i'n andros o nerfus. Ro'n i wedi bod yn astudio'r *Highway Code* o glawr i glawr cyn dechrau, ac wedi cael gwers neu ddwy gan Gwyn ei hun. Ond ddim mymryn mwy na dwy, credwch fi... roedd dwy yn hen ulw ddigon. A phetai'n dod i hynny, *un* wers biano gafodd yntau gen innau! A rŵan, dyma'i mentro hi efo Phil Birch. Wel, doedd hi ddim mor ddrwg â hynny ar y dechrau. Roeddwn yn iawn ar lonydd bach a ffordd ddeuol. Ond wfft i'r ddinas ei hun, yn llawn lonydd unffordd, a golau traffig am y gwelech chi. Ro'n i'n chwys doman ar ôl y wers gynta. Ond dwi'm yn un i ildio'n hawdd. Pydru ymlaen efo'r *clutch control*, yr *hill start* a'r *three point turn*. Chwysu chwartia. Ond lwc mwnci, choeliech chi byth – pasio'r tro cynta! Ia, wir! Sôn am dynnu coes Gwyn. Yr eildro y gwnaeth *o* basio. Ta waeth, mi welais i fini bach glas ac mi es amdano fo – car bach *champion*. Mae'n siŵr 'mod i'n dreifio fel malwen mewn gliw ynddo fo ar y dechrau. Dim hyder, dim mwyniant o fath yn y byd, dim ond canolbwyntio cant y cant, sbio ar neb na dim ond y ffordd o 'mlaen i, yn hollol benderfynol o rygnu ymlaen a 'nhrwyn reit ar yr olwyn. Roeddwn i'n arfer cychwyn oriau cyn fy nghyhoeddiad, i wneud yn hollol siŵr y byddwn i'n cyrraedd mewn pryd! Mae gen i arswyd pur, ers fy ngeni bron, o fod yn hwyr. Ond er yr holl baratoi, mi oeddwn i'n dal i golli'n ffordd yn amal. A'r gri wastad oedd... o, na faswn i wedi gwrando mwy ar John Lloyd, fy athro Daearyddiaeth yn Ysgol Brynrefail! Ond dyna fo, mi oeddwn i'n dod i ben â hi, ac o hynny ymlaen roeddwn i'n medru mynd o A i B yn fy ffordd a f'amser fy hun, felly be oedd yr ots?

Ond mi *oedd* ots gen i adael fy nhŷ bach clyd i drampio'r wlad. Gadael Gwyn ar ei ben ei hun sawl gwaith. Wn i ddim pa mor amal dwi wedi crio o hiraeth, wrth aros mewn stafell unig mewn gwesty. Tydi byw mewn gwestai ddim yn fêl i gyd. Oedd, roedd angen yr arian i fyw a chynnal y tŷ, ond anodd, anodd cynnal bywyd priodasol a ninnau ar wahân gymaint. Buan iawn y gwelson ninnau bod yn rhaid dod i ddealltwriaeth – sef bod Gwyn yn dod hefo fi bob penwythnos pan fyddwn i'n gweithio, ac aros efo fi mewn gwestai ledled y wlad. Chwara teg i Gwyn. Mae'n siŵr fod ganddo yntau ei waith ysgol ar benwythnosau. Ond roedd yn braf ei gael o yno, ein dau'n cael cyfarfod â phobol newydd a chael cwmni mewn tŷ bwyta neu gyngerdd, ac ambell steddfod hefyd.

Er nad oedd llawer o batrwm i amseroedd prydau bwyd bryd hynny, ro'n i'n benderfynol o gadw traddodiad y cinio dydd Sul, pryd gora'r wythnos, a finna hefo fy mhopty bach fy hun yn cael arbrofi a choginio i ni'n dau. Buan y dois i ddeall nad ydi bwyd da'n blasu cystal wrth ei wneud ar frys. Rhoddodd Rhianwen o Ddeiniolen *slow cooker* i ni fel anrheg priodas ac roedd hwn yn fendith yng nghanol y fath brysurdeb – darllen llyfr coginio, prynu'r cynhwysion, popeth i mewn ynddo yn y bore a bwyd wedi'i baratoi'n berffaith erbyn gyda'r nos, i'w fwyta efo glasiad bach o win. Weithiau caem ddiwrnod cyfan yn rhydd yn Cynefin, heb unrhyw alwadau. Braf! Cael tawelwch y mynydd nawr ac yn y man, dim ond sŵn y gwynt, y glaw a'r adar bach, a theimlo cynhesrwydd yr haf. Yn y cyfnod hwn, roeddwn i wedi dod yn reit hoff o goginio, yn enwedig pe cawn i'r diwrnod cyfan i wneud hynny. Trio'r petha ffansi roedd y cogyddion yn eu gwneud ar y teledu, a chael digon o amser i wneud y *trimmings*, gosod y bwrdd, gosod blodau ar y bwrdd, ac edrych ymlaen at fwyta ac ymlacio yng nghwmni Gwyn.

Byddai Mam, Dad, Vera a Tommy (sef rhieni Gwyn), yn ogystal â'm chwiorydd yn dod acw i Cynefin yn reit amal i gael noson bach hefo'n gilydd. Ac ar nosweithiau fel hyn mi allech fetio'ch het y byddai yna ganu ar ddiwedd y noson. Weithiau, Mam fyddai isio clywed y tair ohonon ni'n canu efo'n gilydd ar ôl i ni ymadael â Thŷ'r Ysgol; dro arall, Dad isio i mi gyfeilio iddo fo. Ond uchafbwynt y noson bob tro fyddai cael clywed Dad a Tommy yn cydganu 'The Laughing Policemen'. Yn y gytgan 'ha-ha' honno, mynnai Tommy dynnu ei ddannedd gosod, a gwneud stumiau melltigedig gan ganu a defnyddio rhyw lais *pitch* uchel. Roedd pawb yn eu dagrau am fod gan Tommy ryw ddawn naturiol i wneud i bobol chwerthin, dim ots beth fyddai o'n ei ganu. Yn amal iawn byddai'n cyfansoddi geiriau ar y pryd ar ryw diwn adnabyddus. Toedd nac odl na mesur ynddynt, ac yn amlach na pheidio mi fyddai'r diwn wedi hen ddod i derfyn… ac yntau'n dal i ganu!

Beth am gynnal a chadw'r tŷ? Y jobsys bach hynny sy'n rhaid eu gwneud o bryd i'w gilydd. Wel, ym myd addysg mae Gwyn wedi gweithio ers 1977, ac mae'n cydnabod hyd heddiw na fu ganddo erioed ddiddordeb mewn DIY. Ond doedd dim rhaid i mi boeni o gwbwl, roedd gen i ddau *handy-man*, Dad a Tommy. Byddent yn treulio oriau yn helpu, yn gosod cypyrddau a silffoedd, peintio, glanhau peipiau, torri gwair – yn wir, pob dim, wedi iddynt sylwi bod isio'i wneud. Doedd dim rhaid gofyn, roedd y ddau acw'n amal. Ac yn union fel Laurel a Hardy, y ddau'n ffrindia penna, yn tynnu coes a phryfocio ei gilydd… a chwerthin! Bois bach… Mi wnawn yn siŵr fod poteli o rỳm a *blackcurrant* acw wastad. Dyna beth fyddai Tommy yn hoffi'i gael ar ôl gorffen job. Nid pres ond glasiad o rỳm a blac. Peth da i olchi'i ddannedd gosod ynddo fo, medda fo. A dyna'r cwestiwn a ofynnwn yn amal iawn, 'Wyt ti isio llnau dy ddannadd, Tommy bach?'

'Duw, pam ddim, dwi heb'u llnau nhw heddiw 'ma. Ha ha ha.' Ciw i nôl y poteli rỳm a blac!

Oedd, roedd bywyd yn braf yn Cynefin ar ddechrau'r wythdegau: gŵr, teulu, ffrindiau. Cael gwneud y gwaith roeddwn am ei wneud, ac ennill cyflog. A doedd dim rhaid i mi hyd yn oed gadw'r llyfrau hunangyflogedig. Diolch am gyfrifydd – sef Eirwen Orwig o Fangor. Hi fyddai'n cadw fy arian mewn trefn, a gofalu 'mod i'n talu treth mewn pryd a bod popeth yn ei le.

Ond, a oedd popeth yn ei le? Nac oedd, roedd un peth ar goll. Rhywbeth oedd wedi bod ar fy meddwl ers blynyddoedd, a rhywbeth roeddwn i ei eisiau yn fwy na dim byd arall. Roeddwn i bron â marw isio bod yn fam. Dyhewn am gael plant i'w magu yn Cynefin, cael canu a chwarae piano iddyn nhw, adrodd storïau, gwisgo amdanynt, rhoi fy holl gariad iddyn nhw, a'u gweld nhw'n tyfu. Roedd Gwyn a fi isio llond tŷ o blant. Bob tro y gwelwn rieni'n mynd i nôl eu plant o'r ysgol, mi faswn wedi gwneud unrhyw beth i fod yn eu lle. Yn wir, roedd hyn ar fy meddwl yn ddyddiol, ond wedyn roeddwn i'n ddigon ifanc, yn ddim ond dwy ar hugain... Er mwyn sicrhau magwraeth iawn i'r plant, byddai'n rhaid aros gartref, a medru fforddio gwneud hynny. Faswn i byth isio i neb arall fagu fy mhlant, dim nani na gwarchodwr, dim ond ni'n dau. Daeth pwrpas i'r holl waith a ddeuai i'm cyfeiriad. Gwneud y tŷ yn addas, diddosi'r nyth, a rhoi arian yn y banc yn y gobaith o fagu ein plant heb orfod poeni am bethau felly. Penderfynais ddygnu arni'n galetach nag erioed. Yn wirion o galed.

Roedd fy nyddiadur yn mynd yn llawnach bob mis. Gallai un alwad ffôn newid y trefniadau i gyd. Efallai y byddai rhywun fy angen ar y funud olaf. Byth yn gwrthod. Trio'i ffitio i mewn. Aildrefnu, dreifio yn hwyr yn y nos o rywle, cyrraedd adre am un neu ddau o'r gloch y bore a dechrau gweithio y bore wedyn. Diolch byth mai chydig o gwsg roeddwn ei angen neu faswn i byth wedi medru dal. Prin fod gen i amser i fi fy hun. Trwyn ar y maen... gwaith, teithio, gwaith, teithio... Ond doedd dim ots gen i am hynny, roedd rhywbeth yn fy ngyrru ymlaen i wneud y cyfan. Roedd fy nghalon ar dân. A dweud y gwir, mewn rhyw ffordd, roeddwn yn mwynhau'r *adrenalin rush*. Ond byw ar ffin denau oeddwn i. Bu Gwyn a fy rhieni'n pryderu amdana i.

'Rwyt ti'n neud gormod, Ann bach. Paid â lladd dy hun. Fedri di ddim ei dal hi ym mhobman, ysti. Ti'm fod i weithio ddydd a nos.'

'Fydda i'n iawn, peidiwch â phoeni amdana i, dwi'n enjoio. Ylwch, dach chi'n nabod fi'n ddigon da. Os na fydda i'n hapus hefo rywbeth, wna i mo'i neud o.'

Dyna fyddai f'ateb bob tro. Dim ots am y peryglon o weithio ddydd a nos. Cymryd popeth... methu dweud 'na' ... meddwl 'mod i'n ddigon cryf, yn ddigon ffit i daclo unrhyw beth. Roeddwn ar olwyn, a honno'n methu stopio...

Mae 'na arwyddion corfforol pendant i flinder, wel i mi beth bynnag. Bydd y tu ôl i 'ngwddw i'n cloi, y chwarennau'n chwyddo ac yn boenus, tensiwn, dim amynedd, a methu cysgu. A dyna ddigwyddodd, wrth gwrs. Un bore, mi ffeindiais na fedrwn i fynd un cam arall. Bu'n rhaid i mi ildio ac arafu. Diolch byth am y symptomau hyn, ddweda i, ffordd fy nghorff o ddweud, 'Weee! Stopia! Oni bai amdanynt dwi'n siŵr y baswn wedi cael *nervous breakdown*. Mi bwyllais, diolch byth, a gwrando ar Gwyn a'm rhieni. Cytunais i gael rhyw wythnos neu ddwy o seibiant yn fy nghartref. Cerdded y mynyddoedd, fy nghynefin, digon o awyr iach a llonyddwch, bwyd yn ei bryd. Dim un nodyn ar y piano a dim un nodyn yn fy nghof, neb yn dibynnu arna i, neb yn disgwyl dim gen i. Do, mi ddois i dros y prysurdeb a'r galw, a sylweddoli bod yn rhaid cael cydbwysedd i fod yn artist hunangyflogedig. Roedd yn rhaid gwrthod gwaith, weithiau. Mor bwysig oedd cael bywyd ar wahân i'r piano. Fedrwch chi ddim bod ar gael a gwneud popeth i bawb ar hyd yr adeg...

Gwnaeth y profiad i mi sylweddoli bod cael amsar i fi fy hun yn hedd a diogelwch fy nghartref mor bwysig, ac mor llesol. Gwers bwysig iawn. Ond, weithiau, myn diân i, mae'n goblyn o anodd dweud 'na', coeliwch chi fi!

12

O STEDDFOD I STEDDFOD

UN PETH Y FFEINDIAIS hi'n anodd iawn dweud 'na' wrtho erioed oedd eisteddfod. Eisteddfodau. Cannoedd ohonyn nhw... miloedd! Beth sydd ynglŷn â'r sefydliad yma sy'n dal i ddenu 'nheyrngarwch i? Ei Gymreictod? Ei ddiwylliant? Ei gyfle euraid i roi pob plentyn ar ben ei ffordd trwy berfformio'n gyhoeddus? Ei allu i ddenu a hybu talentau hen a newydd? Ei gyfeillgarwch a'i glosrwydd annwyl? Pob un o'r petha hyn... a mwy. Yn anad dim efallai, am fod eisteddfod yn rhan ohonof i fy hun, bron o'r crud. Mae'n gymaint rhan o 'mhersonoliaeth ag awyr a dŵr Deiniolen ei hun.

Cystadlu oedd fy eisteddfota i ar y dechrau. Canu gan fwyaf, yn amal efo fy chwiorydd. Ond wrth i'm henw fel pianydd ddod yn adnabyddus, cyn pen dim roeddwn yn cael fy ngwahodd i ymuno â rhengoedd yr alwedigaeth barchus honno sydd wedi bod mor bwysig i mi ers hynny – y cyfeilydd swyddogol. Y tro cyntaf i mi gael gwisgo'r bathodyn hwnnw ar fy llabed oedd yn Eisteddfod Bentref Bethel, ger Caernarfon, yn bymtheg oed ac yn ddisgybl yn y Bumed Flwyddyn yn Ysgol Brynrefail. A tydi o ddim wedi gadael fy llabed byth ers hynny! Cyfnod go dda, faswn i'n dweud!

Roedd Bethel wedi fy ngwahodd i gyfeilio nid yn unig yn y prynhawn i'r plant, ond hefyd i'r oedolion yn y nos. Pymtheg oed oeddwn i, cofiwch. Er 'mod i wedi gwrando a sylwi ar grefft y cyfeilydd mewn degau o eisteddfodau ers pan oeddwn i'n ddim o beth, mater arall oedd y cyfrifoldeb ar f'ysgwyddau ifanc ar y noson o orfod darllen unawd ar yr olwg gynta. Ac ia, ar y noson ei hun, cofiwch, reit ar y funud ola, dyna pryd y deuai'r unawdwyr â'u copïau ataf a minnau'n cael eu gweld am y tro cynta. Er hyn i gyd, roeddwn yn eitha cŵl am y peth. Roeddwn i wedi meistrioli crefft *sight reading*. Hyder ieuenctid ffôl efallai, ond twt, be oedd hi'n werth poeni a cholli cwsg amdano? Beth bynnag, i ffwrdd â mi yn dalog efo Dad i neuadd fechan Bethel. Y lle dan ei sang, yn llawn dop o blant nerfus a mamau milain. Cyfarfod â T J Williams (Llanrwst), y beirniad cerdd. Yntau'n holi'n glên am fy nghefndir.

'Ydach chi yma pnawn 'ma?' gofynnodd.

'O ydw. Pnawn 'ma *a* heno,' medda finna'n ddidaro.

Mi edrychodd dipyn bach yn bryderus ar y bwten fach benfelen o'i flaen. Gwybod yn iawn y byddai'r baswr, Clarence, yno, ac Alun Mabon, Wmffra, Hefin Waunfawr, ac eraill o *top dogs* yr ardal, yn cystadlu'n ffyrnig am anrhydedd gwobr yr 'Her Unawd' a'r 'Unawd Gymraeg'. A doedd *fiw* iddyn nhw golli'r wobr o achos nodyn rong gan y cyfeilydd. Ddeudodd T J ddim, dim ond arwydd o'r twtsh lleia o bryder yn ei lygaid o...

Mi aeth y cyfarfod plant yn *champion*. Te wedyn yn y neuadd – salad a ham cartref, treiffl a digon o fara brith. Siarad am fiwsig hefo T J a phawb yn ofnadwy o glên wrtha i. Ond buan yr anghofiwyd am yr ham a'r treiffl wrth i gystadlaethau'r nos ddechrau o ddifri. A dyma res o gystadleuwyr yn dod â'u copïau miwsig ata i, a golwg daer a phenderfynol arnynt. Nid chwarae plant oedd hyn. Roedd yr hogia yma o ddifri. Hefin Waunfawr oedd y cyntaf yn y ciw. Ei lygaid yn pefrio, cyn chwipio copi o 'Ingemisco' allan o *Requiem Mass* Verdi o dan fy nhrwyn. Arclwy mawr! Be oedd hon? Nid yn unig doeddwn i erioed wedi gweld na chlywed y gân yma, ond i goroni'r cwbwl, roedd *chwe fflat* ynddi. *Chwech*! O, plis! Wna i byth anghofio'r noson honno. Roedd cyfeilio i Hefin fel dreifio car efo mwgwd ar fy wyneb, peintio llun heb sbio ar y brwsh. Yr hunllef ofnadwy o orfod edrych a dilyn y miwsig ar y papur fel hebog, heb fedru sbio ar y petha oedd yn creu'r sain – fy nwylo! Doedd fiw i mi hyd yn oed daflu cipolwg arnyn nhw neu mi gollwn fy lle ar y sgôr ac mi âi hi'n llanast llwyr wedyn. Canolbwyntio hynny fedrwn i ar y dotiau felly, a gadael fy mysedd i'w ffawd eu hunain, gan drystio'r duwiau eu bod yn mynd i'r llefydd iawn. A diolch i'r nefoedd am yr holl *scales* ac *arpeggios* roedd Mrs Gabrielson wedi fy ngorfodi i'w chwarae'n ddi-stop fel ail natur dros yr holl flynyddoedd. Roedd y darn yn para am oesoedd ac oesoedd. Ond o'r diwedd, y nodau olaf. A diolch byth, drwy ryfedd wyrth, dim mistêcs. Mi aeth popeth yn iawn. Fedrwn i ddim coelio'r peth. Ac meddai T J yn ei feirniadaeth i'r gynulleidfa, 'Bydd hon yn y Genedlaethol yn fuan iawn, coeliwch chi 'ngeiria i. Mi welwn ni lawer o hon!' O'n i bron â chrio...

Dad yn dod i'm nôl a gofyn sut oedd petha wedi mynd.

'Dyma be ydw i isio'i neud, Dad,' meddwn innau'n grynedig, a'm hemosiynau yn fy nhynnu bob ffordd. Roedd yr unawdwyr i gyd wedi dod ata i i ddiolch ac ysgwyd llaw hefo mi. Roeddwn wedi gwneud ffrindia newydd. Cerddorion fel finna. Dyhewn am gael eu gweld eto, a chyfeilio iddynt, a gwneud fy ngorau drostynt.

Roedd hi'n hanner awr wedi hanner nos pan gyrhaeddais adre, a Mam yn dal ar ei thraed yn disgwyl amdana i'n eiddgar ac yn bryderus. Mi wyddwn na fuasai Mam byth wedi medru eistedd yno. Buasai'r poeni amdana i'n ormod iddi, a'i dwylo'n chwys laddar.

'W't ti'n iawn? Sut aeth hi? W't ti 'di blino? Wnest ti'n iawn? Oeddat ti'n nerfus? Be ddwedon nhw?' Y cwestiynau'n rhibidirês ar yr un gwynt.

'Dwi'n iawn, Mam,' meddwn inna. 'Mi aeth popeth yn iawn. A... dyma be ydw i isio'i neud, Mam.'

Yna, paned a deud yr hanes i gyd wrth Mam a Dad, ac i 'ngwely tua hanner awr wedi un. Wrth gwrs, chysgais i ddim am oriau wedyn: y caneuon a'r profiad yn mynd rownd a rownd yn fy mhen, o'r nodyn cyntaf a chwaraeais i'r plentyn dan bump oed hyd nodyn diwethaf 'Hen Wlad fy Nhadau'.

Dyna sut y cychwynnodd fy ngyrfa hir fel cyfeilydd swyddogol mewn steddfoda.

Dechreuodd y ffôn ganu'n ddiddiwedd ar ôl i hanes cyfeilyddes newydd steddfod Bethel deithio ledled y wlad fel tân gwyllt. Y gwahoddiadau'n cyrraedd yn fân ac yn fuan i gyfeilio yn eisteddfodau Deiniolen, Llanrug, Caernarfon, Dyffryn Ogwen, Talwrn, Llanddeusant... heb sôn am Bodffordd, Cemaes, Eisteddfod Môn, Dyffryn Nantlle, Clynnog, Aberdaron, Mynytho,

Sarn Mellteyrn, y Ffôr, Trefor, Cilgwyn (Carmel), Rhuthun, Pwllglas, heb anghofio... Llan Ffestiniog, Abergynolwyn, Rhoslefain, Aberteifi, Eisteddfod Powys... a dim ond enwi eu hanner nhw ydi hynny!

Wrth i mi gael fy nhraed odanaf, a dod i adnabod y trefnwyr, y beirniaid a'r cystadleuwyr, daeth y dyletswyddau mewn ambell eisteddfod wledig i gynnwys mwy na dim ond cyfeilio – helpu i olchi a sychu llestri tra byddai beirniadaeth y gadair neu lefaru ar y llwyfan, casglu ryséitiau pwdinau, teisennau, cawl cennin a bara brith pob ardal yn fy llyfr bach, ac yn goron ar y cyfnod hapus hwn, cyfarfod ag ambell un wna i byth ei anghofio. Yn eu plith mae Llwyn.

Wn i ddim beth oedd ei enw cywir. Ffermwr ydoedd, yn byw yn Pistyll – rhwng Llithfaen a Nefyn. Dyn tal, gwelw o ran pryd a gwedd, a dwylo fel rhawiau ganddo. Gwisgai hen wats aur ar ei wasgod bob amser. Arferai Llwyn ganu'r un caneuon a chyflwyno'r un darnau adrodd ym mhob eisteddfod. Bob un. P'run bynnag, dwi'n cofio bod yn un o eisteddfodau pentre Trefor, a Llwyn yn barod i ganu'r hen ffefryn 'O fy Iesu bendigedig' yn y pulpud, a minnau'n edrych i fyny ato o gyfeiriad y piano, i gael dilyn amseriad ei nodau, oedd yn 'rhyddfrydol' a dweud y lleiaf! Mi gychwynnodd y creadur yn eitha parchus. Ond och a gwae, ar ôl rhyw ddwy frawddeg o ganu yn y tremolo diddiwedd hwnnw, wrth estyn am ryw nodyn go fawr, dyma'i ddannedd gosod yn syrthio o'i geg, dros ochor y pulpud, a glanio'n glewt ar blât casglu aur a oedd ar y bwrdd yn y Set Fawr. Safodd Llwyn yn syfrdan yn y pulpud, ei geg ddiddannedd mor grwn â phen-ôl iar. Gan fod y gynulleidfa'n rhowlio chwerthin, er tegwch iddo, mi roddais innau daw ar y cyfeiliant. Roeddwn i'n rhy wan i wneud dim byd arall, a deud y gwir, gan fod fy ochrau i'n brifo ar ôl chwerthin, a'r masgara wedi rhedeg fel dwy afon ddu i lawr fy mochau. Y peth nesa, dyma Llwyn yn camu'n urddasol i lawr o'r pulpud ac un o'r dwylo rhawiau'n gafael yn y dannedd a'u stwffio nhw heb ddim lol yn ôl i'w geg. Trampio yr un mor ddidaro yn ôl i'r pulpud, ac wedi llyncu'i boer a sadio dipyn, meddai wrth y beirniad, 'Ga i ddechra eto, plis?'

'Cewch, cewch,' meddai'r beirniad. Trodd Llwyn ei lygaid mawr ataf, a dweud mewn llais isel crynedig, 'Dwi'n barod rŵan, del bach.' Roedd y gymeradwyaeth yn fyddarol.

Cofio'r bwyd a'r croeso annwyl a gwresog yn yr eisteddfodau bach hyn hefyd. Pobol yn mynd allan o'u ffordd i fod yn hael, ac yn ein bwydo fel pe byddai'n ddiwedd y byd drannoeth. Mi glywa i rŵan flas fagots a bara cartref arbennig Mrs Elias, Clynnog Fawr, mam Twm Elias, y naturiaethwr. Yn Llanddeusant wedyn cawn aros efo Ffred a'r diweddar Eirwen Williams, yn Preswylfa – tŷ bach del, henffasiwn yn y pentre. Roeddwn i'n dotio atynt – y ddau mor ddoniol efo'i gilydd, Eirwen yn cŵl braf a Ffred yn ffysian ac yn bryderus oherwydd y cyfrifoldeb anferthol o drefnu'r eisteddfod! Eu gardd dwt yn llawn blodau, a physgod aur yn sgleinio yn yr haul. Gwnâi Eirwen facwn ac wy i mi i frecwast bob amser, a gwaith Ffred oedd gwneud mŷg o de. Un bora, mi ddigwyddais godi o'm gwely i nôl fy mrecwast yn fy mhyjamas, a'r *rollers* yn dal yn fy ngwallt. Basai'n werth i chi weld wyneb Ffred, ei lygaid fel soseri, a'i aeliau'n twtsiad ei wallt. 'Be fasa pobol steddfod yn ddeud rŵan, ar f'enaid i? Ha ha ha!' meddai toc, a thynnu'n ffyrnig ar ei Woodbine ger drws y cefn.

Sôn am Eisteddfod Llanddeusant, a fyddai'n para, credwch neu beidio, am dri diwrnod cyfan, fy nghyd-gyfeilydd fyddai'r hynaws Davy Jones, Llanfairfechan. Hwn, os cofiwch, oedd y cyfeilydd boneddig a dawnus a welswn yn ddeg oed yn Eisteddfod Llanrwst, pan aeth Mam ato a chael cyfeiriad Mrs Gabrielson, a ddaeth yn ddylanwad mor fawr arnaf. Rŵan, roeddwn i'n cael y fraint o gydgyfeilio hefo fo. Cael eistedd hefo fo wrth y piano, troi tudalennau iddo, ac edmygu ei ddwylo medrus yn chwarae darnau anodd yr Her Unawd. Yn fwy na dim, ei weld yn trin pobol gydag urddas, a phawb yn ei barchu. Hon oedd y wers bwysicaf a ddysgodd Davy Jones i mi, ac rwy'n ddiolchgar iddo hyd heddiw.

Roedd y cylch eisteddfodol yn llawn o gymeriadau swnllyd, doniol a dramatig. Ond cefais y cyfle hefyd i gyfarfod pobol ddawnus a diffuant, ond llawer tawelach eu natur. Yn eisteddfod leol Cemaes, Môn, y cwrddais â'r bardd Glyndwr Thomas.

Cymerai Glyndwr ddiddordeb angerddol mewn cerddoriaeth. Rhyfeddwn at ei wybodaeth anhygoel. Gwyddai enwau darnau pob cyfansoddwr o Handel i Stravinsky, rhifau consiertos Mozart a symffonïau Haydn. Edrychwn ymlaen at ei gyfarfod ar f'ymweliad blynyddol â Chemaes.

'Mae gen i bresant bach i ti, Annette,' meddai wrtha i un flwyddyn. 'Dwi 'di gneud englyn bach i ti. Dim byd mawr, wsti... Dyma ti,' a gwthio papur bach i'm llaw. Mi darllenais i o'n ddistaw i mi fy hun, drosodd a throsodd. Codi 'mhen ac edrych arno. Yntau'n craffu arna i, yn awyddus i wybod beth oedd f'ymateb.

'Dim byd mawr, wir?' meddwn i toc yn deimladwy. 'Glyndwr, mae hwn yn berffaith! Does neb erioed wedi sgwennu englyn i mi, ac mi wna i drysori hwn am byth.'

'Dwi'n falch,' meddai Glyndwr yn syml, a gwên fawr ar ei wyneb. Y Nadolig canlynol, aeth Gwyn â'r papur bach at Mary Elliot, oedd yn byw ym Mhenisarwaun. Roedd Mary'n meddu ar ddawn arbennig ym maes brodwaith, a buan iawn y trodd englyn Glyndwr yn frodwaith o frethyn hardd. Mae'r englyn sy'n cyfeirio ata i fel cyfeilydd, mewn ffrâm yn f'stafell gerdd, ac mi fydd hi yn fy nghalon am byth:

> Y cynnwrf mawr a'r cwyno – y rhediad
>   Direidus – maent yno;
>   Holl droeon calon cyn co
>   Yn un dylif o'i dwylo.

Ia, atgofion llon a lleddf am yr eisteddfodau bach gwledig. Chwerthin yn afreolus wrth drio fy llaw ar ddarllen darn o stori fer yn y gystadleuaeth darllen ar y pryd yn acen y de yn Eisteddfod Sarn Mellteyrn. Yn ôl y sôn roedd y trysorydd, ac yntau'n hen lanc, wedi rhoi tipyn o sylw i mi amser te ac wrth gwrs roedd y beirniaid wedi sylwi. Ches i mo'r wobr gynta am ddarllen gan Alun Jones (Bow Street), dim ond gwobr gysur, sef sws gan y trysorydd. Yntau wedyn, a gwên fawr ar ei wyneb, yn croesi'r llwyfan i'w rhoi i mi a'r dorf wrth gwrs yn cymeradwyo.

Cael gair caredig gan y Parch. Emlyn Richards wedyn mewn

rhyw eisteddfod arall, a Mam yn sâl efo cancr y fron. Mr Richards yn addo y byddai enw Mam yn ei weddïau y bore Sul canlynol – petha fel yna sy'n aros yn y cof.

Mae un bwlch reit ryfedd yn y byd eisteddfodol hefyd – fy niffyg ymdrech pan oeddwn yn ifanc i gystadlu ar yr unawd piano fy hun. Pam, wn i ddim. Pethau eraill yn mynd â fy mryd, debyg. Ond enillais fedal Grace Williams am gyfansoddi yn Eisteddfod yr Urdd, Pwllheli, yn 1982. Sioc fawr i mi! Dwi'n cyfaddef 'mod i wedi cyfansoddi'r darnau ar y trên rhwng Bangor a Manceinion, wrth i mi deithio 'nôl ac ymlaen i'r coleg. Anfon y cyfansoddiadau i'r Eisteddfod o ran hwyl, ac anghofio pob dim am y peth. Dychmygwch y sioc pan ddaeth galwad i Mam fy mod wedi ennill Tlws y Cerddor! Wyddai Mam ddim 'mod i wedi cystadlu hyd yn oed. Wnes innau chwaith ddim sylweddoli fod medal go iawn yn cael ei chyflwyno. Seremoni fach mewn congl ddiarffordd ar faes yr eisteddfod – felly roedd hi yn 1982. Medal hardd iawn, ond i'w chadw am flwyddyn yn unig. Erbyn heddiw, mae'r seremoni yn y pafiliwn ei hun, nid mewn congl fechan, a dwi'n falch o hynny.

Sôn am yr Urdd, taswn i'n cael punt am bob Eisteddfod Cylch a Sir y gwnes i gyfeilio ynddynt erioed, mi faswn wedi riteirio i'r Bahamas ers blynyddoedd! Ond yn Eisteddfod Bethesda 1986 y cefais y gwahoddiad cyntaf i gyfeilio yn Eisteddfod Genedlaethol yr Urdd. Eisteddfod wlyb iawn, bwrw glaw bob dydd, a mwd ar hyd y maes. Minnau'n feichiog, a dim llawer o hwyliau arna i. Ond roedd gen i waith cyfeilio enfawr – unawdau lleisiol ac offerynnol, ond diolch byth, dim ond pum milltir o deithio adre dros y mynydd.

Mi barheais yn gyfeilydd cenedlaethol swyddogol yr Urdd tan y flwyddyn 2002 pan benderfynais roi'r gorau iddi wedi pedair blynedd ar ddeg o ymgymryd â'r swydd. Yn un peth, roeddwn i isio cael cyfle am unwaith i fod hefo'r plantos yn ystod gwyliau'r Sulgwyn. Bob blwyddyn tan hynny roeddwn wedi bod yn aros mewn carafán neu westy – Gwyn, fi a'r plant. Gorfod codi am chwech bob bore, paratoi dilladau i'r plant a gofalu bod popeth yn barod iddynt. Paratoi fy ngherddoriaeth a gofalu bod popeth gen i. Gofalu bod gen i ddillad twt ar gyfer y llwyfan, a gofalu bod 'na ddigon o fwyd i bawb ar gyfer y bore. Teithio i ragbrawf a fyddai'n dechrau am chwarter i wyth y bore, cyfeilio a gwneud fy ngora i bawb oedd yn cystadlu. Roedd yn gofyn am dipyn o ymroddiad, coeliwch chi fi!

Cefais siom fawr mewn un o Eisteddfodau Cenedlaethol yr Urdd. Roeddwn yn cyfeilio yn y gystadleuaeth offerynnol agored – a rhyw ddeg darn anodd iawn wedi'u hanfon ataf. Bûm yn eu hymarfer am ddyddiau, yn enwedig un darn gan Hindemith. Miloedd o nodau i'w darllen, a rhythmau cymhleth. Yn amal iawn byddai Gwyn yn gorfod mynd â'r plantos i faes chwarae yn Neiniolen er mwyn i mi gael heddwch. Fore'r gystadleuaeth, a threfnu gyda'r unawdwyr i gael ymarfer ymlaen llaw. Allan o ddeg ymgeisydd, dim ond tri ymddangosodd y bore hwnnw. Ac wedi oriau diddiwedd o ymarfer cyfeiliant cymhleth Hindemith, y siom fwyaf oedd deall nad oedd yr ymgeisydd yn cystadlu wedi'r cwbwl! A minnau wedi aberthu fy amser prin efo'r plant. Penderfynais beidio â chyfeilio wedyn yn yr Urdd am y tro.

A beth am yr Eisteddfod Genedlaethol arall? Yn Llangefni yn 1983 y cefais y gwahoddiad cyntaf i gyfeilio yn yr Eisteddfod honno. Walter Glyn Davies, y cerddor o Amlwch, oedd i fod gyfeilio, ond cawsai ei daro'n wael rhyw bythefnos ynghynt a gorfod mynd i'r ysbyty am driniaeth. Fo awgrymodd fy enw i'r Pwyllgor Cerdd a fo hefyd roddodd berswâd arnynt i fy ngwadd fel cyfeilydd swyddogol. Adref ar fy ngwyliau o'r coleg oeddwn i ac yn gwrando ar Abba yn ddigon difeddwl, pan ddaeth galwad ffôn i Dŷ'r Ysgol. Mam yn rhoi'r ffôn i mi a golwg bryderus iawn arni.

'Osian Wyn Jones sydd yma, Trefnydd yr Eisteddfod Genedlaethol.'

'Helô, su' dach chi?' medda finna'n nerfus iawn, ddim yn gwbod be oedd y geiriau nesa'n mynd i fod.

'Y Pwyllgor Cerdd isio i mi ofyn i chi a fasech chi'n fodlon cyfeilio yn Steddfod Llangefni,' meddai Osian.

'Gwna i, siŵr!' meddwn innau'n syth, heb feddwl dim.

Rhedeg yn syth i'r gegin at Mam yn llawn cynnwrf. Dyna lle

roedd Mam wrth y sinc yn edrych allan trwy'r ffenest, yn dweud dim. Gwyddai'n iawn beth oedd fy newyddion. Ac yna dyma hi'n troi ata i, a dagrau lond ei llygaid, a dweud, 'Fy hogan bach i – yn cyfeilio yn y Genedlaethol!' Pan ddaeth Dad adre o'r chwarel, roedd yntau'n reit ddagreuol hefyd, a bu tipyn o ddathlu yn Nhŷ'r Ysgol y noson honno – Mam, Dad, Gwyn, Olwen, Marina a finna. A dyna'r tro cyntaf i mi weld potel o *bubbly* yn Nhŷ'r Ysgol!

Wna i byth anghofio cerdded i'r rhagbrawf mewn capel yn Llangefni, bathodyn cyfeilydd ar fy siaced las tywyll, a phawb yn disgwyl amdanaf wrth y cyntedd. Wynebau dieithr yn edrych arna i – rhai'n syllu, a rhai'n sibrwd wrth ei gilydd ac yn edrych arna i wedyn. Gwenu ar bawb wnes i, ac eistedd wrth y piano. Mi ro'n i'n nerfus iawn, ond yn benderfynol o wneud fy ngorau i'r sopranos.

Y tenor Kenneth Bowen oedd yn beirniadu, a daeth ataf ar ôl y gystadleuaeth i'm llongyfarch. Edrychwn ymlaen wedyn i fynd ar y llwyfan ei hun. Cerdded trwy'r maes ac i mewn i'r pafiliwn. Gwyddwn fod y llwyfan yn fawr. R'on i'n cofio'r teimlad nerfus hwnnw, 'nôl yn Steddfod Caernarfon yn 1979 pan ddois yn ail ar yr unawd piano dan 19 oed. Ond tasg go wahanol oedd o 'mlaen y tro yma – cyfeilio i dair soprano yn y Gystadleuaeth Agored. Do, mi wnes fy ngorau, a do, mi lwyddais i chwarae popeth hyd eitha fy ngallu a chael croeso mwy na gwresog gan y gynulleidfa. Roeddwn wedi cyrraedd safon a bri cenedlaethol. Teimlwn fel ffilm star!

Yn hollol annisgwyl, daeth mwy o waith i'm rhan yn Eisteddfod Llangefni yn 1983. Aeth Eluned Douglas Williams, Dolgellau, yn sâl yng nghanol yr wythnos, a dim ond y fi oedd yn rhydd i ymgymryd â chystadleuaeth yr Unawd Tenor Agored. 'Il mio tesoro' gan Mozart oedd y darn prawf, a dim ond *un* diwrnod i'w ymarfer. Ond, yn ffodus, roeddwn wedi cyfeilio'r darn lawer tro i fy ffrind annwyl John Puw yn y coleg. I'r un capel yn Llangefni y dychwelais yr eildro i'r rhagbrofion. Ond y tro hwn roedd agwedd y bobol yn y cyntedd yn dra gwahanol tuag ata i. Neb yn syllu a sibrwd bellach. Pawb yn gwenu ac yn ysgwyd fy llaw. Y tenoriaid i gyd yn gwenu. '*News travels fast,*' meddwn i wrthyf fy hun. Roedd y cantorion wedi bod yn fy nhrafod, mae'n amlwg. Beth oeddent yn ei feddwl ohona i, tybed? 'Paid â phoeni am neb' oedd cyngor Dad bob amser. 'Gwna di dy ora, hitia befo be mae neb yn ddeud.' A dyna be wnes i, a mwynhau. Ar y pryd, sylweddolais i ddim y byddai gen i ddau ymgeisydd i gyfeilio iddyn nhw ar y Rhuban Glas ar nos Sadwrn ola'r eisteddfod!

Daeth y noson fawr. Mam wedi prynu ffrog wen hir i mi, a rhyw sbecs bach pinc a glas arni, fy ngwallt hir wedi'i gyrlio, a'r colur yn barod ar fy wyneb. Ni allaf feddwl am ansoddeiriau digonol i gyfleu sut roeddwn i'n teimlo'r noson honno. Coctel penysgafn o wefr a nerfau, efallai! Glenys Roberts (Bodfari) oedd y soprano a Teifryn Rees oedd y tenor. Glenys yn canu 'Cân Russalka i'r Lleuad' gan Dvorak a 'Mai' gan Meirion Williams, a Teifryn yn canu 'Il mio tesoro' gan Mozart a 'Mae Hiraeth yn y Môr' gan Dilys Elwyn Edwards. Wrth gwrs, mi ddiflannodd y nerfusrwydd a'r pryder ar ôl i mi ddechrau, ac wrth godi a bowio, aeth y gynulleidfa'n wallgo, y clapio'n fyddarol, eraill yn chwibanu a gweiddi.

Mynd wedyn fel teulu i ochor y pafiliwn i eistedd a gwrando ar y feirniadaeth. Glenys Roberts enillodd y Rhuban Glas y noson honno, a theimlwn mor freintiedig o fod wedi cael cyfeilio iddi. Ond y syrpréis mwyaf i mi'n bersonol oedd clywed geiriau J O Roberts, yr arweinydd a'r actor, ar ddiwedd y noson honno.

'Dwi'n siŵr ein bod i gyd wedi sylwi ar gyfeilyddes newydd yn yr eisteddfod hon, sef Annette Bryn Roberts.' meddai J O. 'Yn sicr, mi welwn ni lawer o'r enath yma yn ein steddfodau bach ni, ein cyngherdda ni, a hefyd yn ein steddfoda mwya ni.' Galwodd arnaf i fyny i'r llwyfan mawr, a cherdded tuag ata i, ysgwyd fy llaw a deud, 'Da iawn ti, 'mechan i, da iawn ti'.

Crio wnes i wrth fowio i'r gynulleidfa, a sychu'r dagrau hefo fy llaw pan oedd fy mhen i lawr, codi 'mhen wedyn a gwenu, a chlywed y gynulleidfa enfawr yn codi bonllefau i mi ar brif lwyfan cenedlaethol ein gwlad. Roedd fy mreuddwyd wedi cael ei gwireddu!

Rhyw awr neu fwy wedyn, roedd pawb wedi mynd tuag adre o'r pafiliwn mawr. Y cystadlu wedi dod i ben, y gymeradwyaeth wedi distewi, fy ffrindiau newydd yn cilio o gefn y llwyfan. Y nos yn dawel. Be wnawn i rŵan? Ac yna, allan o nunlle cerddodd dyn dieithr ataf, ei wallt yn glaerwyn, ac yn gwisgo siwt a thei. Ymddangosai i mi ei fod wedi aros am dipyn er mwyn cael fy ngweld. Daeth ataf gan wenu a gafael yn fy llaw gyda'i ddwy law a deud wrtha i gymaint roedd o wedi mwynhau gwrando ar fy nghyfeilio yn ystod yr wythnos, ac wedi gwrando ar bob cystadleuaeth roeddwn wedi cyfeilio iddi.

Yn y blynyddoedd nesaf daeth y dyn yma, Leslie Jones o Lanrhuddlad, yn gyfaill agos iawn, iawn i mi a Gwyn. Datblygodd ein cyfeillgawrch yn syth bin. Daethom i'w adnabod yn dda, yn ogystal â'i blant a'i deulu. Yn ystod y blynyddoedd canlynol buom i gyd yn aros lawer gwaith yn Cwt Canol, rhwng cartref Leslie a Myfanwy a chartref Gwyneth ei ferch, ym Môn. Atgofion melys am gael brechdanau a gwin a'r canu yn dilyn eisteddfod Cemaes yng nghwmni Leslie, ei deulu a'r plant; siarad, a rhannu storïau o un o'r gloch y bore tan doriad gwawr. Codi'n hwyr y bore wedyn i sŵn diniwed y plantos yn chwarae'n hapus efo'i gilydd ar yr iard y tu allan i'r ffenestr.

Mi fydda i'n cofio am Leslie bob dydd. Adeiladwr oedd o, mewn mwy nag un ffordd. Hyd yn oed yn ei waeledd, yn brwydro yn erbyn cancr, fo adeiladodd yr estyniad hardd i Cynefin. Ei her olaf oedd adeiladu stafell gerdd newydd i ni. Deuai i'n tŷ ni bob dydd gyda'i adeiladwyr, gwrando a siarad am gantorion a hel atgofion am steddfodau, dod efo mi i sawl cyngerdd, fy nghludo i gyngherddau eraill. Mi orffennodd ein stafell gerdd gyda graen a gofal, gan sicrhau bod yr acwstig yn iawn drwy osod to uchel. Roedd am sicrhau y byddai cantorion yn mwynhau canu yno, y byddai digon o le i mi gael rhoi fy mhiano a chypyrddau i gadw fy ngherddoriaeth, a gosod *conservatory* i mi gael ymlacio ynddo ac edrych ar y mynyddoedd a'r môr. Fasai neb arall wedi gallu cyflawni'r hyn a wnaeth Leslie i mi. Bu farw ychydig ar ôl gorffen ei waith yma yn Cynefin. Y fath fraint a gefais o gyfeilio yn ei g'nebrwn mawr yn Llanfaethlu.

Weithiau, cofiwch, tydi pobol yr eisteddfodau ddim mor glên, a bydd yr hen gythraul cystadleuol afiach hwnnw'n codi'i ben.

Nid 'mod i'n anghyfarwydd â fo! Yn Eisteddfod Llanbed yn 1984, wedi dychwelyd o'm mis mêl yn Fienna mi geisiais am y Rhuban Glas Offerynnol. Gwawr Owen enillodd, a hynny'n haeddiannol, ac mi enillais innau'r Rhuban y flwyddyn ganlynol yn y Rhyl. Roeddwn yn digwydd bod yn gyfeilydd swyddogol yn yr un eisteddfod. Yn fy rhagbrawf i'r Rhuban Glas mewn eglwys fawr yn y Rhyl, mi chwaraeais i ddau ddarn, sef 'Abegg Variations' gan Schumann a 'Feux d'Artifices' gan Debussy. Ond cyn mynd at y piano i chwarae, mi sylwais ar ddyn yn craffu'n hir ac yn flin arna i. Gwnaeth i mi deimlo'n anesmwyth braidd, ond chwarae wnes i, ac ro'n i'n ddigon hapus efo fy mherfformiad. Disgwyl am ganlyniad, a'm henw yn cael ei gyhoeddi i fynd ar y llwyfan, yn ogystal â thelynores a phianydd arall.

Codi'n gynnar y bore wedyn a chyrraedd y Rhyl erbyn naw y bore. Pwy welwn i'n dod ata i'n bryderus at ochor y llwyfan ond Osian Wyn Jones, y Trefnydd. Dywedodd fod awdurdodau'r Eisteddfod wedi cael cyfarfod brys y bore hwnnw o ganlyniad i gŵyn swyddogol yn fy erbyn. Y gŵyn oedd fy mod yn gyfeilydd swyddogol, a pha hawl oedd gen i i gystadlu ar yr unawd piano yn yr un eisteddfod? Fedrwn i ddim deall y peth. Y fi oedd yn rhoi fy mhen ar y bloc fel petai drwy fod yn barod i gystadlu – a cholli efallai, tra oeddwn am barhau fy ngyrfa fel pianydd. Roedd y cyfeilyddion eraill yn cael arwain corau, hyfforddi partïon canu ac offerynnol, a doedd neb yn eu rhwystro nhw rhag cystadlu. Chwarae teg, mi gytunwyd yn y pwyllgor brys hwnnw nad oeddwn wedi torri'r un rheol, ond teimlwn mor drist a siomedig, yn methu stopio meddwl am yr elyniaeth gudd yn f'erbyn. Wir, roedd fy nghalon yn fy sgidia yn mynd ar y llwyfan. Ond yna, o rywle, daeth rhywbeth drosta i a'm gwnaeth i'n fwy penderfynol fyth o berfformio fel na pherffformiais i erioed o'r blaen. Do, mi enillais y Rhuban Glas o ddeg marc.

Mi gododd rhyw hen sefyllfa annifyr hefyd pan wahoddwyd fi i gyfeilio yn Eisteddfod Ryngwladol Llangollen. Ni chefais wahoddiad yn ôl i'r eisteddfod honno, gan fod y Cyfarwyddwr Cerdd ar y pryd, Roy Bohana, wedi dweud fy mod yn amhroffesiynol ac na ddylai'r pwyllgor ofyn i mi wedyn. A beth oedd y drosedd anfaddeuol, meddech chi? Wel, roeddwn wedi cael y dasg o fod wrth y piano ar gystadleuaeth yr alaw werin ddigyfeiliant. Fy unig dasg oedd taro rhyw nodyn neu ddau ar y piano i helpu i osod y cywair i'r côr. Beth bynnag, y diwrnod cyn y gystadleuaeth mi aeth Heledd bach ni'n sâl a gorfu i ni ei rhuthro i'r ysbyty i gael tynnu ei phendics y noson honno. Mi ffoniais yr eisteddfod yn syth, y diwrnod hwnnw a dweud na fedrwn fod yno, ond yn gobeithio y gellid cael rhywun arall ar frys i roi ychydig o nodau i gorau'r gystadleuaeth alaw werin. Wel, sôn am helynt! Ymddygiad cwbwl amhroffesiynol yn wir! Ond dyna fo, wnes i ddim cymryd ataf o gwbwl, a diolch i Peter Budd, y Cyfarwyddwr Cerdd presennol, yn hwyr neu'n hwyrach mi gefais fy ngwadd yn ôl.

Mae'n rhaid cymryd y du efo'r gwyn, dwi'n gwybod. Ond erbyn 1999 roeddwn yn barod i roi'r gorau i fod yn gyfeilyddes swyddogol yn yr Eisteddfod Genedlaethol. Er gwaetha'r mwynhad a'r anrhydedd, roedd 'na bethau pwysicach. Yr hafau'n diflannu, yr hen blant 'ma'n tyfu...

13

AR Y BOCS

Fel yr awgrymais eisoes, fedr rhywun ddim mynd i'r
Bahamas ar ffioedd cyfeilio mewn eisteddfodau. A dweud y
gwir, mi faswn i'n lwcus i gyrraedd Clwt y Bont! Ia, hyd yn
oed efo'r ddwy genedlaethol. Nid 'mod i'n cwyno. Ffeiriwn i
mo'r profiad am y byd. Mater arall oedd hi efo rhaglenni'r bocs
bach pwerus hwnnw yng nghornel y lolfa... neu yn fy achos
i bellach, y *widescreen hi-fi HD ready cinemascope* ger y wal!
Gyda dyfodiad y cyfleon niferus a gynigiwyd ar ddechrau S4C
yn 1982 gan y gŵr hwnnw o weledigaeth, y diweddar Owen
Edwards, am un foment lachar yn hanes diwylliant Cymraeg,
gellid meddwl bod modd i berfformwyr Cymraeg fel fi wneud
gyrfa broffesiynol ohoni ar y teledu.

Yng Nghaerdydd roedd fy rhaglen gynta, yn cyfeilio i Barti
Cogyddion Glynrhonwy – parti'r cwcs oedd yn arfer bwydo
adeiladwyr Gorsaf Bŵer Dinorwig yn y 1970au – a Mam yn eu
plith. Pedair ar ddeg oeddwn i. Cofio teithio'r holl ffordd drwy
gawodydd eira i gymryd rhan yn *Rhaglen Hywel Gwynfryn*.
Roedd yr ail achlysur yn Theatr Clwyd, yr Wyddgrug, a minnau'n
fyfyrwraig. Rhaglen grefyddol oedd hon, gyda J O Roberts yn
cyflwyno, a minnau'n cyfeilio dwy gân i Robert Wyn Roberts,
y bariton o'r Bontnewydd. Teimlad od iawn oedd cyfeilio a
chamera yn sownd ar fy nwylo neu reit yn fy wyneb. Rhaid oedd
anwybyddu'r cyfan a ddigwyddai yn y stiwdio a chanolbwyntio
ar fy ngwaith. Teimlwn yn gryf na ddylid ailrecordio o'm hachos
i, er y gellid gwneud hynny, wrth gwrs. Mae'n rhaid i mi ddweud
i mi gael gwefr wrth wneud y rhaglen ac o edrych arni wedyn.
Recordio perfformiad ar gof a chadw, a chyfle hefyd i bobol ledled
Cymru ddod i wybod amdanaf, a lledaenu fy enw a datblygu fy
ngyrfa.

Yn y cyfnod hwn y cefais brofiad arall go bleserus. Cael fy

ngholuro am y tro cyntaf cyn ymddangos o flaen y camera – gan ddynes broffesiynol yn y gwaith, Cissian Rees, dynes annwyl a ffeind ofnadwy. Mi wnaeth i mi edrych fel ffilm star, gan roi colur drud uwchben fy llygaid, mewn gwahanol fathau o las, *foundation* brown ar fy wyneb, rhag i mi sgleinio gormod ar y teledu, lipstic pinc a masgara du. Cyrlio fy ngwallt hir a gofalu fod popeth yn edrych fel pìn mewn papur. Mmmm... Wyddoch chi be, mi oedd y pampro yma'n deimlad braf, ac roeddwn i'n gobeithio y cawn i driniaeth hyfryd Cissian am flynyddoedd i ddod. Ac mi ges i!

Erbyn canol yr wythdegau roedd S4C ar ei anterth. Pawb yn siarad, pawb yn gwylio, edrych ymlaen, ymateb, newyddion am y rhaglenni ar lafar gwlad, a digon o waith a chyfle creadigol i dalentau Cymru ddod i'r adwy i greu sianel werth chweil. Oes aur yn wir! Bûm yn lwcus iawn o gael gwahoddiad i berfformio ar sawl rhaglen. Roedd *Cais am Gân* yn boblogaidd iawn a phobol yn sgwennu neu'n ffonio i gael clywed eu ffefrynnau ar y teledu. Wn i ddim sawl gwaith y gwnes i gyfeilio i unawdwyr ar y rhaglen hon, heb sôn am chwarae 'Memories' a 'Lara's Theme' allan o *Dr Zhivago*. Y gyfres *Canrif o Gân* wedyn, gyda chantorion ifanc disglair Cymru yn canu hen unawdau Cymraeg. Cyfeiliais yn gynnar ar S4C i ieuenctid talentog â dyfodol anhygoel o'u blaenau: Bryn Terfel, Gwyn Hughes Jones, Aled Hall, Leah Marian Jones, Mary Lloyd Davies, Rebecca Evans, Eirian James, Jeremy Huw Williams, Helen Field a nifer o unawdwyr eraill.

Un direidus oedd Aled Hall. Cofio aros yng Nghaerdydd er mwyn ffilmio yng Nghastell Coch. Roedd Aled, Gwyn Hughes Jones a minnau yn cael glasied bach o win cyn mynd i'n gwlâu. Roedd y tri ohonon ni i fod ffilmio drwy'r dydd a'r noson ganlynol yn y castell. Ond dyma Aled Hall yn dweud wrth dderbynwraig y gwesty am osod y cloc larwm i ganu am bedwar yn lle pump o'r gloch y bore yn llofft Gwyn. Hwnnw'n cael ei ddeffro awr yn rhy gynnar. Chysgodd o ddim bron! Sôn am dantro a diawlio derbynwraig y gwesty. Wrth gwrs, direidi Aled oedd yn gyfrifol am y cyfan. Ac fel y gallech ddychmygu, wedi deall hynny bu mwy o regi, chwerthin a thantro yn y car ar y ffordd i'r castell. Dechrau gweithio wedyn am saith y bore. Gweithio drwy'r bore, y prynhawn, a'r hwyr. Tua un ar ddeg o'r gloch y nos, beth ymddangosodd yn y castell ond heidiau o ystlumod! Gohirio'r recordiad tan iddynt ymadael, wrth gwrs. Gorffen ffilmio, chredwch chi byth, am dri o'r gloch y bore wedyn, wedi diwrnod o ugain awr o ffilmio! Doedd dim pwrpas yn y byd i fynd yn ôl i'r gwesty yng Nghaerdydd. Felly, dyma benderfynu dreifio'r holl ffordd yn ôl adre i Ddeiniolen, i gael cysgu yn fy ngwely fy hun o leiaf. Cychwyn am hanner awr wedi tri o Gastell Coch. Agor ffenestr y car led y pen, rhoi'r radio ymlaen, a ffwrdd â fi ar hyd corneli a throadau maith, hir a llafurus yr A470. Cerddais, nage... ymlwybrais i mewn drwy ddrws Cynefin am hanner awr wedi saith y bore! Diolch byth ei bod hi'n adeg gwyliau'r plant.

Yn fuan wedyn cafodd Olwen, Marina a finnau – Genod Tŷ'r Ysgol – wahoddiad i ganu lleisiau cefndir ar raglen Margaret Williams. I Lundain y bu'n rhaid i ni fynd, os gwelwch yn dda! Cychwyn o stesion Bangor am chwech o'r gloch y bore, a chyrraedd stiwdio prifddinas Lloegr erbyn hanner awr wedi deg. Coffi du yr un i ysgwyd ein brêns, ac yna'n syth i'r stiwdio. Doedd dim eiliad i'w golli. Roedd disgwyl i ni recordio dim llai na deuddeg trac cefndir i ganeuon Margaret o fewn y diwrnod hwnnw. Ysgrifennwyd y gerddoriaeth ar ein cyfer yn dri llais – Olwen yn canu'r llais uchel, finnau yn y canol, a Marina'n canu'r gwaelod. Trwy gydol y dydd, buom yn canu, canu a chanu... a double tracio hefyd, droeon. Canu yr un peth drosodd a throsodd, a'r sain fel pe bai chwech o bobol yno. Technoleg recordio 'di cymryd drosodd! Ond roedd Margaret Williams ei hun yn annwyl efo'r tair ohonon ni, ac yn broffesiynol hyd at flaenau ei bysedd gosgeiddig. Welais i neb tebycach i Joan Collins o *Dynasty*, bob amser mewn rhyw ddillad *classy*. Ond chwarae teg i Margaret, roedd rhywbeth yn ffeind iawn ynddi. Wna i byth anghofio'i galwad ffôn pan gafodd Mam gancr y fron. Ynghanol prysurdeb ei gyrfa, roedd ei meddyliau hefo ni'n tair.

Ar ôl hynny daeth y cynnig i gyfeilio yng nghyfres deuawd y Mr a Mrs enwog – Rosalind a Myrddin. Roedd Rosalind wedi bod yn arwres i mi erioed, a chofiaf hi'n canu yng Nghapel Ebeneser, Deiniolen, pan o'n i'n blentyn. Finnau o'r diwedd yn cael cyfeilio iddynt fel deuawd. Cyswllt arall? Roedd Myrddin wedi rhannu desg gyda fy mam yn yr ysgol fach! Byd bach.

Yn ystod y gyfres hon y datgelwyd cyfrinach amdanaf na wyddwn i fy hun! Cyrraedd stiwdio recordio Sain un bore, a dyma fi'n deud wrth Rosalind,

'Wsti be, Ros, dwi'n siŵr fod gen i'r bỳg, 'sti. Dwi'n sâl, ac yn methu byta nac yfad dim.'

'Ti'm yn feichiog?' gofynnodd Rosalind yn syth.

'Dwi'm yn gwbod,' medda finna'n ddiniwed.

Aeth y ddwy ohonon ni yn y car amser cinio i'r fferyllfa yng Nghaernarfon.

'Yli, dos di i nôl y *pregnancy test* i mi,' meddwn wrth Rosalind.

'Yffach, na wna i,' meddai hithau. 'Sai'n moyn i bobol sy'n fy nabod i feddwl 'mod *i*'n disgwyl!'

Doedd dim amdani ond mynd fy hun. Llusgais yn slei at y cownter a phrynu Clear Blue yn reit sydyn. Yn ôl i'r stiwdio â'r ddwy ohonon ni, yn fud a phryderus. Mi ddaliais tan i mi fynd adre cyn gwneud y prawf. Roedd o wedi troi'n las mewn llai na phum munud! Oeddwn, roeddwn yn feichiog am y tro cyntaf. Roeddwn yn canu efo Olwen a Marina yn Nhrawsfynydd y noson honno. Daeth Mam efo ni yn y mini bach glas. Cofio'n glir bod yn orlawn o'r teimlad rhyfeddol, arallfydol hwnnw fy mod yn mynd i fod yn fam. Dywedais wrth Ros a Myrddin y bore wedyn. Dim coffi na the i mi o hynny ymlaen. Roeddwn yn sâl swp yn y stiwdio. Ond cario ymlaen fu raid, a gorffen y job...

Trisgell – dyna i chi grŵp adnabyddus arall yn yr wythdegau. Triawd lleisiol – Robat Arwyn, Llion Wyn ac Arwyn Vaughan. Mi ges i lot o hwyl efo'r hogia. Un Nadolig roeddan ni'n recordio rhaglen deledu efo'n gilydd yng Nghaerdydd. Genod Tŷ'r Ysgol a Trisgell yn canu'r garol 'Ar gyfer heddiw'r bore'. Roedd y set yn Nadoligaidd iawn, iawn, y boi cynllunio wedi gwario'i gyllideb i gyd, a'r lle'n gwegian efo trimins aur ac arian am y gwelech chi. Rhoed y chwech ohonon ni i sefyll y tu ôl i ryw gadeiriau crand a chanhwyllau wedi'u goleuo. Ac meddai Llion o dan ei wynt: 'Wchi be, 'dan ni 'run fath â'r blydi Royal

Family.' A dyma'r chwerthin yn dechrau. Mi lwyddon ni i'w wasgu o i mewn yn go lew ar y pryd, ond roedd gwaeth i ddod. Sais oedd y rheolwr llawr y diwrnod hwnnw, ac mae arna i ofn fod ganddo fymryn o nam ar ei leferydd. Ei wendid oedd methu ynganu'r llythyren 'r' gan ddweud 'f' yn ei lle – gwendid lled gyffredin dwi'n siŵr, ond yn y sefyllfa honno, roedd unrhyw beth bach annisgwyl yn ddigon i agor y fflodiart. Roedden ni wedi rhyw ledwenu ers meitin wrth ei glywed yn gweiddi cyfarwyddiadau ar draws y stiwdio. Ond yna, a'r stiwdio wedi distewi ar gyfer perfformio i'r camerâu, daeth y glasur hon i'n clustiau: 'Take thfi, Tfisgech and Gennwd Tyf Ysgol, Af Gyfef Hethiw Bofef Babyn'. Wrth i'r camerâu droi arnom, y cwbwl welodd y cyfarwyddwr oedd rhes o gyrff llipa wedi colapsio ar hyd y set, yn marw chwerthin yng nghanol y trimins. Aeth 'Af Gyfef Hethiw Bofef Babyn' yn dominô. Mi lwyddon ni i godi ar ein traed toc – ond wedi hynny, roeddem wedi mynd i'r ffasiwn stad hysterig fel bod pob dim yn gneud i ni chwerthin, waeth be ddwedai neb. Wn i ddim sawl gwaith roedd yn rhaid i ni ailrecordio. O'r... c'wilydd! Yr unig gysur ydi ei fod o'n digwydd i bawb... a pheidiwch â dweud nad ydi o!

Ar raglen arall efo Trisgell, roeddwn i wyth mis yn feichiog, yn canu cân Robat Arwyn, 'Yr Opera'. Trisgell a ni'r Genod yn gwisgo gwisgoedd y ddeunawfed ganrif, oglau chwys dros y lle, finnau'n ceisio 'ngorau i guddio fy mol wrth i ni ganu fel cantorion operatig. Chwerthin eto, a methu cario ymlaen. Llion yn dweud petha ofnadwy o ddigri ac anweddus rhwng recordio, a'r chwech ohonon ni'n ei theimlo hi'n anodd i ganu, dim ond isio chwerthin. Miloedd o hwyl gefais i wrth rannu llwyfan efo hogia doniol a dawnus Trisgell.

Cyfresi ar gyfresi, dramâu, adloniant ysgafn, cerddoriaeth. Roedd rhywbeth ar y gweill drwy'r amser. Câi'r gyfres *Trebor Edwards* ei recordio ar ddydd Llun a dydd Mawrth, a byddwn innau'n arfer cychwyn am Gaerdydd ar bnawn Sul, bwcio i mewn yng ngwesty'r Ferriers cyn ymarfer hefo Trebor yn stiwdio'r cwmni masnachol HTV ar nos Sul. Mae Trebor yn ddyn annwyl a strêt iawn. Dibynnai'n llwyr arna i fel cyfeilydd a Hefin Elis, y cyfarwyddwr cerdd, a chaem lawer o hwyl ddiniwed wrth dynnu coes Trebor am y dewis o ganeuon ar ei gyfer. Dywedais wrtho unwaith 'mod i wedi darganfod dilyniant perffaith iddo fo'u canu un ar ôl y llall. Ei chychwyn hi efo 'Twll Bach y Clo', ymlaen wedyn i 'Godiad yr Ehedydd', 'Ar hyd y Nos' i'w dilyn, a gorffen gyda'r uchafbwynt: 'When a Child is Born'. Bu bron i Trebor fy ngymryd o ddifri!

A dyna'r gyfres deledu fythol wyrdd honno – *Noson Lawen*. Cofio'n glir am y gynta y cymerais ran ynddi, yn 1985, mewn fferm yn Gwytherin. Charles Williams, yr actor a'r digrifwr o Fôn oedd yn arwain, ac meddai Charles mewn llais isel, ar ôl fy nghlywed yn cyfeilio i'r gân 'Ora Pro Nobis', gan edrych dros ei ysgwydd arna i: 'Ew, 'swn i'n lecio bod yn biano i hon'.

Doedd neb tebyg i Charles am arwain a diddanu pobol mewn ffordd mor naturiol. Roeddwn yn eisteddfod Bodffordd ychydig wedyn, ac oherwydd storm fawr y tu allan, diffoddodd y trydan. Charles a achubodd y sefyllfa wrth gerdded drwy'r gynulleidfa hefo dwy gannwyll fawr o'r festri. Rhoi un gannwyll ar fwrdd y beirniad, ac un gannwyll ar y piano i mi. Roedd hynny am ddau o'r gloch y bore! Arhosai pedwar unawdydd yn amyneddgar ar gyfer cystadleuaeth yr Her Unawd, a deg yn y gynulleidfa'n aros yr un mor amyneddgar i wrando. Roedd Charles yn benderfynol fod pawb yn cael chwarae teg. Mi aethom yn ein blaenau reit at y diwedd. Minnau'n cyfeilio yn hwyr y nos yn y neuadd wag, dywyll honno, a Charles yn eistedd wrth fy ymyl yn dal y gannwyll. Eitha swreal, a dweud y gwir!

Yn y cyfamser, mi gefais y fraint o deithio ymhell o fyd Cymreig y *Noson Lawen*. Penodwyd fi, gan S4C, yn gyfarwyddwr cerdd ar y gyfres *Bryn Terfel*, ac mi hedfanodd Gwyn a minnau i Salzburg yn Awstria lle roedd Bryn yn perfformio mewn opera ar y pryd. Roedd gen i fag mawr yn llawn o hen ganeuon Cymreig, a dyna lle buon ni'n trio rhoi rhaglen at ei gilydd dros bryd o fwyd mewn tŷ bwyta moethus iawn yn Salzburg. Dwi'n cofio Tomos, mab bach Bryn a Lesley, ei wraig, yn eistedd ar fy nglin y noson honno, a finna'n hymian y gwahanol ganeuon i Bryn dros y bwrdd bwyd. Wedi ffarwelio â'r teulu bach a hithau'n tywallt y glaw, aeth Bryan Davies, y cyfeilydd amryddawn o Ferndale, Gwyn a fi i ryw dŷ tafarn henffasiwn lle roedd Bryan yn ei elfen yn deud jôcs, ac yn rhoi hanes a chefndir nifer fawr o'r caneuon a'r cyfansoddwyr. Dyn difyr iawn. Wn i ddim sawl Eisteddfod Genedlaethol y gwnaeth Bryan a fi gydgyfeilio ynddynt wedi hynny, y ddau ohonon ni ar ochr llwyfan y pafiliwn yn cydgrynu, yn pryderu ac yn nerfus. Wrth ddod drwy bethau felly, mae ein cyfeillgarwch wedi tyfu dros y blynyddoedd.

Rhaglenni teledu... cyfresi... rhy niferus i'w cofio: *Taro Tant, Gari Williams, Bwrlwm Bro, Eirlys Parri...* Pobol a chaneuon a goleuadau a chamerâu ac aros oddi cartref mewn gwesty... Cofio mynd i lawr i Gaerdydd efo criw anferth o bobol Deiniolen ar gyfer *Rhaglen Bro*, lle roedd un ardal yn cystadlu yn erbyn ardal arall i ennill mil o bunnoedd. Dad, fi a'm chwiorydd i ganu, Pat Jones, Bryn'refail, i arddangos blodau, Gwilym Tate Williams yn trin llechi, Siân Wyn Rees ar y piano, Côr Meibion Dyffryn Peris, Dafydd Twins yn ddigrifwr. Pawb yn aros yng ngwesty crand y Copthorne, Caerdydd. Canu mawr y noson honno – pawb mewn hwyliau. Tad rhyw briodferch yn gofyn i mi chwarae'r piano. Ac meddai Myfyr Parry, aelod o'r côr, yn falch: 'She has played for everybody, you know, Caruso and all.' Roedd Caruso druan wedi marw er 1921!

Dechrau Canu, Dechrau Canmol wedyn. Tybed faint o'r rheiny dwi wedi'u recordio, yn gyfeilydd ac yn arweinydd? Wedi dweud hynny, mae 'na un recordiad sydd yn agos iawn at fy nghalon i, a dim ond y fi a fy ffrind annwyl iawn, Timothy Evans o Lanbed, sydd yn gwybod pa mor anodd fu recordio'r gân gan Eric Clapton 'Tears in Heaven'. Dim ond fo a minnau a ŵyr pa emosiynau cyfrinachol roedd y ddau ohonon ni'n eu teimlo y diwrnod hwnnw...

Ac yn ben ar y cwbwl, y sioc fwyaf oedd cael y rhaglen *Penblwydd Hapus* – fersiwn Gymraeg o *This is your life*, wedi'i gwneud amdanaf i. Ym Mhwllheli roeddwn i, ar noson olaf rhyw basiant, a dyna pryd y cerddodd Arfon Haines Davies, fel Eamonn Andrews ei hun, drwy'r llenni ar ochr y llwyfan, a rhoi'r syrpréis i mi. Wyddwn i ddim ble i roi fy hun! Recordiwyd y rhaglen yn nes ymlaen yng Ngholeg Prifysgol Bangor dan gyfarwyddyd Dafydd Roberts a Siân, ei wraig. Fy mhlentyndod, fy arddegau, fy ugeiniau yn gwibio heibio fy llygaid mewn cwta hanner awr. Profiad annaearol bron.

Ond mae'n debyg mai â chyfres deledu'r *Noson Lawen* mae pobol yn fy nghysylltu fwyaf, ac at honno y dof yn ôl. Do, mi grwydrais Gymru gyfan am ddau ddeg pump o flynyddoedd gyda'i chyfresi, a chyfeilio i gannoedd o berfformwyr. Cyrraedd ffermydd ledled Cymru, lle y byddai arogl silwair neu dail gwartheg yn ofnadwy o gryf. Rhoi persawr o dan fy nhrwyn a chario ymlaen! Cyfarfod â'r criw croesawgar – y bobol sain, camerâu, goleuo, y ffermwyr a'u teuluoedd, adeiladwyr y set, yr ymchwilwyr, y rhedwyr, y cyfarwyddwyr a'r cynhyrchwyr. Jangl efo Judith Jones a Bet (gwisgoedd), a Cissian a Bethan, y merched colur. Mi ro'n i'n falch o fod yn rhan o deulu mawr a chyfarwydd. Rhaid cyfaddef i'r *Noson Lawen* dyfu'n rhan ohonof.

Wn i ddim faint o weithia dwi wedi bod yn gwrando ar Eilir Jones, sef Ffarmwr Ffowc, yn mynd dros ei linellau cyn y perfformiad, a wna i byth anghofio cyfeilio iddo'n canu cerdd dant. Cân ddigri am fod yn nerfus ar lwyfan oedd hi. Roedd Eilir wedi gwisgo fel plentyn bach ysgol, efo shorts llwyd yn cyrraedd ei bengliniau, siwmper a chrys llwyd, tei bach yn hongian un ochr, a chap a phig ar ei ben. Roedd y gynulleidfa'n gwenu cyn iddo fo ganu. A dyma fi'n dechrau chwarae 'Llwyn Onn'. Ond does gan Eilir ddim math o synnwyr rhythm, na chwaith unrhyw reddf ynglŷn â dod i mewn yn y lle iawn. Mi driodd hi unwaith – methiant llwyr. Mi driodd hi wedyn – dim byd. Syllai arna i efo'i lygaid yn fawr heb wybod pryd i'w tharo hi. Methu bob tro. Roedd pawb o'r gynulleidfa yn eu dyblau wrth gwrs. Yn y diwedd, roedd yn rhaid i Hefin Elis fynd i eistedd ar y bêls gwair ac arwain â'i ddwylo. Roedd y dagrau'n llifo lawr fy wyneb. Diolch byth fy mod yn cofio 'Llwyn Onn' heb sbio, achos fyddwn i ddim wedi gallu gweld y nodau.

Gillian Elisa hithau fel Mrs O T Thomas. Dyna i chi berfformwraig! Doedd dim ots ganddi beth a ddigwyddai ar y llwyfan: roedd hi'n barod i godi'i choesau, i sgrechian canu, i swsio a chymryd y llwyfan drosodd yn llwyr, a'r gynulleidfa yng nghledr ei llaw.

Dro arall, cefais gyfeilio i Mei Jones, sef Wali, *C'mon Midffîld*. Canai Wali 'Gân yr Arad Goch' gan ddynwared Bryn Terfel, ac roedd John Pierce Jones, sef Mr Picton, *C'mon Midffîld*, yn arwain y *Noson Lawen*. Roedd sgets y ddau yn ddigri iawn, ond y tu ôl i'r llwyfan y cefais yr hwyl orau. Mei, John a finnau'n cael paned wrth y bwrdd, a John yn nerfus iawn o orfod arwain ei *Noson Lawen* gynta. Mei yn gofyn iddo mewn llais fel Wali,

'Ydach chi yn nyfys, Mistaf Picton?'

'Wel yndw, siŵr Dduw,' meddai John yn llais Mistar Picton.

'Dudwch jôc wfthai, edfach 'na i chwefthin.'

Dyma John yn deud jôc am hen ffarmwr o'r enw Wil, erioed wedi priodi, yn ei saithdegau, wedi syrthio mewn cariad â Jane. Wil a Jane yn priodi, a threulio eu mis mêl mewn gwesty yn Llandudno. Wil yn gofyn i'w wraig fynd i'r *en-suite* a pharatoi i fynd i'r gwely. Ar ôl ymolchi a newid i'w choban, daeth allan trwy'r drws. Edrychodd yn syfrdan wrth weld fod y gwely a'r dodrefn wedi cael eu symud, a chyfar plastig ar y gwely.

'Be w't ti'n neud, Wil bach?' gofynnodd Jane.

'Wel,' atebodd Wil. 'Os ydi *sex* yn rhwbath tebyg i fynd â buwch at darw, fydd 'na uffar o lanast yma.'

Bu bron i minnau wneud yn fy nghlos wrth chwerthin!

Byddai ambell beth annisgwyl yn digwydd hefyd o bryd i'w gilydd. Ar un rhaglen roeddwn yn cyfeilio i'r diweddar Dic Rees, Pennal. Dyn bychan tenau, ond roedd ganddo un o'r lleisiau cyfoethocaf a glywais erioed. Aria 'Non più andrai' a'r 'Marchog' oedd ei ddwy gân y noson honno. Yn y rihyrsal yn y prynhawn, ac yntau'n canu dros y sied fel cymeriad operatig, yn sydyn, dyma awyren yn hedfan yn isel. Roedd y sŵn fel pe bai'r to'n rhwygo. Mi neidiodd Dic gymaint nes iddo bron â glanio ar fy nglin. Chwerthin mawr am y peth wedyn.

Yn ystod un perfformiad ar y *Noson Lawen*, mi welais lygoden fawr yng nghongl y piano. Un ffug, blastig oedd hi wrth gwrs. Doedd hynny ddim mor annisgwyl â hynny. Pwy a'i rhoddodd hi yno? Pwy ond yr arch dynnwr coes, y saer Wil Roj, yn gwybod bod arna i ofn llygod mawr. Mi driodd hi ychydig wedyn, drwy osod llygoden ddu, plastig y tu mewn i'r piano grand. Dyna beth oedd yn fy wynebu wrth gyfeilio mewn un recordiad, os gwelwch chi'n dda. A Wil a chriw set Cainc yn edrych arna i o'r ochor arall yn rhowlio chwerthin. Fo, Wil Roj fyddai'r cyntaf i 'nghyfarfod i ym mhob lleoliad a ffarm a gyrhaeddwn. Roedd Wil wedi dallt ers blynyddoedd nad fi oedd *navigator* gorau'r byd. Byddai allan yn edrych amdana i, a 'ngweld o bell yn fy nghar, yn mynd yn ôl a blaen mewn panig gwyllt yn chwilio am ffermydd a neuaddau. Awn ar goll yn ddi-ffael, dim ots lle!

Rhan o fand oeddwn i, wrth gwrs, hwnnw fyddai'n cyfeilio o ochor y llwyfan i'r holl eitemau. Bu eu cwmni yn amhrisiadwy i mi dros yr holl flynyddoedd. Cerddorion gwych bob un – Charli Britton neu Graham Land ar y drymiau; Rhys Parri, Wyn Pearson, Brian Breeze neu Myfyr Isaac ar y gitâr; Gari Williams, Peter Jenkins neu Robin Holmes ar y gitar fas; Hefin Elis, Pwyll ap Siôn, Emyr Rees, neu Peter Williams ar yr allweddellau. Er mai fi oedd yr unig ferch yng nghanol y dynion, cefais fy nghynnwys yn llwyr a diamod fel aelod o'r giang. Os byddent yn mynd am beint amser cinio neu amser te, roeddent wastad yn gofyn i mi ymuno â nhw. Pan fyddai angen teithio ar unrhyw adeg, byddent yn cynnig i mi drafeilio yn y car hefo nhw. Yn wir, os oeddwn angen unrhyw beth, roeddent i gyd yn barod i fy helpu. Roeddem i gyd fel teulu bach ar ochr y llwyfan, a wna i byth anghofio'u cyfeillgarwch a'u parch tuag ataf.

Wrth orffen sôn am y *Noson Lawen*, mae 'na un dyn bach ar ôl y mae'n rhaid imi ei grybwyll. Un dyn bach oedd yn rhan anhepgor o bron bob *Noson Lawen*. Y rheolwr llwyfan, Dewi Rhys, neu i ni, ei gyfeillion, Magwa. Roeddwn wedi cyfarfod â Dewi flynyddoedd ynghynt pan oedd yn gweithio yn y BBC yng Nghaerdydd, a minnau'n cyfeilio i Barti Glynrhonwy ar raglen Hywel Gwynfryn. Roedd yr un Dewi wedi edrych ar fy ôl yr adeg honno, a bu'n dal i edrych ar fy ôl am flynyddoedd wedyn. Mae bod yn Rheolwr Llawr da yn waith digon anodd; rhaid cadw'r artistiaid, y criw cynhyrchu a'r gynulleidfa mewn trefn, ac yn hapus. Roedd Magwa yn meddu ar y ddawn brin honno, a gwnâi ei waith mewn modd proffesiynol ond eto'n llawn hiwmor. Byddai ei jôcs i gynhesu'r gynulleidfa'n enwog, weithiau'n well na jôcs y rhaglen ei hun! Yn anorfod efo rhaglen wedi'i recordio, mae angen ailgynnig ac mae hyn yn gallu diflasu cynulleidfaoedd yn hawdd iawn, ond nid gyda Magwa. Roedd ganddo'r ddawn o wrando arnyn nhw yn y bocs rheoli yn paldaruo yn un glust, a chyfleu'r neges yn hwyliog wrth bawb arall ar yr un pryd. Byddai pobol yn teimlo'n braf ac yn gyfforddus efo Magwa.

Roedden ni'n dau yn sgwrsio llawer iawn, ac meddai wrtha i un noson,

'Wyt ti wedi meddwl erioed faint o nodau wyt ti wedi'u darllen a'u chwarae yn dy fywyd? A faint o unawdwyr a chorau wyt ti wedi cyfeilio iddyn nhw?'

'Naddo, ond dyna fo, pawb at y peth y bo,' medda finna.

'Dwi wedi meddwl llawer am hyn,' meddai o wedyn. 'A dyma i ti bresant pen-blwydd gen i.'

Mi estynnodd lyfr bach o'i boced a darllen pennill bach roedd wedi'i ysgrifennu cyn mynd i gysgu'r noson cynt:

Annette

Ei harbenigrwydd heb os, cyfeilio,
A hynny'n ddirodres heb gwyno
I fas, neu soprano,
Neu denor, neu alto,
Annette sy ar y piano'n ddiguro.

Mi es yn syth at y bar a phrynu peint iddo. Mi wnaeth fy mhen-blwydd i, mi wnaeth fy *Noson Lawen*, yno yn y gwesty yn Abertawe lle roedden ni'n aros fel criw yn 1998. Mae Magwa, a'i wraig Magi, yn dal yn ffrindiau mawr i Gwyn a minnau. Magwa sydd yn teilsio yn tŷ ni bob amser pan fydd angen. Do, mae'r *Noson Lawen* wedi gadael llu o ffrindiau oes i mi. Ac mae wedi gadael un peth arall hefyd. Yr enw Annette Bryn Piano. Dyna'r enw a roddwyd arna i mewn sgets gan Nia Medi ac mae'r enw wedi sticio. Cefais sawl llythyr trwy'r post, ag Annette Bryn Piano ar yr amlen, a'r postman yn chwerthin bob tro!

Rwy'n mwynhau cyfeilio a chymryd rhan mewn dosbarth meistr. Ces brofiad bendigedig wrth gyfeilio i gantorion ar y rhaglen *Meistrioli*. Meistr y rhaglen honno oedd Syr Geraint Evans. Mi wnes i ddysgu llawer a gwerthfawrogi dawn gerddorol a llais anfarwol Syr Geraint. Braint yn wir oedd cael bod yn rhan o'i raglen.

Fedra i ddim gadael y byd adloniant ysgafn Cymraeg heb sôn am un cymeriad bytholwyrdd arall, Dai. Cofio dod ar ei draws gynta wrth recordio rhaglen *Cefn Gwlad* yng Ngherrigydrudion, a rhyfeddu at ei ddoniolwch a'i ddawn dweud. Ymhen blynyddoedd lawer, gwnaed rhifyn o *Cefn Gwlad* i ddathlu cyfraniad Hogia'r Wyddfa dros 45 o flynyddoedd. Fel tipyn o dynnu coes, roedd Rosalind wedi prynu pêl golff a phowdwr gwyn y tu mewn iddi. Dai, Hogia'r Wyddfa a phawb ohonon ni'n mynd draw i Glwb Golff Bangor a phob un yn cael pêl yr un i weld pwy fyddai'n ei tharo bella. Elwyn Hogia'r Wyddfa a finna heb fawr o glem, ond Vivian, Arwel a Myrddin yn hen lawiau. Yna, daeth tro Dai Jones i hitio'r bêl. Cymerodd un swing fawr a tharo'r bêl blastig â'i holl nerth. Clywyd clec anferth wrth i'r bêl ffrwydro'n bowdwr gwyn ym mhobman, a Dai ar ei ben-ôl ar y borfa. Pawb yn eu dagrau. Ond wedi dweud hynny – ar bwy mae'r jôc? Pwy sy amla ar y bocs bach yn y lolfa – neu'r un anferth yn y lownj? Ia, fo. Y ffermwr, y diddanwr, y sgwrsiwr, a'r hitiwr peli golff o Lanilar. Dai Jones, Mr Teledu Cymru!

14

GENI A MAGU

EISTEDDFODAU, CYNGHERDDAU, CYNYRCHIADAU TELEDU. Ond roedd cael bod yn fam yn bwysicach nag unrhyw yrfa gerddorol. Dyhewn am gael plant. Breuddwydiwn amdanynt. A diolch i Dduw, mi gefais fy nymuniad. Tri o blant na allwn feddwl am eu gwell – a hynny o fewn tair blynedd i'w gilydd.

Daeth y rhodd wyrthiol gynta ar 28 Chwefror, 1987, a minnau'n bedair ar hugain oed.

Dyma hi! Cael fy merch fach yn fy mreichiau am y tro cyntaf. Methu peidio edrych arni... am yn hir iawn. Gwyn a Monica, y fydwraig, wedi aros hefo mi yn y ward esgor yn Ysbyty Dewi Sant, Bangor, am bedair awr ar ddeg. Pedair awr ar ddeg! Roedd y *gas and air* yn help mawr. Dan ddylanwad hwnnw, ro'n i wedi bod yn morio canu 'Hello' efo Lionel Richie, oedd yn chwarae yn y cefndir yn rhywle! Toc, yng nghanol rhyw gytgan, mi glywn waedd gan Gwyn, 'Hogan bach, Ann, hogan bach!' A dacw hi... yn edrych arna i am y tro cyntaf. Minnau'n syllu arni, yn crio a'i chusanu bob yn ail...

Yn ôl i'r ward fawr ar droli, a Heledd fach yn fy nghesail. Jest cyn mynd i mewn, dyma'r portar ata i efo bwnsiad mawr o flodau gan Anti Mona. Freesias! ... Dwi'n dal i gofio'u haroglau hyfryd yn llenwi'r coridor. Roedd popeth mor hudolus. Mam, Dad, Tommy a Vera wedi gwirioni. Fy chwiorydd yn fodrabedd am y tro cyntaf. Roedd yna fwrlwm o lawenydd pur y Sadwrn hwnnw yn Ysbyty Dewi Sant, a minnau fel brenhines yn fy ngwely, yn methu credu.

Penderfynais fwydo Heledd fy hunan. Isio iddi gael y cychwyn gorau. Ond bu bron iawn i mi wneud ffŵl ohonof fy hun pan ddaeth y nyrs â dwy ddeilen o fresych oer i mi. Bron i mi eu bwyta, nes deall mai rhoi deilen ar bob bron i leddfu'r poenau sugno oedd eu pwrpas! Mawr fasai'r sbort petaen nhw wedi 'ngweld i'n eistedd yn fy ngwely yn bwyta dail cabej oer! Ond be wyddwn i? Toedd popeth yn newydd? Newid clwt, rhoi bath, golchi gwallt, gwisgo amdani – sgiliau newydd bob un.

Daeth y diwrnod i ni'n dwy gael mynd adre. Gwyn yn dod â basged Moses fach wellt wedi'i gorchuddio â chotwm gwyn, a rhoddwyd Heledd bach yn dyner i orwedd ynddi – coban fach wen a chardigan binc, cap pinc a phlu pinc rownd yr ochrau, bwtîs gweu gwyn a ruban pinc silc am ei thraed bach. Roedd hi fel babi dol pinc a gwyn!

Cot siglo pren tywyll yn ein stafell wely ni a chotwm gwyn fel to uwch ei ben – dyna weiy cyntaf Heledd. Minnau'n ei gwylio fel hebog ac yn deffro bob awr o'r nos i weld oedd hi'n iawn. Cofio'i gwên gynta, ei dant cyntaf, pryder ei brechiad cyntaf, ei chamau cyntaf, popeth yn brofiad newydd a gwahanol – iddi hi a minnau. A'r pleser pur o'i chlywed yn dweud Mam am y tro cyntaf. Y profiad gorau yn y byd!

Mi oedd Heledd bach mor hawdd ac yn ddidrafferth i'w symud a'i chario. Roedd hi'n rhan ohonof. Awn â hi i bob man efo fi – boed noson lawen neu gyngerdd. Gwyn, neu Nain a Taid yn gofalu amdani ar ochor y llwyfan, tra byddai Heledd yn gwrando ar ei mam yn mynd drwy ei phethau. Gofalwn gario digon o ddilladau glân iddi mewn bocs mawr gwyn ym mŵt y car. Doeddwn i ddim isio treulio eiliad heb ei bod hi wrth fy ochr.

Ond daeth Nadolig cyntaf Heledd, hithau'n ddeg mis oed... a minnau'n feichiog eto. Roeddwn yn pryderu bod yr amser yn mynd mor gyflym, hithau'n tyfu mor sydyn, a minnau'n colli oriau a dyddiau yn ei datblygiad drwy fod yn brysur efo gofalon eraill. Felly, un diwrnod es i Landudno a phrynu camera fideo i Gwyn. Fo fyddai'r cofnodwr manwl o hynny ymlaen, yn recordio fy nhrysor bach yn tyfu a siarad a chwerthin. Byddai ei bywyd bach ar gof a chadw. Dyna'r peth gorau a brynais erioed.

Roeddwn yn ôl yn ward esgor Ysbyty Dewi Sant eto ar 15 Mawrth 1988. Y pryder a'r nerfusrwydd yr un fath, ond y tro hwn gwyddwn beth oedd yn fy wynebu. Gwyn efo mi eto... a'r un fydwraig yn union ag a ges i wrth eni Heledd, sef Monica, chwaer yr actor Mici Plwm. Ond ni ddaeth sgrech gref ar awr yr esgor y tro hwn, dim ond rhyw waedd fach dila.

'Hogyn bach ydi o, Ann, 'dan ni wedi cael hogyn bach!' meddai Gwyn, wrth iddyn nhw fynd â'r bychan oddi wrtha i'n syth. 'Paid â phoeni,' meddai Gwyn, 'mi fydd o'n iawn, 'sti,' a'i wyneb yn llawn poen. Gweddïo'n ddistaw wnes i... ac ym mhen hir a hwyr daeth ateb i'm gweddi. Daeth yr angyles Monica â'r bachgen bach yn ei ôl mewn planced a'i roi yn fy mreichiau.

'Paid â phoeni, Annette bach,' meddai Monica. 'Oedd hi'n rhy gynnes tu mewn ac ro'dd o'n gyndyn o ddod allan.'

Edrychais ar y bychan. Roedd ei wyneb a'i gorff bach o'n las gan oerfel a sioc. Fedrwn i ddim stopio crio, ofn ei golli. Toc, daeth y doctor ataf.

'He was very distressed,' meddai. 'But he's a very strong boy. He'll be alright, don't worry. Have a good rest – both of you.'

Fedrwn i ddim dweud 'thank you' yn iawn. Ro'n i'n beichio crio, ac yn crynu fel deilen, a Gwyn yn gafael ynof yn dynn, gan syllu'n bryderus ar y babi bach. Chysgais i fawr y noson honno. Codi bob munud bron at y gwely bach plastig wrth y gwely. Ac felly oeddwn i tra bues i yn yr ysbyty. Ychydig o gwsg, ac oriau hir o boeni. Ond, diolch byth, trwy'i fwydo fy hun eto, ynghyd â gofal pawb, mi enillodd Ynyr bach bwysau, mi ddiflannodd y lliw glaslwyd ac yn ei le daeth gwrid pinc iach, a dwy lygad las fawr. Edrychai arna i i fyw fy llygaid, fel tasa fo'n deud, 'Paid â phoeni, Mam...'

Diolch byth am gael dod adre, ac Ynyr bach mor ddel yn y fasged Moses yn ei ddillad glas. Heledd yn flwydd oed wedi gwirioni'n lân, yn mynnu galw ei brawd bach yn Nins, yn ei swsio'n amal, yn chwerthin, ac yn parablu yn ei hiaith ei hun drwy'r dydd a'r nos. Roedd hithau'n cerdded erbyn hyn, ac wrth ei bodd yn estyn y powdwr babi a'r tywel i fathio a sychu Ynyr bach. Hithau ar y gwely hefo'i dol yn efelychu popeth roeddwn i'n ei neud efo Ynyr. Mam fach arall i'r babi newydd! Roedd y ddau'n agos iawn. Arferem fynd i bobman efo'n gilydd yn y car – i barciau chwarae, i siopa, i gyngherddau. Sêt fach yn y cefn i Heledd a chadair fach yn y ffrynt i Ynyr. Ychydig iawn o duniau bwyd babis a brynais. Byddwn yn coginio'u bwyd fy hun, yn gymysgedd o lysiau a chig, a'i roi mewn bocsys bach plastig i'w rewi. Prynu dilladau, teganau a llyfrau, fideos a chasetiau

Cymraeg ac, wrth gwrs, chwarae piano a chanu iddynt. Amser rhyfeddol o hapus!

Nadolig cynta Ynyr ddaeth, a finnau'n feichiog eto fyth. Roedd y teulu i gyd acw'n cael cinio Nadolig fel arfer, a phawb yn dotio at ein dwy seren Nadolig fach ni. Erbyn hyn roedd Ynyr y babi gwantan wedi troi'n Siwpyr Ynyr, yn cropian fel trên i bobman. Ac nid jest cropian chwaith. Dringo. Dringo cypyrddau a soffas hynny fedrai o. Roedd 'na dipyn o waith edrych ar ei ôl o, mae'n rhaid cyfaddef. Roedd angen llygaid yn eich pen-ôl! Dyna lle byddai o'n dianc ac yn cuddio'n ddistaw bach. Roedd ganddo fo hiwmor direidus hyd yn oed bryd hynny. Cofio un tro mynd i banig llwyr. Dim sôn amdano. Chwilio'n wyllt, gan alw ei enw dro ar ôl tro. A dyna lle roedd meinábs yn gorwedd yn ddistaw bach o dan y cot. Beth welwn i oedd dwy lygad fawr las, a gwên ddireidus. 'Bi-bo!' meddai wrtha i... Be fedrwn i ei wneud ond chwerthin! Gwyddwn fod hwn yn mynd i fod yn gymeriad. O ia, roedd ganddo ryw arferiad doniol o dynnu stumiau arno fo'i hun yn y drych yn y llofft. Heledd a minna'n glana chwerthin – a pho fwya roedd Heledd a fi'n chwerthin, mwya yn y byd yr âi Ynyr ati i wneud mwy o stumiau! Sôn am fabi bywiog. Doedd o ddim yn fodlon swatio yn fy nghôl i, fel y gwnâi Heledd. O na, mynnai Ynyr gropian ar ei liwt ei hun, fel neidar ar sbid i bobman. Agor cypyrddau, tynnu tuniau bwyd allan, sosbenni ar lawr, dilladau a sanau ym mhobman, cuddio yn y wardrob, cuddio o dan piano. Dyna oedd ei bethau fo.

Yn ôl â mi i'm hail gynefin – ward esgor Ysbyty Dewi Sant ar 2 Mawrth, 1989. Ond mae'n rhaid i mi gyfaddef 'mod i dipyn bach yn fwy pryderus y trydydd tro. Ofn cael yr un profiad ag a gefais efo Ynyr, ond yn trio fy narbwyllo fy hun fod pob genedigaeth yn wahanol. Daeth Gwyddeles annwyl iawn at Gwyn a minnau ar y diwrnod. 'I'll be your midwife for today,' meddai, mewn acen Wyddelig hyfryd. 'I'll be back soon,' ac allan â hi. Yn sydyn reit, pwy ddaeth i mewn yn ei chôt ond Monica, y fydwraig oedd wedi bod hefo ni'n geni'r ddau arall.

'Pob lwc,' meddai Monica. 'Dwi wedi gorffen fy shifft, a dwi ar fy ffordd adra. Mi ga i wbod fory os na hogyn ynta hogan gei di. Hwyl i ti, a wela i di fory.'

'Ocê, welwn ni chi fory,' meddai Gwyn a finna, ac allan â hi.

Ond wir i chi, er syndod i'r ddau ohonon ni, mewn chwinciad dyma Monica yn ei hôl heb ei chôt, wedi newid i'w gwisg nyrsio.

'Mi benderfynais i newid shifft,' meddai dan wenu. 'Dwi erioed wedi cael *hat-trick*, a dwi wedi dod yn ôl i gael un!'

Ie, Monica oedd y fydwraig efo pob un o 'mhlant i. Hi a'i gofal a'i hiwmor wnaeth y tri achlysur yn rhai mor arbennig i Gwyn a finna. Mae hi a Gareth ei gŵr yn byw yn Llanfairpwll, a phob tro y gwelwn ni hi, bydd yn holi am y plant. Ac ar fy nhrydydd ymweliad ag Ysbyty Dewi Sant, a'r olaf, be roddodd Monica ymlaen ar y peiriant tâp os gwelwch chi'n dda ond Genod Tŷ'r Ysgol. Daeth Bedwyr i'r byd yn sŵn ei fam yn canu a chwarae piano. Cr'adur bach!

Nid gwaedd fach eiddil a glywyd y tro hwn, ond gwaedd gref yn para am funudau.

'Canwr fydd hwn, gei di weld,' meddai Monica wrth roi'r trydydd yn fy mreichiau. Allwn i ddim credu. Roeddwn yn fam i dri o blant, ac wedi mopio! Roedd Bedwyr yn fabi bach distaw a bodlon, yn gysgwr da, ac yn gwenu'n amal wrth gael ei fagu, gan edrych ar y ddau bero arall yn mynd drwy eu hantics. Licio mwythau, hwn.

Am gyfnod, roedd y cwbwl lot ohonyn nhw mewn clytiau a Cynefin yn edrych yn union fel ysgol feithrin – teganau ym mhobman, dilladau yn sychu ar y lein, sosbenni ar lawr y gegin, ôl bysedd bach budur ar y waliau a'r dodrefn, staen bwyd neu ddiod ar y carpedi. Ond yn rhyfedd iawn, er fy mod yn sgut am dŷ glân, dwi'm yn cofio malio am y peth o gwbwl.

Wrth gwrs, roedd yn rhaid i mi gael trefn a rwtîn dyddiol, haearnaidd.

Rhif un: Am saith y bore, cyn i neb godi, gwnawn dân glo anferth yn y lolfa, a rhoi eu dilladau ar y radiator i gynhesu.

Rhif dau: Paratoi nid yn unig brecwast ond bwyd ar gyfer amser te hefyd.

Rhif tri: Rhoi dilladau budron yn y peiriant golchi, a gofalu bod y pentwr clytiau ar dop y cwpwrdd yn barod... ac ati ac ati.

Er 'mod i'n gymharol ifanc fel mam, mae'n rhaid cyfaddef

'mod i bron â chwympo wedi blino ar hyd y beit. Doedd o fawr o help nad oeddwn i'n cael digon o gwsg. Yn amal iawn mi fyddai hi'n crwydro gwlâu acw yn yr oriau mân. Tra byddai Bedwyr yn crio isio bwyd yng nghanol nos, deffrai Ynyr a Heledd hefyd, a chodi aton ni – isio cysgu hefo Mam a Dad wrth gwrs. Wn i ddim sawl gwaith bu'n rhaid i Gwyn druan godi ganol nos a chysgu yng ngwely bychan-bach Heledd, hynny allai o. Yntau'n gorfod wynebu diwrnod o waith y bore wedyn i'n cynnal ni i gyd, a finna'n trio hepian cysgu yn ein gwely ni hefo'r tri bach yn fy nghôl.

Roedd hi'n drît yr amser hwnnw cael mynd allan o awyrgylch ffatri blant y tŷ, a chrwydro efo'r tri ohonyn nhw yn y car yn eu tair sêt fach yn y cefn. Hufen iâ neu *hot dog* yn y cae swings, a mynd â bwyd i'r chwyaid: gloÿnnod byw a Cedric y neidr yn Pili Palas, ym Mhorthaethwy. Rwy'n ddiolchgar iawn am y lle, a dweud y gwir. Ond buan iawn y daeth trefn gall, a'r plantos o'r diwedd yn eu gwlâu eu hunain. Minnau'n para i wneud yr holl bethau bach syml y bydd mamau'n eu gwneud efo'i chywion. Dysgu darllen a chanu iddyn nhw, a chwarae gêmau a minnau'n cyfeilio i'r gêm ar y piano. 'Anifeiliaid' oedd y ffefryn. Y fi wrth y piano yn chwarae miwsig *Jaws*, a hwythau'n siarcod ar eu boliau ar y llawr. Yna, miwsig trwm dwfn i'w cael nhw i chwifio'u dwylo wrth eu trwynau fel eliffantod. Miwsig ysgafn wedyn a hwythau'n fflapio'u breichiau fel adar bach.

Lot o hwyl, ond yn *andros* o waith. Mi roedd y gwaith o ofalu amdanyn nhw'n fy mlino eitha tipyn, mae'n rhaid dweud, ac er fy lles fy hun, mi feddyliais am gael lle iddyn nhw mewn meithrinfa yng Nghaernarfon am dair awr, ddwywaith yr wythnos. Amser i mi fy hun gael anadlu a hefyd i'r plant gael cymysgu â phlant eraill. Ac un bore, dyma fi'n gwneud y penderfyniad mawr, eu cludo nhw i lawr i Gaernarfon, a throsglwyddo'r tri bach i ofal y cynorthwywyr yn y feithrinfa. Wel, sôn am deimlo'n euog! Drwy gydol y daith adre cawn fy nhynnu bob ffordd. Bu bron i mi â throi yn ôl, a bod yn onest. Yr unig beth a'm rhwystrodd oedd gwybod bod gen i berfformiad yn fuan, a bod yn *rhaid* i mi ymarfer. Ar ôl tair awr reit ulw o boenus, yn ôl â mi i Gaernarfon gan obeithio eu bod nhw wedi mwynhau eu hamser yn y feithrinfa o leiaf. Ond och a gwae! Nid dyna'r hanes o gwbwl. Ar ôl parcio'r car, a cherdded tua'r feithrinfa, be welwn i ond y tri yn sefyll yn rhes y tu allan a'u dwylo yn gafael ym mariau'r giat fel anifeiliaid yn gaeth mewn caets, dagrau'n powlio i lawr eu bochau, a'r tri'n gweiddi 'Mam!' ar ucha'u lleisiau bach. Does dim rhaid dweud i syniad y feithrinfa fynd i'r gwellt yn reit sydyn, a dyna'r tro diwethaf iddyn nhw fynd ar ei chyfyl. O hynny ymlaen doedd dim amdani ond i Mam ymarfer y piano ar ôl iddyn nhw gael bath a mynd i'w gwlâu.

Roedd, ac mae'r tri'n agos iawn at ei gilydd, ac yn achub cam ei gilydd bob gafael. Un bore, a minnau'n rhoi'r dillad yn y fasgiad olchi, dyma fi'n gweld Ynyr a'i ben yn y *fridge*.

'Be ti'n neud, Nins bach?' gofynnais.

Dyma fo'n troi ata i, a wyddoch chi be, mi oedd o'n fenyn melyn meddal drosto i gyd – dros ei ddwylo, ei freichiau a'i ddillad i gyd.

'O, Ynyr,' medda fi'n ddig. 'Pam wnest ti roi menyn drostach chdi, y? Ty'd i'r bath, *rŵan*!' a gafael ynddo a mynd â fo i'r stafell molchi. Heb air o gelwydd, roedd ei gyrls melyn o'n gacen o saim. Dyma'i sodro fo yn y bath heb ddim lol, dŵr cynnes, a bod yn hael iawn efo'r sebon a'r shampŵ. Wedi cael dillad glân iddo, meddwn i wrtho'n ddifrifol, 'Paid â gneud hynna byth eto, ti'n clywad!'

Wel, mi bwdodd y cr'adur yn bwt, ac eistedd yno wrth y bwrdd, a'i ddwy law dan ei ên, yn crio. Ond pwy ddaeth yno ond ei chwaer fawr, Heledd, ac meddai wrtho'n llawn cydymdeimlad,

'Paid poeni, Nins. Meddwl 'na bechdan oeddat ti, ia?'

'Ia...' meddai yntau, mewn llais crynedig... !

Be fedrwch chi ei ddweud wrth beth fel 'na ond gwenu a rhyfeddu? Oedd, roedd y tri'n driw iawn i'w gilydd. Os oedd un yn cael ffrae gan Gwyn neu fi, caem *dirty looks* melltigedig gan y ddau arall a nhwytha'n gwneud eu gorau i gysuro'r un oedd wedi cael y ffrae!

O'r diwedd, wedi bod o 'nghwmpas i am dair blynedd, daeth y diwrnod mawr i Heledd fynd i'r ysgol feithrin. Roedd hi'n edrych ymlaen yn ofnadwy, ond doeddwn i ddim. Gwybod yn iawn beth fyddai f'ymateb. Fy nghalon yn rhwygo wrth fynd â Heledd i'r drws, a'i gadael yng ngofal Anti Val. Ew, roedd yr oriau'n hir, y tŷ'n ddistaw, a'r hogia a finnau'n ei cholli na fu ffasiwn beth. Hanner dydd, dyma hi adre i gael ei chinio, a minnau bron yn swp sâl yn poeni amdani. Ond roedd Heledd yn iawn – yn fwy nag iawn! Cerddodd tuag ata i'n rêl boi a deud, 'Dwi'n edrach ymlaen at fory.' A dyma hi'n adrodd stori hir a hapus gan ddisgrifio pawb a phopeth o'r munud y cyrhaeddodd hi tan yr amser y gadawodd yr ysgol.

Daeth yr amser i Ynyr, yr un direidus oedd yn gwneud i mi chwerthin bob amser, ddilyn ei chwaer fawr. Ond doedd 'na ddim llawer o jôcs y bore hwnnw. Welsoch chi erioed y fath grio a sterics a chau mynd i'r ysgol. Finna'n chwys doman yn fy ngorfodi fy hun i'w gario'n llythrennol i'r drws. 'Mi fydd o'n iawn,' meddai Anti Val. Ond roedd dagrau yn fy llygaid wrth weld y cr'adur bach yn torri'i galon wrth wynebu dechrau ar ei yrfa addysgol. Pwy wêl fai arno fo!

A beth am y trydydd? Wel, mi roedd Bedwyr yn sticio'n sownd yno' i fel Superglue. Wastad isio cael ei gario, yn eistedd ar fy nglin i, yn fy nghwt ym mhob man, isio gafael llaw. Babi mam go iawn! A rhaid cyfaddef, yn ddistaw bach, 'mod inna'n mwynhau'r cydls a'r swsys gan hogyn bach gwallt melyn fel aur oedd yn gwenu trwy'r amser. Dod yn ôl wedi danfon y ddau arall, dim ond Bedwyr bach a fi yn y car, a sylweddoli mai ym mhen blwyddyn arall y byddwn ar 'y mhen fy hun adre. Ac mi gymerodd Bedwyr fantais o bob eiliad o'r flwyddyn olaf honno. Mi dreuliodd oriau ac oriau yn fy nghwmni'n eistedd wrth y piano, yn gwrando a 'ngwylio i'n fanwl yn ymarfer a chwarae'r piano. 'Mam, ga i ista hefo chdi, Mam?' Roedd y cwestiynau a'r parablu'n ddiddiwedd. Wrth grwydro, 'Mam, wnei di gario fi, Mam?' Wrth goginio, 'Bedwyl nôl plât, ia, Mam?' Wrth lanhau wedyn, 'Bedwyl nôl polish, ia, Mam?' Wrth ddarllen, 'Wnawn ni ddarllan *Tomos y Tanc*, ia, Mam?' Yna, gwylio'r teledu, '*C'mon Middfîld*, ia, Mam?' ac wrth siopa, 'Ga i bàs yn y tloli, Mam?' Yna, yn rhy sydyn o lawer, daeth yr amser creulon hwnnw o weld Bedwyr, y cyw melyn ola, yn gadael y car, yn gafael yn fy llaw a mynd at ddrws yr ysgol feithrin, i'w drosglwyddo i ofal Anti Val. O diar! Dyna oedd torri'r *umbilical cord* go iawn. Dod adre i dŷ gwag, neb yn fy nisgwyl, neb yn swnian, neb yn chwarae, neb i gael hwyl. Dim ots gen i gyfaddef i mi grio drwy'r dydd!

Roedd Helen, fy ffrind, wedi priodi Len, cefnder Gwyn, ac yn byw wrth yr ysgol. Wn i ddim sawl gwaith yr es i yno, i fwrw 'mol a chael sgwrs a choffi hefo Helen. Roedd Helen yn gês a hanner – Cofi dre – yn llawn hiwmor. 'Paid â poeni, del,' medda hi yn ei hacen dre. 'Fyddan nhw'n ocê siŵr, unwaith ma nhw trw' drws 'na ia, ma nhw rêl bois, 'sti.' Wrth gwrs, mi wellodd petha'n raddol, ond mi gymerodd dipyn o amser i mi ddygymod â bod ar 'y mhen fy hun.

Un diwrnod oer a gwyntog, a'r niwl yn drwm ar y topiau, roedd yr unigrwydd yn pwyso mwy nag arfer. A dyma fi'n cael syniad. Be petawn i'n cynnig dysgu plant i ganu yn yr ysgol feithrin a'r ysgol gynradd yn ddi-dâl? O leiaf, mi fyddwn yn cael bod hefo fy mhlant fy hun am ryw awr neu ddwy. Derbyniodd Anti Val y syniad yn syth, a dyna lle bûm am blwc yn dysgu hwiangerddi a chyfansoddi caneuon i'r plantos am dri bore'r wythnos. Jobsan wrth fy modd! Dwi'n cofio un cyngerdd Nadolig – Heledd oedd Mair, ac Ynyr a Bedwyr yn fugeiliaid – a minnau wedi cyfansoddi alawon a geiriau syml iawn. Daeth y noson fawr, ar lwyfan festri Capel Ebeneser, Deiniolen. Bêls o wair ar y llwyfan, a chrud pren i'r baban Iesu. Roedd Heledd a Bedwyr yn canu eu gorau glas. Ond rhywbeth arall oedd yn mynd â bryd Ynyr ni – pigo gwellt y bêls gwair yng nghanol y perfformiad. Fo a Gethin James yn meddwl ei fod o'n ddigri taflu gwair ar ben pawb. Finnau wrth y piano yn gwneud stumiau arno i beidio, ond doedd dim pwynt. Roedd Ynyr a Geth wedi hawlio sylw'r gynulleidfa yn llwyr, a'r rheiny'n marw chwerthin.

Oedd, roedd Ynyr yn tynnu pobol eraill i mewn i'w driciau yn amal – yn cynnwys ei frawd bach! Dwi'n cofio un nos Sadwrn, a ffeinal Canwr y Byd ar y teledu. Roedd Gwyn wedi cael *Chinese take-away* i bawb, ac yn barod am noson braf o ymlacio o flaen y teledu. Ymhen hir a hwyr, dyma glywed chwerthin mawr yn dod o'n llofft ni. Fyny â fi. Wedi agor y drws, be oedd yn fy wynebu ond Ynyr a Bedwyr yn lipstic a cholur, *gel* a *hairspray* o'u corun i'w sawdl. Roedd y ddau wedi bod yn bownsio ar ein gwely dwbwl, ac yna wedi helpu eu hunain i bopeth yn ein stafell. Y cyfar gwely yn lipstic pinc a choch, a'r gadair werdd a'r carped golau yn bowdwr brown a thalc ac *aftershave* drosto. Ni welais ddiwedd Canwr y Byd y noson honno. Pwy enillodd, 'dwch?

Roedd gan y tri feic bach yr un: Heledd un pinc, Ynyr un glas a Bedwyr un coch. Tydi o'n rhyfedd fod cymeriad y tri'n amlwg hyd yn oed wrth reidio beic: Heledd yn ofalus, Bedwyr yn araf a chŵl, ond Ynyr yn anturus ac yn gyflym. Beth bynnag fyddai'n digwydd o'i gwmpas, toedd gan Ynyr ddim ofn. Ond roedd menter Ynyr yn achosi tipyn o broblemau weithiau. Wel, hunllef a dweud y gwir. Digwyddodd hyn yn Hong Kong yn 1996, ac Ynyr bellach yn wyth oed. Roedden ni fel teulu yn cael bwyd o amgylch bwrdd mawr ar lawr isaf gwesty anferth, dau ddeg pump llawr. Pawb yn mwynhau eu bwyd, ac ar ôl gorffen, dyma Gwyn yn deud ei fod am nôl y camera fideo o'n stafell ar lawr un ar ddeg. Yn sydyn, mi drois fy mhen a sylwi fod Ynyr wedi diflannu, fel petai'r ddaear wedi'i lyncu. Hunllef waethaf pob mam. Ni allwn adael y ddau arall, a bu Gwyn yn chwilio am gryn amser, gan fynd o un llawr i'r llall. Pawb yn dechrau hel meddyliau wrth weld dynion digon amheus yr olwg yn pwyso ar y bar ac yn defnyddio ffonau symudol. Dechrau amau bod y rhain yn y diwydiant gwerthu plant bach. O'r nefoedd! Ond toc daeth Ynyr bach i'r fei. Heb ddweud wrth neb roedd o wedi cymryd yn ei ben i ddilyn ei dad i'r stafell wely yn y lifft. Roedd rhywun wedi pwyso botwm rhif 5 wrth fynd i fyny, y drysau wedi agor, ac Ynyr druan wedi mynd allan o'r lifft ar y llawr anghywir. Wyddwn i ddim ai gwylltio ynta'i gofleidio a wnawn i!

Gan fod pen-blwyddi'r plant mor agos at ei gilydd, arferwn wneud un parti pen-blwydd rhyngddynt. Roedd Lois ac Anest, merched fy chwaer Marina a John Eifion, wedi'u geni erbyn hyn, a hefyd Caryl, merch fy chwaer Olwen ac Alun. Gwahoddwn bawb acw i'r parti. Ac nid unrhyw gacen ben-blwydd o'r siop fyddai'n eu disgwyl. O na. Ro'n i'n benderfynol o wneud teisen ben-blwydd fy hun – teisen siâp draenog, pilipala, teigar neu un siâp blodyn. Sut oedd gen i amynedd, 'dwch? Un flwyddyn mi wnes ymdrech arbennig efo teisen siâp pilipala. *Sponge* blaen, sgwâr wedi'i thorri'n ddau driongl; un stripyn o licris yn y canol; pedair olwyn licris lliwgar ym mhob congol, a'i haddurno hefo Smarties, Jelly Tots a Chocolate Buttons. Hufen a jam yn ei chanol, ac yna'i thorri a'i gosod fel pilipala ar blât mawr, sgwâr cyn rhoi'r canhwyllau yn eu lle. Pwy gyrhaeddodd ond fy ffrind Helen, y Co dre, a dyma hi'n syth at y pilipala lliwgar. 'Esu bach, ti 'di cael hwyl ar y *ladybird* 'ma,' meddai hi. Sôn am hwyl. Un dda oedd Helen am wneud i mi chwerthin.

Cyngherddau Nadolig rif y gwlith, gwasanaethau Diolchgarwch, sioeau diwedd tymor, Eisteddfod Deiniolen. Fy mhlant i'n gwneud eu pwt ym mhob un ohonyn nhw, a minnau'n rhoi'r dyddiadau yn fy nyddiadur efo beiro drom yn hen ddigon buan, a gwrthod cynigion eraill er mwyn cael bod yno. A Gwyn fel y dyn camera, yn cofnodi popeth yn ofalus. Ond weithiau doedd dim dewis. Roedd yn rhaid i mi golli ambell berfformiad a chymryd gwaith teledu neu gyngerdd go fawr. Mi wnes i'r camgymeriad o ddweud y down ag anrheg i'r plant bob tro yr awn i ffwrdd. Rhywbeth i leddfu fy euogrwydd am eu gadael oedd hynny, mae'n debyg. Weithiau, roedd hi'n job gwybod beth i'w gael. Doedd 'na'm pwynt dod â dillad i Heledd gan ei bod mor bendant ynglŷn â'r hyn yr hoffai ei wisgo – ers pan oedd hi'n ddim o beth! A do, mi wnes fy rhan fel mam dros y blynyddoedd. Eu gwisgo i fyny ar gyfer ffair haf Dinorwig a charnifal Deiniolen, gweiddi ar y lein mewn gêm bêl-droed yn Neiniolen a Llanberis, heb sôn am roi gwersi piano a dysgu'r tri i ganu.

Roedd petha'n dechrau dod i drefn yn y tŷ a chan bawb ei le a'i gyfrifoldebau ei hun. Ond un flwyddyn, dyma'r cwestiwn bythol wyrdd yn codi'i ben: 'Mam, gawn ni gi bach gan Santa Clos?' Be fedrwn i ddeud? Tydi Siôn Corn yn ddyn ffeind ac yn dod â'r hyn y mae plant yn dymuno'i gael? Bu trafodaeth hir. Gwyn a'r plant i gyd yn edrych ymlaen, finnau'n casáu meddwl am waith ychwanegol yn Cynefin yn gofalu am anifail.

'Dwi isio bod yn *vet*, dwi'n lecio anifeiliaid,' meddai Heledd. Roedd hon yn gwybod sut i berswadio'i mam.

'Gawn ni weld, cariad bach,' meddwn i'n amwys. Wrth gwrs ildio wnes i – wel, cytuno i fynd i *weld* cŵn o leiaf.

Mynd hefo Gwyn i dŷ ger Castell Penrhyn, Llandegái, i weld labradors rhyw ddeufis oed. Wna i byth anghofio'r chwe ci bach ifanc yn rhedeg ar draws y cae tuag aton ni. A daeth gast fach ata i ac edrych i fyny fel pe bai'n gofyn, 'Wnei di fy newis i?' Plygais i lawr a'i chodi, a dyma hi'n ysgwyd ei chynffon a llyfu fy llaw. 'Hon dwi isio, Gwyn,' meddwn.

'Ro i'n meddwl mai dod i weld y cŵn oeddan ni, nid i brynu un,' meddai Gwyn yn hurt. Ond dyna fo. Cytunwyd i'r perchnogion roi nod bach ar ei chlust, er mwyn i ni allu ei hadnabod y tro nesa.

Bore Nadolig ddaeth. Y stafell fyw yn llawn teganau, ond dim ci. Pump o'r gloch y bore, a'r plant yn syllu'n fud.

''Di Siôn Corn ddim 'di dŵad â ci bach i mi,' meddai Heledd, a dechra crio.

'Paid â crio, cariad bach, fedar Siôn Corn ddim gadael ci bach ar ei ben ei hun, siŵr. Fallai y gwneith o ddod yma ar ei ffordd adra i Wlad yr Iâ, ar ôl gweld gola yn ein tŷ ni a gweld bod pawb wedi codi.'

Gwisgais fy nghôt a cherdded tuag at y giât a hithau'n dywyll ac yn oer. Pwy oedd yno ar waelod y dreif ond fy ffrind Bethan o Lanrug, oedd yn bridio cŵn. Yn y car, yn gorwedd yn ei chôl, roedd y ci bach.

'Dwi wedi rhoi bath iddi bora 'ma, a'i bwydo hi,' meddai Bethan.

Dyma fi'n gafael yn yr ast fach ac yn rhedeg i fyny'r dreif am y tŷ, agor drws y ffrynt ac i mewn yn syth i'r stafell biano. A dyna lle roedd Gwyn a phawb i'n croesawu.

'Ci bach, Heledd, ci bach!' meddai Ynyr yn uchel.

'Ci bach du, Hels, ci bach du,' meddai Bedwyr yn neidio i fyny ac i lawr. Rhedodd Heledd ati ar wib yn ei phyjamas a'i slipars, a gafael ynddi a'i swsio. Labrador bach du, a Bethan, chwarae teg iddi, wedi rhoi rhuban mawr silc coch rownd ei wddw.

'Be w't ti am roi yn enw iddi, Heledd?'

'Del,' meddai hithau heb oedi, yn amlwg yn gwybod yn iawn y byddai hi'n cael ei dymuniad. Roedd Del bellach yn un o'r teulu... Nadolig sbesial iawn oedd hwnnw.

A do, mi wnes inna, yr un oedd yn amau ar y dechrau, wirioni efo Del bach. Arferai grwydro efo mi i bobman, gan gerdded efo mi tuag at Lyn Marchlyn, eistedd fel ledi yn y car, ac fel cynffon i mi wrth i minna fynd ati i wneud y gwaith tŷ. Ro'n i'n teimlo'n saff hefo Del. Roedd ganddi gyfarthiad uchel, a rhedai at y drws bob tro y byddai rhywun yn galw. Ond y munud yr agorwn y drws, mi fyddai hi'n tawelu ac yn ysgwyd ei chynffon. Bob tro yr awn i chwarae'r piano, byddai Del yn gorwedd o dan y piano, ac yn cau ei llygaid. Gwyddwn mai Del fyddai'r cyntaf i 'nghyfarch pan ddown adre; byddai'n disgwyl amdana i yn y drws, waeth faint o'r gloch oedd hi. Pan fyddai hi wedi bod yn cysgu, arferai ymestyn ei choesau fel pe bai hi'n bowio i mi. Arferai lyfu fy llaw a fy wyneb, a phan fyddwn i'n droednoeth, arferai lyfu 'nhraed i. *Pedicure* am ddim! Ffrind arbennig ac un mor ffyddlon.

Buan iawn y daeth cyfnod yr arddegau: Heledd ar y bws i Brynrefail, yr ysgol uwchradd, Ynyr a Bedwyr yn ei dilyn. Emosiwn mawr bob tro y clywn gân Leah Owen, 'Mi dyfodd y bachgen yn ddyn'. Amser digon pryderus i mi fel mam hefyd – poeni am fwlio, cyffuriau ac alcohol, cariadon, gwaith ysgol, aros allan yn hwyr y nos, *sleepovers*, partïon a disgos. Pethau ieuenctid yr oes yma, petha mae'n rhaid iddyn nhw fynd trwyddyn nhw, debyg. Ond credwch chi fi, nid hawdd ydi eistedd adre neu berfformio ar lwyfan heb wybod lle mae eich plant, na be maen nhw'n ei wneud. Ond dyna fo, mae'n rhaid ymddiried ynddyn nhw. Ac mi wyddwn fod y tri wedi cael dos reit dda o synnwyr cyffredin, hiwmor, ac yn bwysicach na dim, eu bod yn gwybod fy mod yn eu caru yn fwy na dim yn y byd, ac y byddwn i a Gwyn yno'n gefn iddyn nhw bob amser.

Arholiadau'r ysgol – dyna i chi amser anodd arall. Papurau a llyfrau ym mhobman, pawb yn ddigon pigog, a Gwyn a fi'n trio helpu gymaint ag y medrem ni. Gofalu bod eu gwisg ysgol yn barod iddynt bob bore a'u bod nhw'n bwyta'n iawn. Pethau bach ond pwysig! Doedd yr un o'r tri yn rhy hoff o'r ysgol uwchradd, a bod yn onest, ac roeddent i gyd yn ysu am gael mynd i'r coleg neu i weithio.

Cyfnod yr arddegau – ffrindiau newydd a chariadon newydd. Cyfnodau poenus weithiau. Ond diolch byth, gallai'r tri rannu eu poena a'u pryderon hefo Gwyn a minna, a ninna'n cynnal a chefnogi hyd eitha ein gallu. Wn i ddim sawl gwaith mae Gwyn wedi dweud wrtha i am beidio â mynd o flaen gofid. Yn amal iawn dwi wedi codi o 'ngwely ac aros ar fy nhraed yn disgwyl yr hogia: y ddau ddim yn meddwl ffonio na tecstio i ddweud eu bod nhw'n iawn. Mwynhau eu hunain wrth gwrs, heb feddwl bod eu rhieni adra'n poeni! Ond dyna fo, roedd yn rhaid i minnau ddysgu ymlacio mwy hefyd, a gadael iddyn nhw fyw eu bywydau. A dysgu'r wers bwysicaf un i unrhyw riant – gwybod pryd i ollwng gafael...

Mae personoliaethau'r tri'n amrywio, wrth reswm. Mae'r tri'n gerddorol. Mae Heledd yn debyg i mi o ran pryd a gwedd, ond nid oedd yn awyddus i ddilyn gyrfa gerddorol ei mam.

'Dwi ddim isio perfformio ar lwyfan o flaen cannoedd o bobol,' meddai. Ond mae hi wedi cael brêns ei thad.

Mae Ynyr hefyd yn gerddorol, yn gallu troi at biano, gitâr a drymiau. Mae'n un penderfynol fel fi, ond fo hefyd ydi cymeriad y teulu, yn union fel ei daid, Tommy.

Bedwyr ydi'r un sydd â'r diddordeb mwyaf mewn cerddoriaeth. Cyn i'w lais dorri, roedd ganddo lais uchel – fel cloch, a chlust dda yn gerddorol. Tynnu ar ôl ei daid, Ifan, a wna Bedwyr, un bodlon ei fyd, yn ddyn ei filltir sgwâr.

Bydd drws Cynefin wastad yn agored iddyn nhw. Mi garaf y tri'n angerddol tra bydda i byw.

15

CYMRU A'R BYD

'Mae'n werth troi'n alltud ambell dro.' Dyna ddywed yr hen air a do, dwi wedi teithio'n bell iawn o filltir sgwâr Deiniolen wrth ddilyn fy ngyrfa yn cynnal cyngherddau. Mor bell ag y gallwn i fynd, a dweud y gwir – Awstralia, Affrica, Hong Kong, Môr y Canoldir… ond gan ddod yn ôl i werthfawrogi fy nghartre yn fwy nag erioed.

Ar wahân i'r eitem honno yng nghyngerdd yr Albert Hall yn ddeg oed, mae un cyngerdd cynnar arall yn aros yn y cof. Yn bedair ar ddeg oed, a minnau yn Ysgol Brynrefail, dyma Gwyndaf Parry, yr athro Cerdd, yn gofyn i mi gyfeilio i'r *Mass in G* gan Schubert. Profiad bythgofiadwy – côr yr ysgol; Dad oedd y tenor; Edwin, ein ffrind, oedd y bariton; Brian Rowlands o sir Fôn y bas, ac Elen Ellis o Fethel oedd y soprano. Gwaith corawl bendigedig, gan fy hoff gyfansoddwr yn y byd, Schubert.

Ar ôl priodi, mi fues i'n cyfeilio llawer i artistiaid poblogaidd Cymru ar hyd ac ar led y wlad, a dod i'w hadnabod nhw a magu perthynas glòs iawn rhwng y cyfeilydd a'r canwr. Dyna i chi Dafydd Edwards, y tenor, a'r baswr Evan Lloyd. Cafodd Gwyn a minnau wely a brecwast lawer gwaith yn Sŵn y Gân, Aberaeron, a Phlas y Bryniau, Bethania. Pan anwyd Gwawr, merch Dafydd ac Ann, mi gefais y fraint o fod yn fam fedydd iddi. Erbyn heddiw, mae Gwawr yn gwneud enw iddi ei hun fel cantores, a Menna ei chwaer yn cyfeilio iddi. I Dafydd roeddwn i'n cyfeilio pan fentrais ar fy nhaith dramor gynta un yn 1985, i Nigeria. Pam Nigeria o holl wledydd y byd, dyn a ŵyr! Roedd Tom Gwanas, Marian Roberts a Jack, ei gŵr efo ni hefyd, a Trefor Selway yn arwain. Cawson ni wythnos gofiadwy ar sawl ystyr yng nghwmni aelodau Cymdeithas Gymraeg Lagos. Glywsoch chi am honno? Do, mae'n siŵr!

Ia, gwlad a phrofiad gwahanol oedd Nigeria. Pan gyrhaeddais

y maes awyr, y peth cyntaf a welais ar ochr y ffordd oedd dyn wedi marw, a phawb yn cerdded heibio iddo fel pe na bai o'n bodoli. Teimlwn fel mynd ato a gafael yn ei law, ond doedd fiw i mi. Teithiwn yn y car hefo'r bobol roeddwn yn aros efo nhw, a chawson ni ein stopio a'n holi gan filwyr, a rhoddwyd gwn wrth fy mhen drwy'r ffenest hyd yn oed! Beth bynnag, cefais groeso mawr gan y teulu, chwarae teg. Ond roedd gweld cymaint o bobol ifanc croenddu yn tendiad ar y gwynion yn fy ngwneud i'n reit sâl. Caethweision oeddent i bob pwrpas, yn cyflawni'r holl dasgau a gâi eu rhoi iddyn nhw gan y meistri, ond mewn cwt yng ngwaelod yr ardd roedden nhw'n cysgu. Roedden nhw'n glanhau, yn tacluso ac yn paratoi pob dilledyn i mi, hyd yn oed pe bawn wedi newid dillad ddwy neu deirgwaith y dydd. Teimlwn drostynt.

Ar un achlysur cawsom barti mawr yn nhŷ un o'r gwahoddedigion ar ôl cyngerdd. Tŷ moethus, a bwyd am y gwelech chi; poteli siampên a gwinoedd ym mhobman. Pwy gyrhaeddodd yno ond Bethan Gwanas, merch Tom. Roedd Bethan yn dysgu mewn ysgol rhyw ddau gan milltir o Lagos. Bu dathlu mawr wedi iddi gyrraedd ac, o dan ddylanwad y bybli, wrth gwrs, bu'n rhaid i Dafydd a Tom neidio i mewn i'r pwll nofio efo hi dros eu pennau, a sefyll wedyn ar lan y pwll yn eu tronsiau yn Lagos yn canu 'Y Ddau Wladgarwr' am ddau o'r gloch y bore!

Roedd y dreifar yn disgwyl amdanon ni, ac wrth fynd i mewn i'r tŷ lle roedden ni'n aros, mi ganodd y corn wrth y giât, a deffro llanc ifanc croenddu er mwyn i hwnnw ddod allan o'r cwt ac agor y giât i ni fynd i mewn, a hynny am dri o'r gloch y bore. Roeddwn yn reit falch o ddod adre o'r wlad honno.

Y flwyddyn wedyn, ym Mehefin 1986, dyma bacio fy nghês wedyn, a mentro ar fwrdd y llong enwog honno, y *QE2* i Fôr y Canoldir. Ni oedd yr *entertainment* yn y lownj, minnau i gyfeilio i Evan Lloyd a Dafydd Edwards, ac i roi unawdau piano. Gwyddwn fod yn rhaid i mi rannu caban efo rhywun ar y llong, ond nid oeddwn erioed wedi'i gweld na'i chyfarfod. Ond roedd Evan a Dafydd wedi fy narbwyllo y byddwn yn medru cyd-dynnu â hi. A gwir a ddywedwyd. Cyfarfod â Gwen Annwyl yn Southampton, a'r ddwy ohonon ni'n ysgwyd llaw a chydgerdded i'n caban cysgu hynod o foethus. Cefais amser difyr ofnadwy yng nghwmni Gwen ar y fordaith, yn gwrando ar ei straeon diddorol iawn am ei chyfnod fel Lady-in-waiting i chwaer y Cwîn ei hun, y Dywysoges Margaret. Ddyweda i ddim mwy, dwi ddim isio achos llys! Roedd 'na gymeriad arall digri iawn ymysg y criw, sef John Nantllwyd. Ffarmwr bodlon a hoffus oedd John, ac un hynod ffraeth. Roedd popeth ar gael ar long mor foethus, a hyd yn oed pe na bai rhywbeth ar gael, ymffrost y staff oedd y byddent yn bownd o'i gael i chi, pa mor rhyfedd bynnag fyddai'r cais. A be wnaeth John ond mynd at y bar a gofyn i'r barman syn am wydraid o lefrith enwyn. Roedd pawb ohonon ni yn ein dyblau wrth weld John yn trafod a thrin y llefrith enwyn, yn trio'i ddisgrifio i'r barman yn ei Saesneg gorau! Yn anffodus i John, chafodd o byth lymaid o'r llefrith nes iddo gyrraedd adre i Nantllwyd!

O oedd, roedd tynnu coes yn rhemp. Daeth gwahoddiad mewn ysgrifen, o dan y drws, i mi gyfarfod â'r capten. Pawb mor genfigennus mai fi oedd wedi cael y gwahoddiad, yn enwedig Dafydd ac Evan. Pam fi ac nid y nhw? Oedd y capten wedi fy ngweld a'm ffansïo i? Oedd pryd o fwyd yng ngolau cannwyll i ddau ar dop y dec? Siaradent am y peth yn ddiddiwedd. Daeth yr awr fawr, a minnau'n reit nerfus, a Gwen wedi gofalu 'mod i'n edrych yn iawn. Cnoc ar y drws a llanc ifanc swyddogol yr olwg yn fy nhywys i tuag at y lifft. Ond pan agorodd y lifft, pwy oedd yn fy nisgwyl wrth gwrs ond y ddau wladgarwr, Dafydd ac Evan, yn rhowlio chwerthin. A dweud y gwir, yr hyn dwi'n ei gofio orau am y trip hwnnw yw chwerthin. Wnes i ddim byd ond hynny am wythnos – wel, ar wahân i fwyta wrth gwrs. Mi gyrhaeddais adre a heb air o gelwydd, ro'n i wedi ennill deg pwys mewn wythnos! Sôn am siâp corfforol... be faswn i'n ddweud... swmpus?

Un sydd wedi dod yn ffrind mawr iawn i mi dros y blynyddoedd yw'r tenor Timothy Evans. Os oes rhywun â'r duedd iach honno o beidio â chymryd ei hun ormod o ddifri, a gallu chwerthin am ei ben ei hun, Tim yw hwnnw. Dyna sy'n ei wneud mor hoffus. Dwi wedi cyfeilio iddo ddegau o weithiau. Cawsom wahoddiad unwaith i berfformio i'r Gymdeithas Gymraeg yn Hong Kong. Ia, un arall o'r rheiny! Dau ddiwrnod o drafaelio er mwyn un noson o berfformio. Dyna i chi wast ar betrol! Tair noson oddi cartref. Cytunais i fynd, ond rywsut, am ryw reswm od, mi deimlais hi'n anoddach nag arfer i adael Gwyn a'r plant bach. Mi fasech yn taeru 'mod i'n mynd am flwyddyn gyfan, y ffordd ro'n i'n teimlo. Roeddwn wedi bod yn rhyw snwffian crio drwy'r dydd cyn hedfan.

Cychwyn am Lanbed i dŷ Tim am ddau o'r gloch y bore. Crio ar hyd y ffordd. Timothy yn fy nghyfarch yn y drws, ac yn edrych yn syn ar fy llygaid, oedd wedi chwyddo'n fain a diarth yr olwg wedi i mi golli'r holl ddagrau.

'Annette fech,' meddai Tim yn chwareus, 'gyda llyged fel 'na, 'swn i'n taeru ein bod ni yn Hong Kong yn barod!'

Ydi, mae Timothy bob amser yn medru gwneud i mi chwerthin. Cawsom gyngerdd gwych yng nghwmni aelodau'r Gymdeithas Gymraeg, ond doedd dim amser i loetran. Cychwyn am adre yn syth y bore canlynol. Ond wedi glanio yn Amsterdam ar y ffordd yn ôl, bu'n rhaid i Timothy a fi aros yno'r noson honno, oherwydd bod gormod o niwl i hedfan. Doedd gan yr un ohonon ni gês, gan eu bod yn dal yn howld yr awyren, na dillad sbâr – dim byd. Aethon ni at y ddesg a derbyn pecyn tros-nos parod gan y cwmni, a llety yn y ddinas. Roedd yn rhaid dygymod â'r sefyllfa orau y gallen ni. Sefyllfa ryfedd, Timothy a finna wedi dod yr holl ffordd o Hong Kong, a rŵan yn eistedd ar fainc y tu allan i'r maes awyr yn Amsterdam yn disgwyl bws mewn niwl oer, a phecyn bach bob un ar ein gliniau.

'Be sy yn y bag 'ma?' medda finnau, gan ei agor. Crib, sebon, brwsh dannedd a phast, a be oedd hwn yng ngwaelod y bag? Ie, myn diân i, nicyr papur! Dechreuodd y ddau ohonon ni weld yr ochor ddigri i bethau. Be oedd ym mag Timothy, tybed? Yr un petha'n union, ond iddo fo, roeddan nhw wedi pacio trôns papur bach tila, hefo twll yn y canol. Ac meddai Timothy wrth godi'r trôns papur i fyny a syllu arno'n fanwl yn awyr y nos, 'Annette fech, wnaiff hwn ddim ffitio 'ngho's i, nefyr meind 'y mhen-ôl i!'

Yn sydyn roeddwn wedi mynd i sterics o chwerthin. Dagrau mawr yn rowlio i lawr fy mochau. Mae'n siŵr fod pobol yn edrych yn syn arnon ni, dyn a dynes yn eu hoed a'u hamser yn chwerthin yn wirion yn fan'no, ar fainc yn Amsterdam, yng nghanol y niwl...

Hogia'r Wyddfa, dyna griw arall sydd wedi dod yn ffrindiau mawr i mi. Roedd Vivian, gitarydd y grŵp, acw ryw noson, a dyma fo'n gofyn a fyddwn i'n ystyried bod yn gyfeilydd i'r hogia. Doedd y creadur annwyl, y diweddar Richard Morris, ddim yn hwylus yr adeg honno. Cofio'r hogia mewn cyngherddau yn y pentre pan oeddwn yn blentyn. Mi ges fy magu yn sŵn eu canu harmoni clòs bendigedig, a phrynu eu recordiau i Mam a Dad. A minnau rŵan yn cael cynnig cyfeilio iddyn nhw! Cytunais, wrth gwrs, a threfnu iddynt ddod i'n tŷ ni i ymarfer. Roeddwn yn eu hadnabod i gyd – Myrddin, Elwyn, Arwel a Vivs. Rŵan, ro'n i am fod yn un o'r grŵp. Pleser pur oedd ymarfer efo'r hogia, a hwythau'n hynod barchus a diolchgar. Ym Mhorthaethwy roedd fy mherfformiad cyntaf efo nhw, ac yn rhyfedd iawn, cyngerdd coffa yr annwyl Bedwyr Lewis Jones oedd hwnnw.

Roedd ymarfer hefo'r hogs yn ein tŷ ni yn nosweithiau i'w trysori. Pawb yn cyrraedd hefo'u dyddiaduron, canu o amgylch y piano, cael rhywbeth i'w fwyta, a sgwrs. Yn amal iawn deuai Myrddin â'i frawd Gwynedd i ymuno â ni. Gwynedd a'i wraig Gwenda ydi ffan mwya Hogia'r Wyddfa, ac mae'n ffrind agos iawn i ni. Yn dilyn y cyfarfod cyntaf datgelodd Arwel fod Myrddin wedi'u rhybuddio i fyhafio eu hunain a pheidio â deud jôcs anweddus gan 'mod i'n ferch. A phwy ydi'r un sydd yn hoffi jôcs felly yn fwy na neb? Ia, y fi. Buan iawn y daeth yr hogia i f'adnabod, a buan iawn y llaciodd y rheol honno! Daeth ein perthynas yn agosach wrth i ni drafaelio ar hyd a lled Cymru, i leoliadau amrywiol iawn – yn gapeli, neuaddau bach a mawr, gwestai a thu mewn i amryfal siediau gwair!

Cafodd Hogia'r Wyddfa, Rosalind a minnau wahoddiad i Awstralia am dair wythnos o gyngherddau yn 1996. Cytunais ar un amod – fod Gwyn a'r plant yn dod hefo mi am unwaith. A dyna ddigwyddodd. Cychwyn o Fanceinion a chyrraedd Sydney o'r diwedd, gweld teulu Cymraeg yn ein disgwyl yn chwifio baner y ddraig goch! Arhosai pawb o'r lleill gyda theuluoedd, ond gan ein bod ni'n bump, carafán gawson ni. Yn anffodus, hon oedd y garafán leiaf a welsoch erioed! A doedd ei lleoliad ddim yn llawer o help chwaith – mewn parc rhwng y briffordd a'r rheilffordd. Chysgais i fawr ddim y noson honno rhwng y trêns a'r traffig. Teimlwn i a Gwyn braidd yn isel. Ond yn gwbwl annisgwyl ymyrrodd ffawd yn ein tynged y bore canlynol. Wrth gerdded i chwilio am gaffi i gael brecwast, gwelais ddwy ddynes. Roedd y ddwy ohonynt wedi dod i chwilio amdanon ni, i fynnu ein bod yn aros yn eu cartref. Pwy oedd y rhain, a sut yn y byd roedden nhw'n gwybod cymaint amdanon ni? Wel, mae Anti Beti o Lanberis yn perthyn i ni ar ochr fy nhad a gwyddwn fod gan Dad deulu yn Awstralia yn rhywle. Roedd ganddo gefnder o'r enw Bill a oedd wedi ymfudo yno yn y chwedegau. Roedd fy annwyl Anti Beti wedi penderfynu ffonio Bill a Brenda ei wraig i ddweud ein bod ar ein ffordd i Awstralia i ddiddanu, ac roedd Brenda wedi cysylltu â'r Gymdeithas Gymraeg i holi amdanaf. Cyd-ddigwyddiad anhygoel!

Sôn am ollyngdod i bawb. Mynd yn ôl i'r garafán a phacio popeth yng nghar *seven-seater* Jenny, merch-yng-nghyfraith Brenda. Roedd yr holl beth yn anghredadwy. Cyrraedd Panania (rhan o Sydney) a chyfarfod â Bill a'r teulu. Mae'r ymadrodd yn hollol wir, mae gwaed yn dewach na dŵr. Pan welais fy Yncl Bill am y tro cyntaf, roedd y teimlad o'i weld yn rhywbeth na fedra i ei ddisgrifio na'i anghofio. Cael aros a dod i adnabod fy nheulu newydd na wyddwn i fawr ddim amdanynt. Bellach, roeddent yn rhan bwysig iawn o 'mywyd, yn ein dilyn i'r cyngherddau ac mi fuon ni'n cymdeithasu a mwynhau cwmni'n gilydd yn nhywydd braf Awstralia. Yn y maes awyr wrth ffarwelio, meddai Bill a Brenda wrtha i:

'Somehow our lives have been incomplete, but since we've met you and your family, the last piece of the jigsaw is in place.' Anodd iawn oedd gadael y ddau, rhan o'm tylwyth a'm hanes, i ddod yn ôl i Gymru.

Ond ym mhen pedair blynedd roeddwn yn ôl *down under*. Cefais wahoddiad yn ôl i Awstralia yn 2000, i gyfeilio i 'Pavarotti Llanbed', Timothy Evans. Fo, Gwyn, finnau a'r plant yn hedfan i

Singapore ac yna i Awstralia, gan gyrraedd Brisbane am chwech o'r gloch y bore. Aros yng nghartref y ddiweddar Cath Filmer Davies, hi a'i chath Siamese wen. Finna'n digwydd bod yn alyrjic i gathod, a bod yn onest! Ond y peth rhyfedda yn y byd oedd mai o bob dim dan haul, Bedwyr oedd enw'r gath! Cath Siamese o Awstralia o'r enw Bedwyr – dydi o ddim cweit beth rydach chi'n ei ddisgwyl, yn nag 'di? Cawsom hwyl a chyngherddau da. Roedd yn rhaid gofalu am y golchi i chwech ohonon ni. Ac wrth fy ngweld yn rhoi dillad ar y lein rhyw ddiwrnod, meddai Timothy wrtha i, 'Paid â rhoi fy mhants i ar y lein 'na, rhag ofn i bobol Awstralia feddwl fod 'na *eclipse.'*

Yn y nawdegau cynnar sefydlwyd yr asiantaeth gerddorol Cantabile gan Haydn a Hefina Jones, a'u merch Sarah. Mae Dewi Wyn Willams, y tenor o'r Rhos, yn nai i Haydn, a phenderfynwyd trefnu cyngherddau ar gyfer Dewi a finnau a chantorion eraill o Gymru. Diolch i Gareth a Iola, mam a thad Dewi, am fod mor ffeind a gadael i mi aros gyda nhw pan fydd cyngerdd yn yr ardal. Ond doedd cyngerdd cynta'r asiantaeth ym Metws-yn-Rhos ddim yn rhyw lwyddiant mawr. Dau ddeg tri o bobol ddaeth yno. Penderfynwyd dal ati, a chael mwy o gantorion ar lyfrau Cantabile. Cefais innau gyfle i gyfeilio, rhoi unawdau a hefyd ddeuawdau hefo fy ffrind annwyl, Dylan Cernyw, y telynor.

Mi fuon ni'n cadw cyngherddau am bedair blynedd yn olynol yng Ngŵyl Caeredin. *Wales at the Fringe* oedd teitl y sioe, yn eglwys Greyfriars, Caeredin. Wythnos anodd o droedio strydoedd Caeredin yn rhannu taflenni i bobol i ddod i'r cyngherddau, heb sôn am berfformio. Ond roedd pawb wrthi, ac awyrgylch braf wrth weld yr artistiaid eu hunain yn gwerthu eu cyngherddau a'u sioeau i'r cyhoedd. Perfformio yn y bore rhwng deg o'r gloch ac un ar ddeg yn eglwys St Giles ar y 'Mound', cael cinio, ac i lawr wedyn i eglwys Greyfriars i roi cyngerdd o ddau tan hanner awr wedi tri a hynny bob dydd am wythnos. Sylwi ar y twristiaid yn heidio at fynwent Greyfriars, a bedd 'Bobby', y ci bach a ddilynodd ei berchennog o gefn gwlad yr Alban i Gaeredin. Wedi claddu ei berchennog ym mynwent Greyfriars, ymddengys fod Bobby ffyddlon wedi cysgu ar fedd ei feistr am flynyddoedd lawer i gael bod yn agos ato. Gwnaeth Disney ffilm o'r stori. Mae ganddon ni stori Gelert, a'r Alban ei Greyfriars Bobby.

Cawn brofiadau reit ryfedd weithiau ar deithiau cerddorol. Fel yn ystod y daith honno a gefais yng nghwmni'r tenor Rhys Meirion a Don Lloyd, nai'r tenor David Lloyd. Deuddeg cyngerdd drwy Gymru lle'r adroddai Don hanes bywyd David Lloyd, a minnau'n cyfeilio i Rhys, a ganai'r caneuon mae pawb yn eu cysylltu â'r tenor enwog. Roedd y daith yn llwyddiant ysgubol, rhai aelodau o'r gynulleidfa yn eu dagrau, ac yn dod â'u hatgofion am David Lloyd aton ni ar y diwedd. Beth bynnag, dwi'n cofio un o'r cyngherddau, yn Nhreffynnon roedden ni, a minnau'n cyfeilio i'r gân dlos honno, 'Wyt ti'n Cofio'r Lloer yn Codi'. Y gynulleidfa'n ddistaw stond, a'u meddyliau fel pe baent am ail-greu David Lloyd ei hun yn sŵn y gân atgofus. Yn sydyn, o rywle, yng nghanol y perfformiad daeth chwa o wynt ac ysgwyd y miwsig o fy mlaen. Ceisiais chwarae â'm llaw chwith a gosod y miwsig yn ei le efo fy llaw dde. Aeth ias i lawr fy nghefn. Onid oedd hi'n rhyfedd bod y gwynt wedi chwythu wrth i Rhys ganu'r geiriau 'Nef ac Uffern bob yn ail'? Roedd rhai yn y gynulleidfa wedi sylwi ar hyn hefyd. Oedd ysbryd David Lloyd yno efo ni y noson honno? Biti garw na chefais y fraint o'i adnabod, a chyfeilio iddo.

Gŵyl Gerdd Conwy – dyna i chi ddigwyddiad rheolaidd arall yn fy nghalendr ers tri deg o flynyddoedd! Fel arfer, yn Eglwys y Santes Fair, gyda fy ffrind annwyl, y mezzo soprano, Sian Wyn Gibson o Ddeiniolen, a'm brawd-yng-nghyfraith hoff, John Eifion. Bydd yr eglwys yn llawn iawn bob tro, y cyfan wedi'i drefnu gan fachgen lleol, y cerddor dawnus Chris Jones. Tydi fy haf ddim yn gyflawn heb fod yng nghyngerdd Conwy. Arferwn fynd â'm hathrawes biano, Mrs Gabrielson, yno bob blwyddyn fel y gallai fy nghlywed yn perfformio. Un flwyddyn mi achubais ar y cyfle i ddiolch iddi'n gyhoeddus am osod y sylfeini i'm gyrfa gerddorol, a chyflwyno un darn yn arbennig iddi hi. Anghofia i byth mohoni'n codi ar ei thraed a gwenu ar bawb gan gydnabod y gymeradwyaeth fel y fam frenhines ei hun!

Cyn cloi, mae'n rhaid i mi sôn am gyngherddau bythgofiadwy'r Tri Thenor. Mae sawl fersiwn o'r 'tri thenor' wedi bod dros y blynyddoedd, ond tydi Pavarotti, Carreras a Domingo ddim yn yr un lîg â'r tri thenor y bûm i'n cyfeilio iddynt – John Eifion, Dafydd Edwards a Glyn Williams, Borth-y-gest, ac i wneud petha'n well fyth, Gwyn y gŵr fyddai'n arwain y cyngherddau! Ond roedd un arall arbennig iawn yn mynychu pob un o'r cyngherddau hyn. Fy ffrind annwyl, Trebor Gwanas, y bariton o'r Brithdir, ger Dolgellau. Mae Trebs yn ddigrifwr cwbl naturiol, a phawb yn hoff ohono. Mae fy mîl ffôn yn uchel iawn yn dilyn fy sgyrsiau efo fo: jôcs, sôn am ganeuon newydd, rhoi'r byd yn ei le – am oriau! Dwi'n cofio cyfeilio i Trebs a Glyn Williams mewn cyngerdd ym Mhentrefoelas. Y capel yn llawn a minnau wrth y piano ar y llawr – Trebs yn ddyn tal iawn fel tŵr yn y pulpud, a Glyn yn eistedd yn y Sêt Fawr. Roedd Trebs wedi penderfynu trio cân newydd sbon y noson honno – 'Love is a many-splendored thing'. Dyma fi'n dechrau cyfeilio a Trebs yn ei morio hi. Ynghanol y gân mae yna ddarn piano ar ei ben ei hun. Trwy hwnnw â mi, ac wedyn edrych i fyny ar Trebs gan ddisgwyl iddo ddod i mewn i ganu'r ail bennill. Dim gair gan Trebor. Dim ond syllu'n fud drwy'r ffenest. Ailchwarae'r cyflwyniad ac arafu fel arwydd pendant i Trebs ganu. Dim gair ganddo eto. Yn ôl i'r cyflwyniad y trydydd tro. Erbyn hyn roedd Glyn Borth-y-gest yn goch yn ei wyneb yn trio'i orau i wasgu'r chwerthin. Roedd Trebs wedi anghofio'r geiriau, a doedd ganddo fo ddim syniad lle roedd o. Yna'n sydyn, fel ergyd o wn, rywsut mi gofiodd eiriau'r ail bennill, ac o hynny ymlaen mi floeddiodd y gytgan ar ucha'i lais tan y diwedd nes bod y lle'n crynu. Y cyfan y gallwn ei wneud oedd ei ddilyn a marw chwerthin ynof fy hun. Ond i goroni pob dim, wedi i'r gymeradwyaeth ddistewi, meddai Trebs yn dalog o'r pulpud: 'Roeddach chi'n meddwl 'mod i wedi anghofio'r geiria, yn doeddach? Ond diawl, gwrando ar y *blonde bombshell* 'na'n rendero ar y piano ro'n i, a meddwl y basa'r gân yma'n gneud unawd piano dda iddi.' Roedd pawb yn rhuo chwerthin. A'r chwerthin, yn y pen draw, yr un mor bwysig â'r canu.

Ie, pleser bob amser i mi ydi cyfeilio neu berfformio mewn cyngherddau. Tydi o ddim ots be ydi'r amgylchiadau – boed sied wair yng Ngharno neu Neuadd Gynhadledd Basle. Mae'r petha pwysig yr un fath ym mhobman – y piano, y gwmnïaeth, ac ymateb y gynulleidfa.

16

TORRI RECORD

YN Y FLWYDDYN 1983: y record gynta. Dafydd Iwan ar y ffôn. 'Hefin Elis a minnau'n meddwl fyset ti'n licio dod draw i Sain i gyfeilio i record newydd 'dan ni'n wneud gyda Lleisiau Llambed.'

'Champion, siŵr.' Yn syth bìn, yn gwbwl ddibetrus, heb hyd yn oed ofyn pwy, na sut, na phryd. Ac yn syml, ddiffwdan fel'na y cychwynnodd cysylltiad proffesiynol oes gyda Dafydd a Hefin, y ddau gawr a wnaeth fwy na neb i gynhyrchu a hybu cerddoriaeth Gymraeg ar record. Fedra i ddim diolch digon i'r ddau am y mynydd o waith stiwdio a theledu'r ydw i wedi'i gael ganddyn nhw gydol fy ngyrfa.

Stiwdio Recordiau Sain, Llandwrog – fy ail gartref. Y sefydliad cwbwl Gymreig a phroffesiynol hwnnw, sydd hefyd mor gartrefol a chroesawgar. Af yno gan wybod fy mod yn dilyn yn ôl troed y mawrion a recordiodd yno dros y blynyddoedd: Edward H, Bryn Fôn, Geraint Jarman, Hogia'r Wyddfa, Caryl, Meic Stevens a'r Tebot Piws a'r holl unawdwyr a'r grwpiau gwerin a'r corau yna – heb sôn am sefydlydd y fenter, y bytholwyrdd Dafydd Iwan. Mae eu llofnod yn y plastar, eu lleisiau yn y waliau, eu caneuon ar y cof...

Proses ddigon anodd ac undonog weithiau ydi'r busnes recordio yma. Proses o gael y canwr, y gân a'r cefndir mor berffaith ag sy'n bosib. Ac mae'r perffeithrwydd hwnnw'n bosib y dyddiau hyn. Erbyn heddiw mae technoleg fodern yn gallu newid arddull a synau, newid nodyn sydd allan o diwn i fod mewn tiwn, hyd yn oed. Ond tydi hynny ddim yn dweud nad oes angen ymarfer adre. Gwybod eich gwaith cyn mynd i'r stiwdio – dyna'r gyfrinach. Does dim angen ail-wneud wedyn. Wedi recordio – golygu, gosod offerynnau ychwanegol, cael y balans sain yn gywir, rhoi trefn ar y caneuon, cael y manylion lleiaf ar y clawr yn iawn. Mae'n golygu llawer o waith a dwi wedi treulio oriau, dyddiau yno ar wahanol recordiadau. Diolch byth fod fy ffrindia yn Sain yn edrych ar f'ôl – Verona, Eirian, a Rhian Eleri. Rhian Eleri yn clirio hawlfreintiau'r caneuon, cysylltu ag asiantau, a chael yr hawl i gyfieithu caneuon i'r Gymraeg; Eirian a Verona yn fy helpu hefo'r gerddoriaeth a gwneud yn siŵr fod y tegell ymlaen ar gyfer paned, wrth gwrs. Edrych ymlaen wedyn at amser cinio pan fydd y pedair ohonon ni yn janglo fel y *loose women* hynny sydd ar y teledu!

A beth am y recordio ei hun? Wel, mae'n rhaid i mi fod yn ofalus fan hyn. Cyfrinachedd proffesiynol – hwn'na ydi o! Annheg fyddai datgelu gwendidau artistiaid – ond mi synnech! Rhai yn medru ymlacio, ac eraill, reit enwog hefyd, yn fôr o nyrfs. Mae rhai yn methu yn eu byw â chael y nodau mewn tiwn, er trio a thrio tan Sul y Pys! Sorri, wna i ddim dweud pwy! Eraill wedyn yn methu cario brawddeg o achos nerfusrwydd – eu lleisiau'n crynu ac yn chwys domen, cyn rhuthro i'r tŷ bach. Fy ngwaith i fel cyfeilydd, wrth gwrs, ydi dal llaw'r artistiaid – nid yn y tŷ bach, dwi'n prysuro i ddweud! Bod yn gefn iddyn nhw. Weithiau dwi'n gorfod bod yn gymaint o ddiplomat ag ydw i o gerddor. Yr artistiaid ydi'r bòs yn y pen draw, ac mae'n rhaid i'r gwaith gorffenedig eu plesio nhw, neu ddôn nhw ddim ar eich cyfyl chi byth eto.

Roeddwn i'n trio meddwl y dydd o'r blaen faint o recordiau rydw i wedi bod ynghlwm â nhw yn Sain? Mi fu fy chwiorydd a minnau'n lleisiau cefndir i nifer o artistiaid. Felly, os cyfrwch chi hynny, rhwng canu cefndir, cyfeilio a chynhyrchu, mae'n debyg 'mod i wedi bod yn gysylltiedig â thros wyth deg o recordiau i gwmni Sain. Record go dda!

Diolch am y cyfle o'r diwedd i wneud cryno ddisg fy hun dan y teitl syml *Annette*. Recordiwyd y cyfan yng Nghapel Tabernacl, Machynlleth, lle lleolir un o'm hoff bianos, y Steinway mawr. Cymysgedd o ganeuon poblogaidd mewn arddulliau gwahanol sydd ar y ddisg hon. Yn sgil ei llwyddiant, daeth gwahoddiad i recordio un arall. Roeddwn wedi gwirioni ar gerddoriaeth Enaudi, y cerddor a'r pianydd o'r Eidal, a gwyddwn fod y darn

'Un mondo a parte' (Byd ar wahân) yn agos iawn at fy nghalon. Y cysyniad y tu ôl i'r record yw fod cerddoriaeth yn gallu dod â phobol o wahanol gefndiroedd at ei gilydd. Cerddoriaeth yw'r iaith gyffredin i bobol y byd. Dyna sail y dewis sydd ar fy record. Recordio yn Theatr y Galeri, Caernarfon, wnaethon ni'r tro hwn, gyda Peter Williams yn cynhyrchu ac Eryl Davies yn beiriannydd. Pam Galeri? Am mai yno mae fy hoff biano erbyn hyn. Ond pam mae'r offeryn arbennig hwn yn golygu cymaint i mi, meddech chi? Am mai fi gafodd y fraint o'i ddewis allan o holl bianos y byd. Cael gwŷs gan Galeri i chwilio am offeryn teilwng i'r adeilad newydd. Bedwyr, fy mab, Ian, perchennog Pianos Cymru, a minnau'n hedfan o Fanceinion i Rufain, ac yn ein blaenau wedyn i dref Pescara. Yno, aeth y tri ohonon ni i mewn i siop gerddoriaeth anferth Signor Fabbrini, yn llawn dop joc o bianos Steinway. Mi ro'n i yn fy nefoedd! Roedd pum piano wedi'u gosod mewn hanner cylch er mwyn i mi ddewis pa un fyddai'n cael ei chludo i Gaernarfon. Doedd hi ddim yn anodd dewis y gorau. On'd oedd yr offeryn hwnnw mor amlwg? Roeddwn wedi cwblhau fy nhasg mewn chwinciad. Digon o amser wedyn i hamddena a threulio gweddill y diwrnod ym mwyty pysgod Pescara – pysgod o bob lliw a llun, a'n bwrdd ninnau'n edrych allan dros y môr. *Bellisima*!

Cafwyd dau gyngerdd ym Mynydd Gwefru Llanberis i lansio'r cryno ddisgiau – y cyntaf gyda nifer o gantorion yn cymryd rhan, a'r elw at Ymchwil Cancr y Fron. Yr ail gyngerdd, a'r elw y tro hwn tuag at Ward Alaw, Ysbyty Gwynedd. Roedd fy ffrindiau John Ogwen a Maureen Rhys ymhlith yr artistiaid. Dyma John yn cerdded ar y llwyfan a darllen englynion bendigedig i mi o'i waith ei hun, ac ar ddiwedd y noson, cyflwynodd Maureen gopi o'r englynion i mi mewn ffrâm hardd:

> Molwn yn awr ei mawredd, a natur
>   Ei heintus frwdfrydedd,
>   Cans daw pob alaw yn wledd
>   Iasol trwy ddawn ei bysedd.

Brenhines, dewines y nodau yw hi
   Yn haf ei llwyddiannau,
   A'i gwên trwy bopeth yn gwau,
   O un natur Gwyn yntau.

Er ei dawn anghyffredin hi a'i phlant
   Yn ei phlwyf mae'i rhuddin,
   Yn rhoi o'i chefndir y rhin,
   Hen afiaith ei Chynefin.

Fedra i ddim disgrifio mewn geiriau sut deimlad oedd cael yr anrheg yma – anrheg arall y gwnaf ei drysori am byth.

Er nad ydw i'n honni bod yn gyfansoddwraig, mae'r ochor honno i gerddoriaeth wedi apelio ata i erioed, er mai hobi pleserus ydi o yn y bôn. Cefais wahoddiad un flwyddyn gan lanc ifanc o'r enw Paul Griffiths i gyfansoddi a bod yn Gyfarwyddwr Cerdd mewn pasiant ym Mhwllheli. Pobol yr ardal, Rosalind a Myrddin, a Hogia'r Wyddfa a gymerai ran, a Glyn Roberts, cyn-faer Pwllheli ac awdur 'Safwn yn y Bwlch' yn cyfansoddi'r caneuon. Sgript Paul oedd hi, a finnau'n gyfrifol am y gerddoriaeth. Gweithiais yn andros o galed: teithio i Bwllheli bob wythnos, paratoi a dysgu'r caneuon i'r criw, ac yna recordio pawb yn Stiwdio Sain fel bod y caneuon wedi'u rhagrecordio cyn y perfformiad byw.

Anghofia i byth y diwrnod recordio hwnnw – dros ugain awr o ddiwrnod! Dechreuwyd am naw y bore, a phawb yn cyrraedd yn ei dro i ganu. Ond i arbed costau, dechreusom ychwanegu cerddoriaeth a golygu'r holl beth yn syth wedi i'r recordio ddarfod am un ar ddeg y nos. Gweithio drwy'r nos a gorffen am saith y bore wedyn – be oedd ar ein pennau ni? Dreifiais adre gan gyrraedd Cynefin a'r wawr yn torri. Hwylio rhyw fath o frecwast, a'm llygaid bron â chau, mynd â'r plantos i'r ysgol ac yna'n syth i 'ngwely! Ond roedd y gwaith caled yn Stiwdio Sain wedi talu ar ei ganfed. Ar y llwyfan roedd y gerddoriaeth yn swnio cystal â sioe o'r West End. Perfformiwyd am dair noson yn olynol a Neuadd Dwyfor, Pwllheli, yn orlawn bob tro. Ailadroddwyd y llwyddiant hwnnw mewn pedwar pasiant arall – yn gynta, *Cofio*

Cynan, a minnau'n chwarae darn piano fel cefndir i recordiad o Cynan ei hun yn adrodd 'Mab y Bwthyn'. Yr ail basiant oedd *Dan Hwyl Wen*, a thema forwrol oedd i hwnnw. Roedd y trydydd, *Cysgod y Graig*, yn seiliedig ar sefydlu chwarel yng Ngharreg yr Imbyll ym Mhwllheli, a'r olaf yn fedli o ganeuon o'r tri phasiant arall. Atgofion ac amser bendigedig yng nghwmni hen griw Llŷn. Braint arall oedd cael sefyll yn ymyl Paul yn Eisteddfod yr Urdd dair gwaith yn olynol wrth iddo yntau ennill y Fedal Ddrama.

Cyfarwyddwr Cerdd – dyna i chi job gyfrifol! Ysgrifennu a threfnu'r gerddoriaeth ar gyfer yr holl offerynwyr a'r cerddorion. Mi wnes i ddwy sioe felly yn yr Eisteddfod Genedlaethol – *Atgof o'r Sêr* ac *Er Hwylio'r Haul*. Prif artist y ddwy sioe oedd Bryn Terfel, a'r gerddoriaeth gan fy hen ffrind Robat Arwyn – neu 'Andrew' fel bydda i'n galw 'Lloyd Webber' Cymru weithiau. Mae'r sioeau eraill y bûm yn creu cerddoriaeth iddynt yn cynnwys: *Plas Du* o waith Robat Arwyn a Hywel Gwynfryn, a'r BBC yn llwyfannu a recordio yn Theatr Gwynedd ym Mangor; sioe deithiol Theatr Bara Caws, *Os Na Ddaw Bloda*; a'r pantomeim *Siôn Blewyn Coch*. Cydweithio efo actorion proffesiynol. Gweld y rheiny'n panicio wrth orfod dysgu caneuon mewn byr amser. Cofiwch chi, roedd yn rhaid i minnau fod ar flaenau 'nhraed wrth gyfeilio mewn perfformiad byw. Roedd pob math o bethau'n gallu mynd o'u lle wrth wneud newidiadau munud ola!

Un o binaclau fy ngyrfa yn y byd recordio oedd cael fy enwebu yn y Brit Awards am y CD glasurol *Benedictus* gyda Rhys Meirion a Bryn Terfel, a minnau wedi cyfeilio a chynhyrchu'r record. Cyffrous iawn oedd teithio i'r Albert Hall yn Llundain ar y trên hefo criw Stiwdio Sain a Rhys Meirion. Cawson ni ginio neis hefo'n gilydd, ac wedyn roeddwn i a genod Sain yn llawn ffwdan hefo gwahanol golur, dilladau a jiwylri at y seremoni. Cyrraedd y neuadd fawr yn ein crandrwydd. Ychydig feddyliwn i, yn hogan fach ddeg oed yn perfformio yn yr Albert Hall, y byddwn yno ddegawdau wedyn yn fy nillad crand, yn fy ngholur a'm gemau yn disgwyl ennill un o wobrau aruchel cerddoriaeth Prydain. Cafwyd cyngerdd da'r noson honno, a phawb yn mwynhau. Ond yna'r canlyniad. Daria! Siom a gafwyd. Dim gwobr i *Benedictus*.

Ac fel petasai hynny ddim yn ddigon, roedd fel petai anlwc yn fy nilyn. Cyrraedd adre y diwrnod wedyn, a sylwi fy mod wedi gadael fy siaced orau yn y gwesty. Yr un roeddwn i wedi gwirioni arni – Gwyn wedi'i phrynu i mi ar ein gwyliau yn y Swistir. Mi ffoniais yn syth, ond roedd hi'n rhy hwyr. Hen deimlad gwag.

Ond dyna ni, fedrwch chi ddim ennill popeth, debyg...

17

CORAU – A MENTRAU ERAILL

WNES I ERIOED FEDDWL y baswn un diwrnod yn arweinydd côr. Dwn i ddim pam. Mae'n debyg fod fy meddwl wedi setlo ers y cychwyn, bron, ar y broses o gyfeilio i bobol eraill. Helpu, cefnogi a pheidio â thynnu sylw ata i fy hun – dyna nodweddion gorau cyfeilydd. Ac am flynyddoedd lawer roeddwn yn fwy na bodlon ar hynny. Doeddwn i ddim eisiau bod yn amlwg yn y golau mawr, yn llygad y cyhoedd, ar flaen y llwyfan. Ac eto...

Rydw i'n cofio'r wefr yn hogan ysgol wrth arwain côr pedwar llais Tŷ Elidir yn canu'r emyn-dôn 'Llef' yn eisteddfod Ysgol Brynrefail.

'Sut yn y byd wyt ti'n medru canu bob llais?' gofynnodd Mr Meirion Wyn Jones, yr athro Gwyddoniaeth i mi. 'Wsti be, mi fyddi di'n arwain côr rhyw ddydd.'

Cael pobol at ei gilydd a chreu sain hyfryd pedwar llais allan ohonyn nhw, dyna oedd yn fy nghyffroi, cyfuniad o'r elfen gymdeithasol a'r elfen gerddorol oedd, ac sydd yn dal yno' i. Ond sticio at y piano wnes i ar y pryd.

Yn y coleg ym Manceinion, mi gefais y cyfle i ganu mewn côr o dan arweiniad Brian Hughes, Gresffordd, Wrecsam. Am arweinydd! Bois bach, am egni! Doedd dim eiliad i'w wastraffu, dim ond gafael ynddi go iawn. Anelu at berffeithrwydd – dim llai. Disgyblaeth a dadansoddi cerddorol: dyna'r ddau beth a ddysgais o dan faton Brian Hughes. A daeth cyfle annisgwyl wedi i mi adael coleg i roi'r ddwy elfen honno ar waith. Cefais alwad i arwain côr merched yng Nghaernarfon. Roedd yr ymarfer bob nos Sul yng Nghapel Seilo. Meddyliais yn ddwys, a phenderfynu mentro. Cyfle i greu cerddoriaeth a chael noson bach allan gyda'r merched yr un pryd. 'Côr Alawon Menai' – deugain o aelodau hwyliog o ardal Caernarfon a Môn.

Daeth gwahoddiad cyn hir i'r côr ganu yn y Lyric yng

Nghaerfyrddin. Wel am noson! Cawsom gyngerdd llwyddiannus iawn, ac yna'n ôl i'r gwesty. Roedd Ian, un o drefnwyr y côr, yn giamstar ar wneud gwin cartref – mwyar duon, afal, riwbob a phob math o bethau eraill, ac wedi dod â photeleidiau o'r stwff efo fo i Gaerfyrddin. Ac ar ôl y cyngerdd, doedd byw na marw na chawsen ni flasu gwinoedd Ian gyda'r brechdanau. *Ac* mi wnaethon ni! Roeddwn i'n rhannu llofft efo fy niweddar ffrind Liz, ac wedi samplo'r gwin. Ymunodd Marian a Heulwen â ni, a dyna lle roedd y pedair ohonon ni a'n tafodau'n rhydd, yn siarad mawr am bopeth dan haul – ac yn enjoio. Toc, daeth cnocio uchel ar wal y stafell, a gwaedd gref o'r drws nesa, 'Cerwch i gysgu, wir Dduw, dach chi'n cadw pawb yn effro.' Iona a Jean, dwy aelod o'r côr oedd yno. 'Chydig a wyddwn mai isio bod hefo ni oedd y ddwy, ac yn flin braidd eu bod yn colli'r hwyl. Yn ystod y brecwast fore trannoeth, dyma fi'n deud wrth Iona, 'Pam na fasach chi'n dod aton ni neithiwr, yn lle cnocio'r wal fath â cnocell y coed?' Mi aeth y ddwy ohonon ni i chwerthin, a dyna sut y cafodd Iona'r blasenw 'Cnoc' a Jean yn mynd yn 'Jinsan'. Buan y daethon ni'n ffrindia mawr, a dyna be dwi'n dal i'w galw nhw, waeth gen i be – Cnoc a Jinsan!

Yn 1994 mi gawson ni wahoddiad i'r Eidal i gymryd rhan mewn cystadleuaeth i gorau. Hedfan o Fanceinion ac aros yn Bardolino yn ardal Llyn Garda. Yn y gwesty, Liz a fi'n rhannu llofft eto, Cnoc a Jinsan un ochor i ni, a Heuls a Marian yr ochor arall. *Girl Power*! Wrth fynd ar y bws y diwrnod wedyn i Verona, a minna'n eistedd hefo Cnoc, mi ddechreuais disian, a 'nhrwyn i'n rhedeg. Gobeithio nad oeddwn yn cael annwyd, a finnau isio cyfeilio ac arwain y côr mewn cystadleuaeth. Yn nes ymlaen wrth i'r chwech ohonon ni gydgerdded strydoedd Verona, roeddwn i'n dal i disian a'n llygaid i'n glwyfus. I mewn i'r *chemist* agosa â mi, ac mi ddywedodd y fferyllydd wrtha i bod fy nghyflwr i'n awgrymu 'mod i'n alyrjic i rywbeth. Yr unig ddau alergedd y gwyddwn i oedd arnaf oedd un i gathod, ac un arall i'r hen bowdwr hwnnw, Johnson's Baby Talc. Hynny fu.

Mi gymerais y tabledi, a dal i grwydro Verona. Ond pan es yn ôl ar y bws, ac eistedd yn ymyl Cnoc, dyma fi'n dechrau tisian eto fel ffŵl. Beth oedd yn digwydd? Gan fod Cnoc wedi bod yn fydwraig yng Nghaernarfon am flynyddoedd lawer, mentrais ofyn iddi hi, 'Be ti'n feddwl dwi'n alyrjic iddo fo? Ti'n meddwl bod 'na rywun ar y bws 'ma wedi f'ypsetio i efo persawr cryf, ta be?'

'Wel, paid â sbio arna i,' meddai Cnoc yn ddiniwed. 'Dydw i'n iwsio dim byd ond Johnson's Talc a *moisturiser*.'

Chwarae teg iddi, wedi deall y sefyllfa, ddefnyddiodd Cnoc yr un llwchyn o'r Johnson's am weddill yr wythnos, a llwyddais innau i eistedd efo hi ar y bws heb disian!

Cawsom drip anfarwol i Fenis. Wrth groesi mewn cwch tuag at y ddinas, dyma Trish, ein tywysydd, yn cyhoeddi, 'On your left you can see Hotel Danieli. Margaret Thatcher stays there when she visits Italy. It is very expensive, so I advise you not to go there.' Wrth gwrs, cyn i Trish hyd yn oed orffen ei brawddeg, meddai Marian, 'Os ydi o'n ddigon da i Maggie Thatcher, mae o'n ddigon da i ninna hefyd, genod.' Ar ôl i ni lanio dyma'r chwech ohonon ni'n gwneud *bee-line* am Hotel Danieli. Ond gwir y gair. Mi oedd o'n ddiawledig o ddrud. Coffi a the yn bum punt y baned, a'r Danieli Special Cocktail yn wyth bunt. Un gwydriad yr un o'r 'sbesial' amdani, i ni gael deud ein bod ni wedi bod yno, ac eistedd fel cwîns yn y lolfa. Pobol yn eu ffyrs a'u *glitter* yn hwylio i mewn, a'r chwech ohonon ni'n gegrwth. Ymhen hir a hwyr, dyma lais Jinsan ar ei soffa foethus efo'i choctel wyth bunt: How the other half lives, myn uffar i.' Aethon ni ar y gondola wedyn, ond nid y gondolier cofiwch, oedd yn ein swyno ni â'i ganeuon rhamantus o'r Eidal. O na, ni oedd yn ei swyno fo â'n caneuon Cymraeg – o dan ddylanwad y coctel wyth bunt, dwi'm yn amau!

Y gystadleuaeth ddaeth, a ninnau'n edrych ymlaen at wisgo'r rigowt newydd; ffrogiau Laura Ashley melyn a gwyrdd oedd gan aelodau'r côr. Mi gofiwch steil y cyfnod! Finna wedyn mewn trowsus silc gwyrdd a blows laes werdd. Roeddan ni fel un cyrtan llaes ar hyd y llwyfan! Mi wnaethom yn wych yn fy marn i – canu mewn Lladin, Eidaleg a Chymraeg, a hynny'n ddigyfeiliant. Chawson ni mo'r wobr, ond mi gawson ni i gyd brofiad nad anghofiwn ni byth.

Ar bnawn ola'r ŵyl, roedd y corau i gyd i fod ar y llwyfan yn eu gwisgoedd crand i gydganu anthem yr Eidal. Roeddwn yn barod i fynd ar y llwyfan pan sylwais ar un ferch yn ei dagrau ar ochr y llwyfan. Es ati, a gofyn beth oedd yn bod.

'I can't go on the stage. I'm wearing jeans and I can't go on in jeans for the grand ceremony,' meddai'n ddigalon. Eglurodd faint o ymdrech roedd ei chôr o'r Iseldiroedd wedi'i wneud i fod yn yr ŵyl. Roedd cael bod ar y llwyfan mawr ar y diwedd yn golygu cymaint iddi. A dyma fi'n deud wrthi, 'Look, you can have my trousers, and I'll wear your jeans. You go and sing and I'll go to the back and take photos of you.' Daeth gwên fawr ar ei hwyneb, a gafaelodd yn dynn ynof. Aeth y ddwy ohonon ni i'r cefn i gyfnewid trowsusau, a cherddodd hithau'n falch ar y llwyfan. Wyddwn i ddim mai seis 10 oedd y jîns a minnau yn seis 16 bryd hynny! Doedd sip y jîns ddim yn agos at gau, ond diolch byth fod gen i flows llaes i'w guddio. Es i'r cefn a thynnu lluniau o Gôr Alawon Menai yn cynrychioli Cymru, a'r ferch ifanc a'i chôr, yn fy nhrowsus i, yn cynrychioli'r Iseldiroedd!

Maes o law daeth yr amser i mi orffen â'r côr o achos pwysau gwaith. Ond wna i byth anghofio cyfeillgarwch genod Côr Alawon Menai.

Tua dechrau'r nawdegau deuthum yn ymwybodol fod ysgol gerdd go arbennig wedi'i sefydlu ym Mhorthaethwy o dan arweiniad Cefin Roberts a'i wraig, Rhian. Syniad gwych oedd casglu lleisiau cyfoethog a doniau amrywiol o bob cwr o ogledd Cymru at ei gilydd. Yn 1993 cefais wahoddiad i gyfeilio iddynt, gan ymuno â'r tim rheoli bach: Rhian, Cefin ac Einion Dafydd. Roedd gweld Cefin yn arwain yn f'atgoffa o Brian Hughes – yr egni, y ddisgyblaeth, yr ymrwymiad, a'r wybodaeth fanwl am farddoniaeth a dramâu. Edmygwn Rhian fel dynes fusnes wych, yn gofalu am yr ochr ariannol, yn trefnu cyngherddau, trefnu bysys, trefnu gwestai, trefnu popeth. Yn 1995 adeiladwyd ysgol newydd ar safle Parc Menai, ger Bangor, a gwireddu breuddwyd y ddau o sefydlu ysgol gerdd a drama newydd – Ysgol Glanaethwy.

Cefais gyfle i gyfeilio iddynt mewn cystadlaethau a chyngherddau yng Nghymru a Lloegr – a thu hwnt. Wna i byth anghofio'r daith i Basle yn y Swistir a chôr Glanaethwy yn rhannu llwyfan efo côr bechgyn o Minsk, Belarws. Roedd y canu'n wefreiddiol, a phawb ar eu traed yn cymeradwyo am hydoedd.

Wrth i Gôr Glanaethwy gynyddu mewn nifer, penderfynwyd bod angen dau gôr – y côr hŷn gyda Cefin yn arwain, a Rhian yn ymgymryd â'r côr iau. Roedd hi'n anodd i mi gyfeilio i'r ddau gôr, a daeth fy nghyn-ddisgybl yng Ngholeg Bangor, Elen Keen, i'r adwy. Mae'r ddau gôr yn dal mor boblogaidd a llwyddiannus ag erioed, a minnau ar binnau yn gwylio rhaglen olaf *Last Choir Standing*. Dau gôr o Gymru, Only Men Aloud a Glanaethwy, yn curo pawb arall. Mae Cymru'n dal yn 'wlad y gân'.

Erbyn canol y nawdegau, fel mae rhywun weithiau, mi gefais gyfnod o ddechrau meddwl am bethau eraill i'w wneud â'm bywyd heblaw miwsig. Wn i ddim a oeddwn yn teimlo 'mod i wedi cyrraedd rhywle na allwn fynd dim pellach yn fy ngyrfa ar y pryd. Chwiw oedd hi, mae'n siŵr, ond yn chwiw ddigon cryf i mi benderfynu mentro i faes na fûm i erioed o'r blaen yn ymwneud ag o. Nid coedwigoedd yr Amazon, na chopaon yr Himalayas na thraethau Honolulu. Rhywle mwy anghysbell o lawer. Byd y cyfrifiaduron! Hwnnw oedd fy *final frontier*! Mae'r plant 'ma'n hynod hyderus yn eu defnydd o gyfrifiaduron – wastad wedi bod. Wyddwn i ddim sut i droi'r cyfrifiadur ymlaen hyd yn oed. Fy nhasg i mewn bywyd oedd glanhau'r ôl bysedd a chwistrellu polish ar yr allweddau.

Ond cefais dröedigaeth. Technoleg fodern – dyma'r dyfodol i mi, meddwn wrthyf fy hun, gan benderfynu mentro ar gwrs i Barc Menai, Bangor, ar sut i handlo cyfrifiadur. A gwyrth y gwyrthiau... mi wnes i fwynhau! Buan iawn y gwelech chi fi'n e-bostio i Awstralia ffwl-sbid, ac yn syrffio'r we gyda'r gorau. Sylweddoli am y tro cyntaf ffynhonnell mor anhygoel o gyfoethog mewn gwybodaeth yw'r we fyd-eang. Ac wedi'r holl deithio a chwarae piano, roeddwn yn ysu am gael torri cwys wahanol, gan ddefnyddio'r dechnoleg newydd 'ma.

Y syniad disglair a gefais oedd agor siop deithio a threfnu tripiau cerdd, gan dynnu ar fy mhrofiad helaeth yn y maes arbennig hwnnw. Mynychais gwrs yn Sandycroft bob dydd am wythnos, a dysgu llawer iawn am wledydd gwahanol.

Roedd enwau meysydd awyr y byd mor llithrig ar fy nhafod
â chopaon Eryri. Toc mi ddaeth yna siop wag yn Llanberis,
a dyma berswadio'r gŵr ei fod o a minnau'n rhentu'r siop ac
agor 'Teithiau Peris' yn 1999. Mi barodd y nofelti am sbel, ond
yn anffodus mi sylweddolais yn reit ulw buan nad oeddwn
fawr o ddynes fusnes. Cofiwch chi, roedd 'na ochor bleserus
iawn i'r gwaith – trefnu taith i'r Albert Hall i weld Carreras a
BrynTerfel; trefnu bws i weld Westlife ym Manceinion; trefnu
teithiau i weld sioeau amrywiol yn Llundain. Ond yr ochor arall
iddi oedd y gwaith ariannol diddiwedd, yr insiwrans, y gwaith
papur, archebu'r *brochures*, a'u rhoi ar y silffoedd, gofalu 'mod
i'n agor a chau'r siop, a'r peth gwaetha yn y byd, y cyfrifiadur
hollwybodus roeddwn yn dibynnu'n llwyr arno, yn pwdu'n bwt
ac yn rhewi heb unrhyw rybudd!

Do, mi ddifarais. Yn fuan wedyn, cafodd erchyllterau 9/11 yn
America effaith andwyol iawn ar y diwydiant teithio. Roedd y
sgrifen ar y mur. Mi es i weld fy nghyfrifydd, Eirwen Orwig, a'r
cyngor doeth a gefais oedd gorffen y busnes. Er fy mod yn teimlo'n
fethiant rywsut, roedd yn rhaid gwrando ar arbenigwraig yn rhoi
cyngor proffesiynol. Penderfynodd Gwyn a minnau gau'r siop, a
dychwelyd yr allweddi i'r perchennog. Trist mewn rhyw ffordd,
ond roedd hefyd yn rhyddhad.

Cofiaf gymydog imi yn dweud y dylech ddefnyddio eich
cryfderau wrth ddewis gwaith neu broffesiwn. Yn 2001, yn
y cyfnod cythryblus a pheryglus hwnnw yn hanes y byd,
penderfynais ddychwelyd i'r maes y gwyddwn fwyaf amdano ac
y teimlwn yn ddiogel ynddo – maes cerddoriaeth.

18

UN CÔR AR ÔL

YN IONAWR 2002, YN fuan ar i mi gloi drysau Teithiau Peris am y tro olaf, canodd ffôn y tŷ. Yr actor J O Roberts oedd yno, yn rhinwedd ei swydd fel aelod o Gôr Meibion y Traeth, Môn, yn gofyn i mi a fyddwn yn hoffi bod yn arweinyddes i'r côr. Roedd Côr y Traeth wedi bod yn un o'r gynnau mawr ym myd corau Cymru ers blynyddoedd – côr o fri a statws cenedlaethol. Y cerddor Gwyn L Williams o'r BBC oedd yr arweinydd, ond erbyn hyn roedd wedi cael swydd efo Eisteddfod Ryngwladol Llangollen, ac am drosglwyddo'r awenau. Mi fues i'n pendroni llawer am y peth – beth fyddai'n ei olygu o ran amser ac ymrwymiad, ac oeddwn i wirioneddol isio'r cyfrifoldeb ychwanegol hwn? Be oeddwn i – arweinydd 'ta cyfeilydd... 'ta jest mam normal? Ond penderfynu derbyn y fraint a wnes i yn y diwedd. Roedd cerddoriaeth yn fy nenu fel gwyfyn at fflam.

Trefnodd J O i mi fynd i Benllech at y côr, er mwyn cael cyfarfod â phawb. Cerddais i mewn i neuadd Ysgol Goronwy Owen, a chlywed sŵn bendigedig lleisiau dyfnion Môn yn llenwi'r lle. Yn ystod yr egwyl dyma Gwyn L ata i, a gofyn i mi a fyddwn i'n fodlon arwain un gân yn ystod yr ail hanner, er mwyn i'r hogia ddod i f'adnabod. Cytunais, a rhoddodd gopi yn fy llaw – yr emyn-dôn 'Arwelfa'. Aeth ias oer i lawr fy nghefn. Cofio'n syth am fy annwyl Anti Katie; Arwelfa oedd enw ei chartref a'i hoff emyn. Heb yn wybod iddynt, roeddent wedi dewis yn dda. Deg allan o ddeg, hogia! Cerddais tuag atynt a phawb yn gwenu'n groesawgar arna i. Marciau llawn eto. Rhoddais arwydd i Gres Pritchard, y gyfeilyddes, ddechrau cyfeilio, a dechreuais innau arwain yr hogia. Profiad bythgofiadwy. Chwe deg o leisiau cyfoethog yn fy nghludo ar donnau'r Traeth, a'r 'Amen' ar y diwedd yn codi to'r neuadd fechan. Un ar ddeg allan o ddeg, hogia! Os oeddwn i'n rhyw led-amheus gynt, roeddwn i'n berffaith sicr erbyn hyn. Côr y Traeth o dan arweiniad Annette Bryn Parri. Mmm – roedd yna ryw dinc yn y peth!

Mynychais yr ymarferion am flynyddoedd. Yr un fath, bob nos Lun, dreifio o Ddeiniolen i Fenllech i gyrraedd erbyn chwarter i wyth. Ymarfer tan chwarter i ddeg, ac wedyn dreifio adre. Ymhen dim daeth fy nghyngerdd mawr cyntaf gyda'r 'Beach Boys' yn hen neuadd fawreddog Prichard Jones yng Ngholeg Bangor. Ew, mi oedd yr hogia'n smart i'w rhyfeddu – siwtiau du, crysau gwyn, a dici-bôs glas tywyll. Finnau'n nerfus iawn o flaen y fath grandrwydd, rhaid cyfaddef. Ond mi ganodd y côr yn fendigedig, ac roedd y mwynhad yn amlwg ar wynebau pawb.

Ymhen tipyn, a minnau'n dechrau blino bod oddi cartref gymaint, dyma gael syniad. Beth am ofyn i Gwyn ymuno â ni? Roedd ganddo lais bariton da. Bryd hynny roedd Gwyn yn Bennaeth Cynorthwyol yng Ngholeg Meirion-Dwyfor, ac roedd hyn yn gyfle iddo gael diddordeb gwahanol ac anghofio'i blwmin gwaith papur bob nos Lun. Un yn y côr a adwaenai Gwyn yn iawn oedd yr hynafgwr difyr a diwylliedig, y Parch. Owen Evans. Clywswn Gwyn yn sôn droeon am Owen Evans oedd yn ddarlithydd arno ym Mangor. Cofiaf innau i mi weld ei enw yn gysylltiedig â Hartley Hall ym Manceinion, neuadd breswyl i'r Coleg Cerdd yn y 1980au, ond yn goleg i'r Wesleaid pan oedd Owen yn ddarlithydd yno. A phan ymunais â Chôr y Traeth yn Ionawr 2002, yr un Parchedig Owen Evans oedd yn rheng flaen yr ail denoriaid. Dyn hynaws ac addfwyn â llais tenor bendigedig. Yntau'n ysgolhaig disglair a golygydd y Beibl Cymraeg newydd. Minnau, Annette, yn sefyll o flaen y cawr hwn o ddeall a dysg yn dweud wrtho beth i'w wneud! Ond doedd dim problem yn y byd. Fedrech chi ddim dod o hyd i ddyn mwy gostyngedig ac agos atoch chi nag Owen Evans.

Aeth y côr o nerth i nerth. Daethom i adnabod hogia Môn yn dda, ac un a ddaeth yn ffrind arbennig oedd 'Hyw', sef Howell Rowlands, Rhyd Caradog, Llandrygarn. Cymeriad a hanner, bob amser yn edrych fel pìn mewn papur. Rydyn wedi'i fedyddio yn 'Hywel Dda' erbyn hyn! Ym mis Hydref 2003 daeth gwahoddiad i ni gymryd rhan yng Ngŵyl Musica Mundi yn Riva del Garda, yr Eidal. Doedd ddim angen gofyn ddwywaith. Yr Eidal yw fy (ail) hoff wlad! Penderfynwyd cystadlu yn y dosbarth Gospel, efo Arwel Williams, bachgen o Ddeiniolen, yn chwarae'r cornet mewn ambell gân. Yn anffodus, ffeindiwyd nad oedd rhyw lawer o gerddoriaeth wedi cael ei hysgrifennu ar gyfer y cyfuniad yna – côr meibion, piano a chornet. Doedd dim i'w wneud ond addasu. Dwi wedi bod yn hoff iawn erioed o ddarn Verdi, 'La Vergine degli Angeli'. I gôr meibion a soprano mae o ac addasais innau'r darn soprano ar gyfer y cornet, a'i roi i Arwel.

Mi gawson ni drip bendigedig nad anghofia i amdano fyth. Am unwaith, daeth y plant hefo ni, a Mam a Dad yn gwmni. Roedd Gwesty Liberty yn westy moethus iawn a'r croeso Eidalaidd mor gynnes ag erioed, y Riva mor hardd, a'r tywydd yn braf. Allwn i ddim fod wedi breuddwydio am well lleoliad. Roedd corau o nifer o wledydd yn cystadlu yn yr ŵyl, a phawb yn reit nerfus ar ddiwrnod y gystadleuaeth. Neuadd anferth, miloedd o bobol, a thri beirniad llygadog wrth fwrdd hir yn craffu arnom fel hebogiaid. Bwrw i'r dwfn efo'r gân 'Jericho', ymlaen wedyn at 'Roll, Jordan, Roll', efo J O yn unawdydd. Yna, 'I'se Weary of Waiting' a'r unawdydd y tro hwn oedd Richard Griffiths. Gorffen ein rownd gydag ysbrydoliaeth 'Every Time I Feel the Spirit'. Perfformiad teilwng iawn o Gymru. Do wir, mi blesion ni'n hunain, a'r gynulleidfa hefyd, yn ôl y derbyniad gwresog a gawsom.

Ymhen rhai dyddiau daeth yn bryd i ni roi ein perfformiad terfynol mewn eglwys grand yn Riva. Ar y noson, cefais fy swyno gan gôr cymysg o Rwsia, ac un arall o China. Oedd, roedd y safon wedi'i gosod yn uchel iawn, iawn. O'r diwedd daeth y foment fawr. Ein tro ni. A dyma Arwel ymlaen i berfformio 'La Vergine' ar ei gornet. Roedd y wefr a gefais yn un sy'n codi croen gŵydd arna i byth ers hynny wrth gofio am y perfformiad: Arwel o Ddeiniolen, a'i dôn gynnes, felys ar y cornet; yr eglwys yn hardd, yr acwsteg yn berffaith, y gynulleidfa'n fud yn gwrando ar ein perfformiad. Yn sydyn sylwais ar ffenestr hardd o'r Forwyn Fair o fy mlaen, a honno wedi'i goleuo'n euraid yng ngolau cannwyll. Roedd fy emosiwn bron â'm mygu: yr holl gyfuniad hwn o nodweddion fel pe baen nhw'n rhoi rhyw ddimensiwn dwfn ac ysbrydol i'r gerddoriaeth. Yna, o'r distawrwydd, dyma'r hogia o Fôn yn dechrau cydganu 'Every Time I Feel the Spirit'. Wrth glywed eu lleisiau mewn harmoni perffaith, mi gododd yr hwyliau ymhlith y gynulleidfa. Dechreuodd rhai sefyll ar eu seddau a chwifio'u dwylo, eraill yn clapio. Roedd hi fel diwygiad yno! A sôn am weiddi ar y diwedd, a'r clapio rhythmig yn arwydd i ni ganu eto. Chaem ni ddim mynd oddi yno gan y dorf. Allen ni ddim credu'r peth! Gorfu i ni ganu eto – a mwy o glapio a dawnsio... Roedd tair gwobr – Aur, Arian ac Efydd. Ni gafodd yr Arian – a gwobr arbennig yr ŵyl fawr yn Riva i Gôr y Traeth am eu perfformiad o 'I'se Weary of Waiting'.

Ar fy ffordd allan o'r eglwys, a'r miwsig a'r clapio yn dal i droi yn fy mhen, beth welais y tu allan ond cerflun o wyneb dyn. A phwy oedd o? Verdi ei hun! Verdi oedd organydd yr eglwys honno ar un adeg. A minnau wedi dewis ei ddarn, 'La Vergine' heb wybod dim am y cysylltiad. Cyd-ddigwyddiadau fel yna sy'n rhoi ias i rywun.

Cawsom wahoddiad i sawl gŵyl arall dros y blynyddoedd gan gynnwys Gŵyl Geltaidd Lorient, Llydaw, yn 2006 gyda saith diwrnod o berfformio a dau gyngerdd. Y wefr fawr i mi yn Lorient oedd cael arwain dau gant o chwaraewyr *bagpipes* a miloedd ar filoedd o bobol mewn stadiwm anferth yn canu 'Highland Cathedral'. Roedd y camera ar fy nwylo, a'r rheiny'n cael eu taflunio ar sgriniau anferth o amgylch y stadiwm. Buom yn Iwerddon hefyd. Cawsom gyngherddau ar y cyd efo Côr Trelawnyd a Chôr Orpheus y Rhos. Cofio hefyd am gyngherddau yn neuaddau mawr Lerpwl, Manceinion, Birmingham a Chaerefrog. Bûm hefyd yn cyfeilio i sawl côr arall megis Côr Meibion Maelgwn, a estynnodd wahoddiad i mi gyfeilio yn eu cyngherddau blynyddol.

Mi gafodd Côr y Traeth noson fythgofiadwy hefyd yng ngwesty y Copethorne yng Nghaerdydd, ar ôl cystadlu yn Eisteddfod Blaenau Gwent yng Nglynebwy 2010. Chawson ni ddim gwobr, ond am noson i'w chofio a hynny mor annisgwyl. Yn y gwesty roedd pâr ifanc yn dathlu eu priodas ac yn fuan sylweddolon ni fod eu teuluoedd yn gwirioni gwrando ar y côr meibion yn canu. Yn anffodus, doedd dim piano ar gael yno, felly bu'n rhaid bodloni ar ddefnyddio accordian Dewi 'Peilot' – Dewi'n pwmpio, a finna'n chwarae â fy llaw chwith ac yn arwain â'r llaw dde.

Ond i mi, trip Riva efo Côr y Traeth oedd coron yr holl deithiau. Enillodd yr hogia wedyn bedair gwaith yn yr Eisteddfod Genedlaethol o dan fy arweiniad. Alla i 'mond dotio atynt. Amaturiaid, ie, ond yn gwbwl broffesiynol yn eu hawydd a'u brwdfrydedd i greu cerddoriaeth. Mae'n fraint eu harwain. Ond yn fwy na hynny, teulu estynedig ydynt i Gwyn a minnau. Alla i ddweud dim gwell na hynna.

19

YSGOLION ARBENNIG IAWN

GAEAF 2007 OEDD HI pan ddaeth yr alwad ffôn a arweiniodd at newid fy mywyd. Galwad ddirybudd o'r awyr las i ddefnyddio'r dalent y bûm mor lwcus â chael fy ngeni efo hi i helpu eraill llai lwcus na mi...

Gwyddwn o'r cychwyn nad oeddwn eisiau bod yn Athrawes Gerdd mewn ysgol. Mi faswn wedi teimlo mor rhwystredig yn dysgu yr un peth dro ar ôl tro, wedi fy nghyfyngu i oriau ysgol a chan glychau rhwng gwersi. Serch hynny, roeddwn yn barod i helpu mewn ysgolion fel athrawes lanw. Bûm yn Ysgol Dyffryn Nantlle, Pen-y-groes am tua dwy flynedd. Rwy'n cofio'r diweddar Gareth Maelor yno'n Bennaeth Addysg Grefyddol ar y pryd, ac yn gofyn i mi gyfansoddi sioe Nadolig o'r enw *Helo, Pwy Sy 'Na?* a Gareth ei hun wedi ysgrifennu'r sgript a geiriau'r caneuon. Bûm yn Ysgol Friars ym Mangor wedyn, yn dysgu canu am flwyddyn, cyn symud ymlaen i Ysgol y Graig, Llangefni, ac yna i Ysgol y Gelli yng Nghaernarfon, fel rhan o brosiect i gyfansoddi wyth cân ar gyfer y plant, gyda'r geiriau gan Tudur Dylan ac Arwel Jones. Caneuon yn seiliedig ar ddiogelwch ar y ffordd oedden nhw – caneuon Carys Ofalus.

Profiadau bach digon hapus oedden nhw ar y cyfan. Yn Ysgol Heulfre yn Ninbych, er enghraifft, wrth gerdded o amgylch y neuadd hefo'r plant yn gweithio ar gyfansoddi a symudiadau, mi droais fy nhroed a methu mynd i'r ysgol y diwrnod canlynol. Y bore canlynol daeth amlen anferth a thrwchus drwy law'r postmon. Roedd plant Heulfre wedi gwneud lluniau ohona i a phob un â'i neges fach bersonol yn dymuno gwellhad buan i mi! Roeddwn wedi fy nghyffwrdd, yn wir.

Rydw i wedi gweithio llawer ar brosiectau Cwmni Opera Cymru. Prosiectau mewn ysgolion cynradd oedd y rhain, a'r plant yn cael y cyfle i gymryd rhan mewn operâu byrion. Caent brofiadau gwych yn dysgu caneuon heriol, newydd, cael gwisgo i fyny mewn dilladau theatrig, cael set wedi'i hadeiladu ar eu cyfer, goleuo proffesiynol, a cherddorfa fechan yn cyfeilio iddynt. Ar y bore tyngedfennol yn 2007 cefais alwad gan Rhian Hutchings, Cyfarwyddwr MAX Opera Cenedlaethol Cymru, yn estyn gwahoddiad i mi weithio yng Nghanolfan y Mileniwm. Nid opera mohoni y tro hwn, ond ffilm. Profiad gwahanol iawn oedd hwnnw, yn bennaf am mai plant ag anghenion addysgol arbennig oedd yn cymryd y rhannau allweddol. Bob bore, roedd yr ymarfer a'r ffilmio yn dechrau am hanner awr wedi wyth, ac am ddau o'r gloch roedd y plant yn cyrraedd y stiwdio. Plant o ysgolion arbennig oedden nhw – Erw'r Delyn, Ysgol Gynradd Palmerston, Touch Trust a Chlwb Canu yr Opera Genedlaethol.

Yr wythnos honno, digwyddodd rhywbeth na alla i ei ddisgrifio ond fel profiad hollol hudol. Yn ystod fy awr ginio, mi es i ymarfer ar y piano. Roedd rhai o'r plant yn eu cadeiriau olwyn yn y stafell, eraill yn gorwedd ar y matiau ar y llawr, a rhai o'r staff yn bresennol yn eu mysg.

'Do you mind if I practise for a few minutes?' meddwn wrthynt.

'No, not at all,' meddai Karen, un o'r gofalwyr. Dyma wenu ar bawb a mynd at y piano. Ond ym mhen hir a hwyr daeth Karen ata i, yn amlwg dan emosiwn.

'Are you alright?' gofynnais.

'Yes,' meddai, 'but I'm deeply touched.'

Roedd un o'r plant ag anghenion dwys iawn, iawn. Ni wnâi unrhyw sŵn a fyddai o byth yn gwenu, dim ond eistedd yn llonydd drwy'r dydd ar ei gadair fach. Ond pan ddechreuais ymarfer, sylwodd Karen ar rywbeth gwyrthiol. Daeth gwên i'w wyneb difynegiant. Ac yn gwbl ddirybudd, mi gododd yr hogyn bach ei ben a chodi ei law. Gofynnais i Karen rowlio cadair y bachgen draw at y piano. Dyna brofiad na wna i fyth ei anghofio... gweld y bachgen bach eiddil hwnnw yn dod tuag ata i, ac yn eistedd yn llonydd yn ei gadair. Minnau'n codi a chyffwrdd ei wyneb a dweud,

'Hello, love. Would you like me to play some nice music for you?'

Dim ymateb, na chyswllt llygad, dim gair. Dechreuais chwarae'r piano eto gan edrych i fyw llygaid y plentyn ac yntau'n edrych arnaf innau, ac yn sydyn lledodd gwên fawr dros ei wyneb tenau. Gwenais yn ôl arno a dal i chwarae, er bod dagrau yn llenwi fy llygaid. Toc, wedi i mi orffen y darn, meddai Karen yn wylaidd a theimladwy, 'You've made him smile, and that's a huge achievement. You should be working with special needs children, Annette. Think about it.' Trodd at y plant, ond cyn iddi eistedd mi drodd 'nôl ata i eto.

'Thanks,' meddai. 'I'll never forget that moment.'

Ar ôl gorffen fy ngwaith yn y stiwdio, cerddais o Ganolfan y Mileniwm tuag at fy ngwesty – lle o'r enw Future Inn. Es i f'stafell ac eistedd yn syfrdan. Roeddwn wedi blino'n lân, ac es i'r gwely'n gynnar. Ond chysgais i fawr y noson honno. Daliwn i weld gwên y bachgen bach yn glir o flaen fy llygaid, a geiriau Karen yn canu fel clychau yn fy nghlustiau. Minnau'n troi a throsi gan ofyn i mi fy hun drosodd a throsodd – ai hyn ydw i fod i'w neud? Ai dyma yw fy nghryfder? Fy ngalwad mewn bywyd?

Yn ystod y nawdegau cynnar roeddwn wedi cael y cyfle i gydweithio â phlant awtistig am ychydig oriau yr wythnos, yn ysgolion y Gogarth, Llandudno, a Phendalar, Caernarfon, gyda'r therapydd cymwysedig, Eleri Davies. Cefais gynnig swydd amser llawn, ond roedd ein plant ni'n dal i fod yn yr ysgol gynradd ar y pryd, a rhwng popeth roedd hi'n anodd i mi dderbyn y gwaith. Ond wrth deithio'n ôl i'r gogledd o Gaerdydd y tro hwnnw, roedd y profiad a gawswn ar fy meddwl yn barhaol. Ar ôl cyrraedd adre, prynais lyfrau, es ar y we a darllen yn ddi-baid am wahanol fathau o anableddau meddyliol a chorfforol, ac am gyrsiau therapi cerdd. Ond roedd bod yn therapydd cymwysedig yn golygu astudio'n llawn amser mewn coleg oddi cartref am flwyddyn. Oherwydd fy amgylchiadau doedd hynny ddim yn bosib.

Ychydig fisoedd wedyn daeth cais o Ysgol y Bont, Llangefni.

Ysgol Arbennig ydi Ysgol y Bont, efo dros 70 o blant ag anawsterau dysgu ac anableddau. Cytunwyd i mi weithio yno un diwrnod yr wythnos gan ddechrau ym mis Ionawr 2008. Mae'r ysgol, a godwyd yn y 1970au cynnar, yn llawn lluniau a phatrymau ar y waliau. Cefais groeso mawr, a'r plant annwyl yn dod ataf i 'nghofleidio. Roedd fy more'n dechrau efo plant Dosbarth Dwynwen (gofal dwys) tan amser cinio. Lowri, geneth o Ddeiniolen, oedd yr athrawes ddosbarth yno, a theimlwn yn gartrefol braf yn syth. Cyfarfod â'r cymorthyddion, y nyrsys, y ffisiotherapyddion, ac wrth gwrs, y plant – Katie, Kate, Siôn, Ben, Mally a Jack. Roedd prysurdeb mawr yn y bore – rhai'n cael eu bwydo ac eraill yn cael eu meddyginiaethau. Pawb yn gwybod beth i'w wneud, a phatrwm sefydlog i'r diwrnod gwaith. Ond beth yn y byd oeddwn i i fod i'w wneud? Darllenais fod rhai offerynnau'n cyffwrdd ag ambell un yn fwy na'i gilydd ac felly roeddwn wedi prynu allweddellau symudol newydd ar gyfer y sesiynau.

Bu trafod hir am gyflwr y plant rhwng Lowri a minnau'r bore hwnnw. Yna daeth yn amser i mi ddechrau arni. Roedd yn rhaid rhoi ystyriaeth fanwl i lefelau'r sain, gyda rhai plant yn sensitif iawn i synau trwm. Felly, penderfynais ar sŵn clychau i ddechrau, a gweld a oedd ymateb ai peidio. Rhoddais yr allweddellau ar y bwrdd bach yng nghongl y stafell, a disgwyl i Lowri ddod â phlentyn ata i.

'Ty'd, Jack,' meddai Lowri. 'Mae Annette wedi dod yma yn sbesial i chwarae piano i chdi.'

A dyma Lowri'n gosod Jack yn ei gadair arbennig dros y ffordd i mi. Hogyn pymtheg oed oedd o, tal, dau lygaid glas golau, gwallt bach cwta brown o dan ei helmed, yn siglo 'nôl a blaen.

'Haia Jack, ti isio fi chwarae miwsig neis i ti?'

Dim ymateb, dim ond edrych o'i gwmpas heb sylwi 'mod i yno.

Dechreuais chwarae'r allweddellau gyda sŵn clychau, a synau ysgafn eraill. Daliai Jack i edrych o'i gwmpas heb ymateb. Penderfynais newid i sŵn piano a dechrau chwarae go iawn. Yn sydyn reit, dyma Jack yn peidio siglo, ac eistedd yn llonydd a throi ei ben i wrando arna i. Roedd yn amlwg fod sŵn y piano wedi'i gyffwrdd yn union fel y bachgen bach hwnnw yng Nghaerdydd. Es ymlaen i chwarae miwsig byrfyfyr gan edrych arno'n mwynhau gwrando. Daeth y plant eraill ata i fesul un, a cheisiais gael yr un ymateb. Rhoddodd Siôn bach wên wrth glywed sŵn clychau; Katie yn gwenu'n hapus i sŵn harpsicord; Kate yn agor ei llygaid yn fawr i sŵn clychau; Mally yn chwerthin wrth i mi chwarae sŵn acordion fel miwsig ffair, a Ben yn troi ei ben a gwrando ar sain y gitâr. Bore bythgofiadwy.

Ar ôl cinio es i ddosbarth y babanod. Roedd Gwyn, fy ngŵr, wedi dysgu Cheryl, yr athrawes, yn Ysgol David Hughes, Porthaethwy. Teganau lliwgar yma eto, a'r plant mor fach! Es ati'n syth i ganu caneuon bach syml hefo'r plant o amgylch y bwrdd. Plant ag awtistiaeth oedd y rhain yn bennaf, a rhai ag anabledd corfforol. Roedd ymateb rhai yn dda, eraill heb fawr o ddiddordeb. Fy niwrnod cyntaf yn Ysgol y Bont oedd prif destun sgwrs Gwyn a minnau'r noson honno.

Aeth yr wythnosau heibio ac mi ddes i nabod pawb yn well, darllen am gyflwr y plant a dod i ddeall beth oedd eu hanghenion. Un bore, daeth Dafydd Hughes, y prifathro, ata i a dweud fod yr ysgol yn mynd i gael arolwg gan Estyn. Roedd yr arolygwyr am ddod i 'ngweld yn cynnal sesiynau cerdd. Gwnaeth hyn fi'n nerfus braidd, gan wybod fy hunan nad oeddwn yn therapydd gyda chymhwyster swyddogol fel y cyfryw. Jack oedd hefo mi pan ddaeth y ddau arolygwr i'r dosbarth. Fel mae'n digwydd, nid oedd hwyliau da ar Jack y bore hwnnw. Chwarae cyfuniad o sain piano a llinynnau wnes i, a dilyn symudiadau ei gorff. Toc sylwais fod Jack yn llonyddu i'r gerddoriaeth. Ymhen tipyn roedd wedi plygu ei ben a mynd i drwmgwsg. Roedd yr arolygwyr yn methu credu eu llygaid, a'r ddau dan deimlad gwirioneddol.

'Dyna *ydi* therapi cerdd, yn wir,' meddai un.

Dyfarnwyd Gradd 1 i Gerddoriaeth yn eu hadroddiad ar yr ysgol. Er gwaetha'r ffaith nad oeddwn yn therapydd cymwysedig, mae'n rhaid fy mod wedi gwneud rhywbeth yn iawn!

Yn nes ymlaen cefais wahoddiad i'r diwrnod agored i weld Ysgol Pendalar, Caernarfon, ar ei newydd wedd. Ysgol werth chweil – adnoddau modern gwych, digon o le, stafell gerdd fawr hefo piano drydan ag ansawdd sain ardderchog; offerynnau o bob math: tamborîns, glockenspiels, drymiau, gitârs, offerynnau taro. Sylwais fod lluniau ohono i a Steffan Garlick, disgybl yn yr ysgol, ar y wal a lluniau o ymwelwyr eraill â'r ysgol yno hefyd – Rhys Meirion, Côr Rhuthun, Robat Arwyn a Hywel Gwynfryn. Cofiais ein bod ni i gyd wedi gwneud y cyngerdd am ddim er mwyn codi arian tuag at yr ysgol.

'Os medra i helpu yn yr ysgol, paid â bod ag ofn gofyn,' meddwn i wrth Ieuan Roberts, y prifathro… a hynny a fu. Cefais wahoddiad ganddo a dechrau fy niwrnod cyntaf yn Ysgol Pendalar yn ystod Hydref 2008, yn gweithio un diwrnod yr wythnos. Ym Mhendalar mae fy rôl dipyn bach yn wahanol i'r un yn Ysgol y Bont. Yno, rhoi sesiynau cerdd mewn grwpiau y byddaf ran amlaf, gan gydweithio ag athrawon. Paratoi gwasanaeth Diolchgarwch a gwasanaeth Nadolig, a chael y cyfle i gyfansoddi caneuon newydd.

Un o binaclau blwyddyn Ysgol Pendalar ydi'r ŵyl flynyddol yn y Felinheli – Gŵyl y Felin. Mae'r ŵyl yn para am wythnos, ac yn llawn gweithgareddau a chyngherddau. Ond mae un prynhawn arbennig wedi'i neilltuo bob amser i blant a staff Pendalar. Cawn berfformio mewn pabell ar lan y Fenai. Mae'n achlysur poblogaidd iawn yn y calendr, gyda chynulleidfa deilwng iawn bob tro, a llawer o ffans yn troi i fyny bob blwyddyn! Dwi'n chwyddo â balchder a hapusrwydd wrth i'r hen blant ganolbwyntio gant y cant wrth ganu a chwarae eu hofferynnau ag arddeliad ar y llwyfan bychan. Mae'n awyrgylch anhygoel o gydlawenhau a dathlu bywyd a chyfraniad y plant. Er yr holl oriau o ymarfer, mae'r achlysur emosiynol yn ein codi ni, yn ddi-ffael.

Mae cael bod yn Nosbarth Gofal Dwys Pendalar yn brofiad ynddo'i hun. Caf fy nghyffwrdd bob tro. Eistedd yn y dosbarth yn chwarae allweddellau bach, a'r plant i gyd o 'nghwmpas. Pawb yn ymateb ac yn gwneud rhywbeth bach yn wahanol i'r arfer. Daw sawl deigryn i lygaid y staff a minnau wrth weld sain y gerddoriaeth yn cyrraedd i mewn i fyd bychan plentyn ag anawsterau dysgu, a'i gael i wneud rhywbeth na wnaeth erioed o'r blaen – yn syml, dweud ei enw am y tro cynta, efallai... I mi, dyna ydi mesur llwyddiant mewn ysgol arbennig. Weithiau teimlaf fod y gwaith yn rhy emosiynol, a chaf hi'n anodd dygymod. Ond ar y llaw arall, drwy'r cyfle a roddwyd i mi a'r ddawn i'w gyflawni, dwi'n benderfynol o geisio gwneud i'r plant hyn wenu a bod yn hapus.

Mae gweithio efo plant ag anghenion dwys yn union fel chwilio am drysor gwerthfawr. Mae'n anodd cael ato, ond mae o yna yn rhywle. Ac wedi i chi ei ddarganfod, mae o fel aur...

20

STORM A HINDDA

YM MIS MEHEFIN ELENI, claddwyd Del – Del bach, y ci. Roedd hi'n dair ar ddeg oed ac wedi bod yn dioddef ers sbel efo cryd cymalau a gwendid ar yr iau. Fy nghefnder, Stephen, dorrodd fedd iddi yng ngwaelod y cae yn Cynefin. Es innau i Lanrug a phrynu coeden hydrangea fawr binc. Edrychaf i gyfeiriad gwaelod y cae bob bore wrth agor y llenni, a gweld y goeden hardd yn tyfu. Roedd Del yn rhan bwysig o'r teulu ac, yn bennaf oll, yn ffrind agos a thriw i mi. Dydw i ddim am gael ci arall.

Megis ddoe y daeth hi yma, y Nadolig hyfryd hwnnw, a'r plant yn fach. Mae amser yn mynd...

Dwi'n briod â Gwyn ers dros ddau ddeg chwech o flynyddoedd. Roedden ni'n dathlu ein priodas arian ar 28 Gorffennaf y llynedd. Cawsom fendithio ein priodas yn eglwys Llanfair-pwll, ar lan y Fenai, gan ein ffrind annwyl, y Parchedig Ddr Owen Evans. Doeddwn i ddim eisiau parti mawr. Tydw i ddim yn ddynas parti o gwbwl. Er 'mod i'n perfformio yn amal yn llygad y cyhoedd, dynes y cwmni bach ydw i yn y bôn. Cael y teulu a'r ffrindiau agosa o 'nghwmpas sydd orau gen i. Nhw sy'n fy nghynnal mewn stormydd.

Ac mae'r blynyddoedd diwethaf wedi bod yn rhai stormus, colledus. Popeth yn dod efo'i gilydd, fel y gwelwch chi weithiau. Ar 16 Chwefror, 2007, collodd fy nhad-yng-nghyfraith a'm ffrind hwyliog, Tommy, ei frwydr yn erbyn cancr. Colled ofnadwy – yn arbennig i Nhad. Colli ei ffrind gorau. Laurel heb ei Hardy. Dim ha-ha y Laughing Policemen. Dim 'Aderyn bach yn canu'n iach' heb ddannedd gosod. Yn y gwasanaeth, fy meibion oedd cludwyr yr arch, a Gwyn yn rhoi teyrnged i'w dad. Darllenodd Heledd 'Englynion Taid' gan Dewi Emrys, chwaraeais innau 'Ave Maria' Schubert, un o hoff alawon Tommy a Mair, cyfneither Tommy a chwaraeodd yr organ. Aeth ei arch yn araf i'r pridd ym mynwent Macpela yn sŵn hudolus Seindorf Arian Deiniolen.

Hiraeth mawr a hiraeth creulon,
Hiraeth sydd yn torri 'nghalon...

Doedd Vera, mam Gwyn, ddim yn ymdopi'n dda iawn ar ôl colli'i gŵr ac mi gawson ni fel teulu amser pryderus iawn yn ceisio'i chynnal hi. Yn gynnar un bore derbynion ni alwad ffôn gan ei chymydog yn dweud bod y tŷ drws nesaf iddi wedi mynd ar dân, a bod mwg wedi mynd i mewn i'w chartref. Aethon ni'n syth yno. Diolch byth, doedd dim llanast mawr yn y tŷ, ond roedd hi wedi dychryn yn ofnadwy. Arhosodd am sbel hefo ni yma yn Cynefin, cyn mynd adre yn ei hôl. Yna, yn 2010, cafodd strôc enfawr a bu'n wael iawn am chwe wythnos gyfan. Ceisiais fy ngorau i fod yn gefn i Gwyn ac ysgafnhau'r beichiau oedd arno. Cyfnod poenus, llawn straen i'r ddau ohonon ni. Wedi cael cartref nyrsio i Vera, cawsom bedwar diwrnod haeddiannol o wyliau yn dilyn Eisteddfod Blaenau Gwent yng Nglynebwy. Erbyn hyn, mae Vera druan yn gwbwl fethedig, ond yn cael gofal dwys bedair awr ar hugain yn y cartref ym Mhenisarwaun.

Choeliwch chi ddim, ond ym mhen ychydig fisoedd wedyn mi ddaeth profiad dirdynnol pellach i'm rhan. Roedd Helen, fy ffrind ffraeth o Ddeiniolen, wedi bod yn symol ers misoedd lawer. Dim llawer o hwyl arni, dim tynnu coes fel cynt. Ar brynhawn Iau yn ystod haf 2010 es i'w gweld yn yr Uned Gofal Dwys yn Ysbyty Gwynedd. Roedd Helen yn ofnadwy o wan ar ôl triniaeth gymhleth.

'Dwi 'di blino, Annette,' meddai. 'Fedra i ddim cario mlaen, 'sti.'

Anodd oedd ei darbwyllo mai gwendid oedd y tu ôl i'w siarad, a bod angen amser iddi gael ei nerth yn ôl. Ar y dydd Sul canlynol, am bedwar o'r gloch yn y prynhawn, cafodd y teulu eu galw i lawr a chael gwybod fod y diwedd ar ddod. Ymgasglodd y perthnasau, a hithau'n gwanio ond yn medru siarad rhywfaint o hyd.

'Cana i fi,' meddai wrtha i. A hithau wedi gwneud i mi

chwerthin ar hyd y blynyddoedd, fy nhro i oedd ceisio rhoi gwên ar ei hwyneb hi y tro hwn.

'Canu be?'

'Westlife,' meddai Helen.

'Dwi ddim yn gwbod y geiriau,' medda finna.

'Elvis Presley 'ta.'

'Be ti'n feddwl ydw i? Dwi ddim yn mynd i ysgwyd fy nghoesa ar waelod y gwely a chanu "Jailhouse Rock" nac'dw!'

A dyma hithau'n chwerthin. 'Diolch i ti am fod yn ffrind i mi. 'Dan ni wedi cael hwyl yn do... Cana "Love me tender".'

A honno a ganais i yng ngŵydd Catrin, ei merch, Anti Mona a'r teulu i gyd. Ac meddai Anti Mona ar y diwedd, 'Diolch i ti, "We'll Meet Again".'

'Cana honna i mi,' crefodd Helen.

Sut yn y byd y llwyddais i, wn i ddim hyd heddiw, ond mi wnes. Cael nerth o rywle, o bosib, fel y cawsom i gyd pan ddaeth y Parch. John Pritchard, ein gweinidog, atom, a gweddïo wrth ei gwely. Tua hanner nos, trodd Helen ataf ac estyn ei llaw.

'Mae arna i ofn,' meddai. 'Paid â gollwng fy llaw i.'

Bu farw Helen am ddeg munud wedi pedwar y bore canlynol. Mor anodd oedd gollwng ei llaw a chychwyn tuag adre. Dwy o ganeuon Westlife a chwaraeais yn ei hangladd. Catrin, ei merch bump ar hugain oed, a ddewisodd y ddwy gân – 'Leaving', a'r gân bwerus honno, 'I Know I Will See You Again'.

Ond roedd yn rhaid i fywyd fynd yn ei flaen. Er i mi gydweithio ag Elinor Bennett, y delynores, i sefydlu Canolfan Gerdd William Mathias, a 'mod i'n un o gyfarwyddwyr cyntaf yr ysgol dysgu cerddoriaeth sydd bellach yn mynd o nerth i nerth, penderfynais roi'r gorau i ddysgu yno am y tro. Ond dychwelais i stiwdio Sain i recordio cryno ddisg newydd Gwyn Hughes Jones. Dychwelais hefyd i'r ysgolion, i Ysgol Glanaethwy ac at Gôr y Traeth. Rydw i'n dal i gyfeilio i Hogia'r Wyddfa a hynny ers 1992 – a dydyn nhw byth wedi riteirio!

Ces i a'r band amser hynod o ddifyr ar raglen *Noson Lawen* am bum mlynedd ar hugain a mwynhau'r rhialtwch yng nghwmni'n gilydd. Rhyfedd bellach yw gwylio'r rhaglen a gweld band o gerddorion o'r tu hwnt i'r ffin yn cyfeilio i'r gwahanol eitemau. Gweld hysbyseb yn y papur yn nodi dyddiadau recordio'r gyfres newydd wnaethon ni ac ni chafwyd gair o ddiolch. Ydyn, rydyn ni'n naturiol yn siomedig ond am i ni fwynhau cymaint wrth baratoi'r rhaglenni, diolchgar ydan ni yn hytrach na dig. Eto i gyd, os mai cael delwedd newydd ac wynebau newydd oedd bwriad S4C onid oes yna gerddorion iau na ni o Gymru ar gael?

Beth bynnag am hynny, cefais her wahanol – cyfeilio i Bryn Terfel, nid mewn stiwdio gynnes na neuadd foethus, ond ar Ynys Enlli! Roeddwn yn ddigon nerfus yn croesi i Enlli, ond yn fwy nerfus fyth pan ofynnwyd i mi hefyd i gyfeilio i Bryn ar gopa'r Wyddfa! Roedd llethr serth iawn y tu ôl i mi, a chaead y piano'n ysgwyd wrth i'r hofrenydd oedd yn ffilmio nesáu atom. Tybed a ddylwn i fod yn y *Guinness Book of Records* fel y person cyntaf i chwarae piano ar ben mynydd uchaf Cymru?

Wrth sôn am y piano arbennig hwnnw, dyna'r union biano a ddewisais i Oriel Glyn-y-Weddw – y piano a fu ar yr Wyddfa hefo Bryn Terfel a minnau. Braf oedd cael cwmni fy ffrind, Jean o Chwilog, wrth ei ddewis i'r Oriel. Roedd hynny'n meddwl gymaint iddi gan ei bod hi a'r Cyfeillion wedi codi'r arian i brynu'r piano er cof am ei hannwyl ŵr, Gwilym. Erbyn hyn mae'r piano i'w weld yng Nglyn-y-Weddw mewn stafell foethus. Braf iawn felly yw cael cyfleon i gyfeilio yno mewn cyngherddau, yng nghwmni'r Cyfeillion, ac yn sŵn y tan coed yn clecian.

Ers blynyddoedd bellach dwi wedi bod yn helpu i godi arian i Dŷ Gobaith, yr hosbis i blant, ac yn cyfeilio yn eu gŵyl yn Llaneurgain. Ond daeth her newydd eleni, sef bod yn *calendar girl* – a hynny'n noethlymun! Cytunais, am fod pawb arall yn gwneud ac er mwyn helpu'r achos, am wn i, ond credwch chi fi, mi oeddwn i'n reit nerfus am y peth. Roedd y sesiwn tynnu lluniau i ddigwydd yn y tŷ 'cw, Cynefin. Mi oeddwn i'n disgwyl Susan a Nigel, y ffotograffwyr, acw, ynghyd ag Eleanor a Hazel, Tudur Owen a Rhys Meirion. Roedd Cynefin yn mynd i fod yn llawn o selébs noeth! Gobeithio na fyddai'r gweinidog yn galw! Mi wnes i lobsgows yn y *slow cooker* y noson cynt, glanhau'r tŷ fel dwn i'm be, gofalu bod y cyrtens yn gweithio, a gwneud yn siŵr fod pob gwresogydd yn ddigon cynnes! Ond diolch byth, doedd dim angen i mi boeni o gwbwl. Roedd Susan a Nigel mor broffesiynol, a dim ond Susan oedd yn tynnu fy llun, a minnau'n eistedd yn *weddol* guddiedig wrth y piano. Cafwyd lot o chwerthin, a phawb yn canmol y lobsgows wedyn. Cofiwch, dwi'n gresynu bod yn rhaid i Dŷ Gobaith orfod ymdrechu i godi arian fel hyn o hyd. Pam na fuasai cyfran o'r arian anfoesol o fawr y mae pêl-droedwyr proffesiynol yn ei ennill bob wythnos yn mynd tuag at gynnal Tŷ Gobaith?

Wrth recordio cryno ddisg newydd Côr y Traeth yn ddiweddar, cefais sgwrs ag Emyr Rhys, cynhyrchydd a pherchennog Stiwdio Aran yn y Groeslon. Roedd ganddo ddiddordeb mawr yn fy ngwaith efo plant Ysgol Pendalar ac Ysgol y Bont. A rhyfeddu wnaeth Emyr pan soniais am Jack, y llanc ifanc o Fryn Du, ger Rhosneigr, sy'n gymaint o ysgogiad i mi gyfansoddi miwsig byrfyfyr i'r piano a llinynnau. Cafodd Emyr y syniad o ddod i'r ysgol a recordio deg darn araf yn para pum munud yr un, i'w rhoi ar gryno ddisg newydd. A hynny fu. Bu'r recordiad yng nghwmni Jack a'i fam, a buan iawn y daeth y deg darn yn ddarnau ymlacio i Jack – ac yntau'n mwynhau'r ffys i gyd! Gofynnais i Jen Bannister, cymhorthydd yn Ysgol y Bont, ac arlunydd gwych, am syniadau ar gyfer clawr y CD. Cawsom y syniad iddi dynnu llun dwylo Jack a 'nwylo i. Gweithiodd Emyr a minnau ar y darnau yn y stiwdio. 'Myfyrdod' yw teitl y CD, a Gwyn ddewisodd enwau'r darnau. Pwrpas y ddisg yw cael y gwrandawr i ymlacio, lle bynnag y bo – mewn tŷ bwyta, meddygfa neu ddosbarth ioga, cefndir tawel mewn triniaethau harddwch neu gemotherapi. Ond yn bennaf oll, cerddoriaeth ydyw sy'n cyffwrdd plant ag anghenion arbennig. Diolch i Jack am fy ysbrydoli ac am oriau bythgofiadwy yn ei gwmni. Er nad yw'n siarad gair ar hyn o bryd, pwy a ŵyr beth ddaw. Mae ymateb ei gorff – y wên, y llygaid glas fel dwy em yn pefrio wrth syllu arnaf – yn dweud y cyfan.

Mae dau biano yn ein tŷ ni – yr un mawr yn y stafell gerdd, a'r un cefnsyth yn y lolfa, sef piano fy hen athrawes annwyl, Mrs Gabrielson. Wrth roi tonc ar ei allweddellau cyfarwydd un bore, gwawriodd arna i nad oedd Mrs Gabrielson wedi sgrifennu llythyr ata i ers sbel, nac wedi anfon cerdyn pen-blwydd, na'm ffonio fel roedd hi'n arfer gwneud. Roedd hyn yn groes i'r arfer, a threfnais yn syth i alw heibio i'w fflat fach yn Hen Golwyn. Ond pan euthum yno, dychrynais o'i gweld. Roedd hi'n llwyd ac yn wan, wedi colli pwysau, ac rown i'n falch 'mod i wedi trefnu i'w gweld. Doedd dim graen ar y fflat yn Ffordd Llanelian, dim arogl llysiau na'r bwyd iach a arferai goginio. Mi ffoniais y meddyg yn syth. Roedd Mrs Gabrielson yn styfnig iawn ac yn erbyn mynd i'r ysbyty, a phenderfynwyd ar dabledi a bod yn rhaid cadw golwg arni am sbel. Yn anffodus, ni chafodd drefn ar bethau, druan bach, a rhaid oedd galw'r gweithiwr cymdeithasol a'r meddyg unwaith eto i'w gweld.

Diwrnod anodd yn fy hanes oedd yr un pan oedd yn rhaid i mi gwrdd â nhw yn fflat Mrs Gabrielson i geisio'i pherswadio i fynd i'r ysbyty.

'Dowch rŵan, mae'n Ddolig wsnos nesa. Well i chi fynd i gael saib bach a gwella,' medda fi.

'Tydw ddim yn mynd i'r un ysbyty,' atebodd hithau'n flin.

'Dwi wedi gweithio yn galed i chi, yn do, ac wedi gwrando arnoch chi,' meddwn innau. 'Wnewch chi wrando arna i rŵan? Dowch, awn ni i gael cinio hefo'n gilydd, ia?'

Edrychodd i fyw fy llygaid, a chodi'n syth i nôl ei chôt. Gafaelais innau yn ei braich a'i rhoi i eistedd yn y car.

'Lle 'dan ni am gael mynd, cariad bach?' meddai'n wên i gyd. Fedrwn i mo'i hateb. Gwyddwn mai yn Ysbyty Bryn Hesketh, Bae Colwyn, y byddai hi'n treulio'r Nadolig, nid mewn unrhyw fwyty.

Wrth fynd i mewn trwy ddrysau'r ysbyty, roedd yna goeden Nadolig hardd.

'O, sbïwch ar y goleuadau tlws!' meddai hi. Daeth Carol, y gweithiwr cymdeithasol, ata i a'm tynnu naill ochr, gan adael i'r nyrsys fynd â Mrs Gabrielson annwyl i lawr y coridor – ac o'm golwg. Roedd y dagrau'n llifo. Teimlwn mor euog. Ond dywedodd Carol wrtha i am fynd i brynu set o ddillad newydd i'm hen athrawes, a dod â nhw 'nôl ym mhen yr awr. A dyna wnes i, siopio ym Mae Colwyn a dychwelyd efo bagiau'n llawn o ddillad newydd. Erbyn hyn roedd Mrs Gabrielson fel petai wedi setlo tipyn, yn sgwrsio ac yn bwyta'i chinio.

'Look, there's a piano here, Mrs Gabrielson,' meddai Carol.

'So there is!' meddai hithau. 'I want Annette, my pupil, to play.'

Sut yn y byd roeddwn i'n mynd i chwarae wedi'r holl emosiwn, a beth oedd hi'n disgwyl i mi ei chwarae?

'Chwaraewch rywbeth gan Beethoven, cariad bach,' meddai Mrs Gabrielson. A dyma fi'n dechrau chwarae rhan o Sonata a ddysgais efo hi ar gyfer fy Ngradd 8. Roedd gwên lydan ar ei hwyneb, ac roedd hi'n gwrando'n astud. Yn sydyn, meddai hi, 'I'd like to have a go,' ac mi gododd o'i sedd, eistedd ar y stôl, a chwarae'r 'Moonlight Sonata' i gyd ar ei chof, heb un nodyn anghywir. Roedd hi'n 95 oed ar y pryd.

Er iddi frwydro yn erbyn cancr, a thorri'i chlun, gan wynebu sawl triniaeth lawfeddygol fawr yn ystod ei bywyd, brwydrodd Mrs Gabrielson yn ddewr i wella bob tro. Mae ganddi nerth corfforol a meddyliol i'w ryfeddu. Dathlodd ei phen-blwydd yn 98 oed ar 19 Mawrth, 2010. Erbyn hyn mae hi mewn cartref i ddioddefwyr y salwch Alzheimers ym Mhenmaen-mawr, ac yn treulio llawer o'i hamser yn ei chadair yn edrych allan ar y môr. Af i'w gweld yn gyson, a phob tro yr af i'r stafell, ei geiriau cyntaf yw, 'Cariad bach, dach chi wedi gneud fy niwrnod i!' Yna, mae'n dechrau fy holi'n syth am ei mam:

'Dach chi'n gwbod be 'di hanes Mam? Tydi hi heb sgwennu na gadael i mi wybod lle mae hi.'

A'r un ydi f'ateb innau bob tro: 'Dach chi'n naw deg wyth, ac mae'ch mam hefo'r angylion.'

'Diolch, cariad, dwi'n well rŵan.' Ac wrth i mi ffarwelio â'r hen wraig sy'n gymaint o drysor yn fy mywyd, mi fydd hithau'n troi ataf, ac yn dweud efo gwên:

'Diolch, diolch fyrdd i chi a Gwyn am bob peth.'

Beth alla i ei ddweud, a 'nghalon yn llawn, ond diolch, diolch fyrdd iddi hithau...

21

Â'R ALAW YN EI BLAEN

EISTEDD YMA YN CYNEFIN, wedi blino ar ôl diwrnod o ddysgu plant, glasiad bach o win yn fy llaw, a thrwy ffenest fawr y tŷ, syllu i lawr o'm cynefin uchel ar yr haul yn machlud dros Fae Ceredigion a Môr Iwerddon a gwawr felen yr haul yn cynhesu'r hen fynyddoedd cyfarwydd o gwmpas Deiniolen.

Gallwn eistedd am oriau yn gwylio'r haul yn machlud. Dwi'n cael fy syfrdanu bob tro gan y gwahanol liwiau a phatrymau yn yr awyr, ac yn sydyn gweld y belen goch yn diflannu'n araf i'r gorwel. Mi dreuliodd Gwyn a fi ein priodas arian ar ynys Santorini, Groeg, lle mae'r machlud ar ei orau, meddan nhw wrtha i. Ond does dim i guro machlud Cynefin.

Braf yw cael byw mewn pentref bach mynyddig, efo cymdeithas glòs a phawb yn adnabod ei gilydd. Er bod Deiniolen wedi newid gryn dipyn fel llawer pentre eraill, yma mae'r werin bobol o hyd, ac mae'r Gymraeg yn dal yn fyw. Dwi'n hoff iawn o raglen *Doc Martin* ar y teledu, ond Doc Gwyn a Doc Robin sydd gynnon ni yma yn Neiniolen. Mae'r ddau wedi bod yn hynod o ffeind efo ni fel teulu, yn hawdd siarad efo nhw, ac yn ffrindia yn ogystal â bod yn ddoctoriaid i ni.

Cymry Cymraeg yw'r rhan fwya o bobol sy'n byw o 'nghwmpas i a llawer ohonyn nhw'n perthyn. Ein cymdogion ydi Tony Elliott a'i fab Deian. Mae'n hogia ni a Deian yn fêts, a fedrwn ni ddim gofyn am well cymydog na Tony. Nid bore da, na pnawn da, ond 'Henffych' a ddefnyddiwn i gyfarch ein gilydd cyn rhannu jôcs. Dwi ddim wedi gofyn iddo, hyd yn hyn, i roi'r dillad ar y lein, ond dwi'n gwybod pe bawn i'n gofyn mai'r ymateb fasa, 'Wna i siŵr, gad y goriad'.

Daw Gwyn adre toc, a golwg reit flinedig arno ar ôl diwrnod arall fel pennaeth Gwasanaeth Addysg Môn.

'Sut aeth hi heddiw?'

'O iawn, petha 'chydig bach yn ddyrys acw...'

'Ond ti'n dal i fwynhau.'

'Ydw, tad. Wsti be, mae'n rhyfedd heb yr hen Del o gwmpas y lle 'ma. Dwi'n dal i glywad sŵn ei phawenna hi ar y llawr coed 'ma!'

'Gymri di lasiad bach? Mae 'na gaserol yn y popty.'

'Champion.'

'Bydd yr hogia 'nôl toc, isio bwyd.'

Mae'r plant i gyd yn byw adre ar hyn o bryd, y tri efo swyddi dros dro. Maen nhw yn eu hugeinia erbyn hyn: Heledd wedi graddio yn y Gyfraith ym Mangor, a'i chwrs Legal Practice yng Nghaer; gradd mewn marchnata ym Mangor gafodd Ynyr, ac wedi mwynhau bywyd coleg, coeliwch chi fi. Anghofia i byth y taflu capiau i'r awyr ar ddiwrnod graddio. Toes dim isio gofyn pwy oedd yn crio! Er bod Bedwyr yntau wedi cychwyn ym Mangor, nid oedd y cwrs na'r bywyd yn ei siwtio. Roedd Monica, y fydwraig, yn iawn. Canu ydi petha Bedwyr, ac mae'n meddu ar lais canu naturiol. Hwyrach y datblygith o i'r cyfeiriad hwnnw. Pwy a ŵyr?

Beth fydd eu dyfodol, tybed? Mi fyddwn yn torri 'nghalon pe baent yn gorfod cael gwaith ymhell oddi wrtha i. Ond mae eu bywyd o'u blaenau. Nid plant ydyn nhw mwyach.

Ac eto gwir y gair, mai diddiwedd yw gofalon rhieni. Chwarter wedi wyth y bore, 21 Medi 2010, a Gwyn yn cael galwad ffôn gan Heledd – wedi cael damwain car. Dagrau mawr a phanig llwyr. Teimlais fy nhraed yn rhoi oddi tanaf. Rhuthro i'r car a dreifio i'r ysbyty, gan ddychmygu'r gwaethaf. Ond, diolch i Dduw, doedd ei hanafiadau ddim mor ddrwg â hynny. Y peth anhygoel oedd bod damwain Heledd yr un fath yn union â'r un gefais innau yn y nawdegau cynnar. Dim ond eiliad yw'r gwahaniaeth rhwng byw a marw yn aml. Fedra i ddim hyd yn oed meddwl am y peth.

Rhaid i minnau ddysgu'r wers, ac arafu hefyd. Dysgu dweud 'na' weithiau. Meddwl mewn difri am yr holl bethau dwi wedi'u gwneud – ymarfer, cyngherddau ac eisteddfodau, recordio; yr holl raglenni teledu, arwain corau, cystadlaethau, yn ogystal â magu'r plant cystal ag y gallwn. Yr holl ruthro 'na ar hyd yr

A470 i godi miloedd o bunnau i elusennau dros y blynyddoedd – Ward Alaw, Ysbyty Gwynedd; Tŷ Gobaith; Hosbis yn y Cartre; Ambiwlans Awyr; NSPCC... Trio 'ngorau i blesio pawb. Rhaid i fi ddiolch i Hywel Gwynfryn, Nia Roberts, Rhys Jones, Dai Jones a Wil Morgan. Maent wedi bod yn gwmni aruthrol i mi ar y radio dros y blynyddoedd wrth deithio yn y car o'r de i'r gogledd ar hyd yr A470.

Dwi casáu dreifio, ond rhaid dal i rygnu yn y car, a diolch am 'SAT NAV': mae o wedi hwyluso llawer ar fy nheithio a sicrhau nad wyf yn mynd ar goll mor amal.

Anodd iawn ydi cefnogi tîm pêl-droed yn ein tŷ ni gan fod Ynyr yn gymaint o ffan o dîm Lerpwl, a Bedwyr yn cefnogi Arsenal. Ydw, dwi wedi eistedd ac wedi gwylio gêmau pêl-droed hefo'r ddau, ac wedi mwynhau pob eiliad. Pwy fasa'n meddwl y byddwn i, o bawb, â diddordeb mewn gwylio gêm bêl-droed. Dihangfa llwyr, coeliwch chi fi. Beth sy'n digwydd yn ein tŷ ni pan fo Lerpwl ac Arsenal yn chwarae yn erbyn ei gilydd? Dwi'n syportio West Brom fel Hogia'r Wyddfa!

A minnau'n agosáu at yr hanner cant mae'n bryd i mi fod yn fwy dewisol o ran y gwaith y cytunaf i'w wneud. 'Un dydd ar y tro', chwedl yr hen Treb. Treulio mwy o amser adre yn Cynefin yn coginio, trefnu blodau. Cyfansoddi caneuon ar gyfer Bedwyr. Ailymarfer unawdau piano hen a newydd a chyfle i ddatblygu nosweithiau Piantel (piano/telyn) efo fy ffrind, y telynor Dylan Cernyw.

Bu farw fy ffrind, John Puw yn 49 oed ar 22 Hydref, 2010. Un o'r pedwarawd a ganodd yn ein priodas, a'r ffrind mwya triw i mi tra bûm i yn y Coleg. Cyfeiliais iddo fo a'i wraig annwyl, Doctor Elin, ar sawl achlysur. Bydd yr hiraeth o'i golli efo mi am byth.

A gaf i'r cyfle i fod yn nain rhyw ddydd? A fydd cyngherddau traddodiadol yn dal i gael eu cynnal? Beth yw dyfodol S4C? Fydda i yma yn Cynefin? Wn i ddim. Ond gwn i un peth – fy mod wedi mwynhau pob eiliad o fy mywyd cerddorol a bod yn wraig ac yn fam. Faswn i ddim yn newid dim yn y byd.

Mi ddarllenais unwaith yn y gadeirlan ym Mangor fod goleuo cannwyll yn union fel gweddïo. A dyma fy ffordd fach i o feddwl a gweddïo dros bobl. Ydw, mi ydw i'n berson emosiynol a theimladwy. Person y galon. Dwi'n grefyddol iawn yn fy ffordd fy hun. Dwi'n credu yn Nuw. Mae gen i ffydd.

Mae dwy ochor i 'nghymeriad i. Dwi'n hoff iawn o gymdeithasu, a hwyl a siarad a chwerthin. Ond mae 'na ochor arall sy'n fwy dwys, yn licio tawelwch a phreifatrwydd. Dwi'n edrych rŵan ar allweddell y piano. Y du a'r gwyn. Mae'r gwyn yn rhoi alaw braf i'r glust, boed lon neu leddf. Ond mae'r nodau du yn ychwanegu lefel arall, rhyw ddyfnder hardd, ysbrydol fedrwch chi mo'i weld na'i gyffwrdd.

Mae'r haul yn suddo i'w wely, yn paratoi am ddiwrnod arall. Mae mynyddoedd fy mro yn aros. Mae fy nheulu o 'nghwmpas. Mae'r dŵr yn dal i grynhoi yn nhir gwlyb hen fwthyn fy magwraeth, Blaen y Waen, gan droi'n afon sy'n llifo i lawr y cwm tuag at y môr.

Â'r alaw yn ei blaen.

Hwyrach y sgrifenna i hi ar bapur rhyw ddiwrnod...